THIS IS
VOCA
VOCABULARY

For Intermediate Learners

THIS IS VOCABULARY 중급

지은이 권기하
펴낸이 임상진
펴낸곳 (주)넥서스

출판신고 1992년 4월 3일 제311-2002-2호 [2-18]
10880 경기도 파주시 지목로 5
Tel (02)330-5500 Fax (02)330-5555

ISBN 979-11-6165-205-4 54740
     979-11-6165-203-0 (SET)

가격은 뒤표지에 있습니다.
잘못 만들어진 책은 구입처에서 바꾸어 드립니다.

www.nexusbook.com

어휘의
실력을 쌓는

THIS IS

VOCA

VOCABULARY

권기하 지음

중급
For Intermediate
Learners

NEXUS Edu

Preface

영어에서 어휘는 듣기 · 말하기 · 읽기 · 쓰기의 기초를 이루는 핵심적인 요소입니다. 그리고 학습자들의 영어 실력이 높아질수록 어휘가 차지하는 비중이 높아집니다. 즉, 독해지문 읽기와 대화에서 발음이나 문법을 몰라서라기보다는 어휘의 정확한 의미나 쓰임을 알지 못해 문맥을 이해하는 데 어려움을 느끼거나 제대로 활용할 수 없는 경우가 많습니다. 더군다나 초등학교의 영어 노출 시기가 앞당겨지면서 중학교와 고등학교 과정에서 요구하는 어휘의 수준은 점점 높아지고 있습니다. 실제 각종 시험이나 수능에서 느끼는 체감 난이도도 평상시보다 높다는 것을 알 수 있습니다. 이것은 교과서나 한 권의 어휘 교재만으로는 해결할 수 없음을 의미합니다.

그렇다면 어떻게 어휘를 효과적으로 학습할 수 있을까요? 무조건 많은 양의 어휘를 기계적으로 외우기만 하면 될까요? 단순히 많은 양의 영단어를 암기하는 것도 어휘 학습의 한 방법이긴 합니다. 하지만 이러한 방법으로는 무수히 많은 어휘를 학습하기는 불가능하며, 암기하더라도 금방 잊어버리거나 외운 단어를 실제 생활이나 시험에서는 활용할 수 없게 됩니다. 따라서 단순히 어휘의 정의만이 아니라, 연어 또는 회화나 독해를 통해 문맥 속에서 어휘의 의미를 유추하고, 중심 개념, 어원의 이해 등을 통해 체계적으로 학습하는 것이 중요합니다.

〈This Is Vocabulary 최신개정판〉 시리즈는 어휘를 주제별로 정리해 의미의 연계성을 통해 학습자들이 각각의 어휘를 자연스럽게 학습하고 기억할 수 있도록 했습니다. 그리고 어휘 수준에 따라 초급, 중급, 고급, 어원편 등으로 구성, 다양한 어휘 활동을 추가하였으며, 학습 효과를 극대화하기 위해 빈도가 높은 연어, 파생어, 예문 등을 제시했습니다.

〈This Is Vocabulary 최신개정판〉 시리즈를 통해 언어의 기본 단위인 어휘를 효과적으로 학습하고 더 나아가 이 책의 다양한 어휘 학습 장치를 통해 영어의 4가지 skill을 모두 향상시킬 수 있었으면 합니다.

권기하

이것이 더 강력해진
"THIS IS VOCA"시리즈다!

✎ 효과적인 주제별 어휘 학습

〈This Is Vocabulary 최신개정판〉 시리즈는 어휘를 주제별로 분류하여, 학습자들이 각각의 어휘를 연상 작용을 통해 효과적으로 암기하고 쉽게 기억할 수 있도록 구성하였습니다.

✎ 문맥을 통한 어휘 학습

어휘는 단독으로 사용되지 않으므로 예문이나 어구의 형태에서 확인하는 과정이 필요합니다. 따라서 단순히 주제와 관련된 어휘만을 나열한 것이 아니라, 연어, 파생어, 주제와 관련된 예문을 함께 제시하여 가능한 한 다양한 표현을 반영, 문맥을 통해 학습할 수 있도록 구성하였습니다.

✎ 입문(주니어)부터 수능 완성, 고급 단계까지의 연계성

어휘 학습이 체계적이고 단계적으로 이루어질 수 있도록 입문(주니어)부터 초급, 중급, 수능 완성, 어원편, 고급, 그리고 뉴텝스까지 시리즈로 구성했습니다. 각 단계에 맞는 표제어를 선정하고 적절한 예문, 수능 기출 예문, 그리고 추가 어휘를 제시하여 보다 효과적으로 학습할 수 있도록 구성하였습니다.

✎ 다양한 학습 방법

레벨에 따라 Word Search, Word Bubbles, Crossword Puzzles, Word Mapping 등 다양한 활동을 추가함으로써 앞서 배운 어휘를 복습하는 과정을 자연스럽게 즐길 수 있도록 구성하였습니다. 또한 언제 어디서나 학습이 가능하도록 모바일로 영/미 발음을 확인하고, 모바일 VOCA TEST를 통해 자기주도학습을 할 수 있는 최적화된 학습 시스템을 제공합니다.

Features

Thematic Grouping

중학교 3학년부터 고등학교 1학년까지 꼭 익혀야 할 주요 단어를 7개 chapter, 40개 unit으로 정리하고, 각각의 unit에는 교육부 권장 어휘를 토대로 엄선한 30개의 표제어(총 1,200)를 소개합니다. 각 unit은 테마별로 분류되어 있어서 단어가 쓰이는 상황, 장소, 분야에 따라 해당 단어를 함께 학습할 수 있습니다.

품사 표시

n 명사 **v** 동사 **a** 형용사 **ad** 부사
conj 접속사 **prep** 전치사 **int** 감탄사
ant 반의어 **syn** 동의어 **c.f.** 비교

Sample Sentence

교과서, 시험 문제에 자주 나오는 문장 유형을 반영한 예문을 통해서 해당 어휘가 실제로 어떻게 쓰이는지 파악할 수 있으며 독해 실력의 기본을 탄탄하게 쌓을 수 있습니다.

Collocation

두세 단어의 짧은 collocation(연어)을 통해서 표제어가 어떤 어휘와 주로 같이 쓰이고 의미가 어떻게 확장되는지 배울 수 있습니다.

Multi-Meaning Word

한 단어에 뜻이 하나만 있을까요? unit 마다 두 개 이상의 뜻을 가진 단어를 소개하고, collocation(연어)을 통해서 간단 명료하게 단어의 다양한 뜻을 확인할 수 있습니다.

Exercise

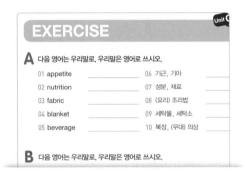

어휘의 기본기를 확인하는 마무리 문제를 통해서 배운 단어를 복습, 점검할 수 있습니다.

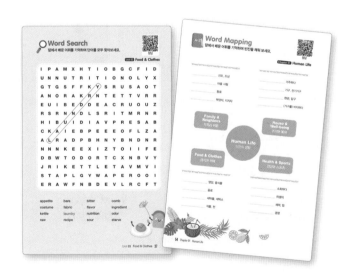

Word Search

Unit마다 앞에서 배운 단어를 워드 게임을 통해 자연스럽게 암기할 수 있습니다.

Word Mapping

Chapter에서 배운 단어를 테마별로 나누어 정리하며 복습할 수 있습니다. 주제별 어휘를 함께 묶어봄으로써 단어들을 효과적으로 더 오래 암기할 수 있습니다.

언제 어디서든
THIS IS VOCA를
모바일로 학습하자!

MP3 듣기
VOCA TEST
정답 확인

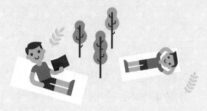

QR코드를 찍으면 아래의 모든 것이 가능합니다!

어휘/뜻/예문 듣기
영/미 발음 MP3 제공

모바일 VOCA TEST로
게임을 통해 복습하기

Word Search
정답 확인하기

Word Mapping
정답 확인하기

추가 제공 자료 ▶ **www.nexusbook.com**

① 어휘리스트/테스트   ③ MP3 음원

② 테스트 도우미   ④ 핵심 접두사 단어장

Contents

04 Chapter

Nature and Science 자연과 과학

05 Chapter

Politics and Economics 정치와 경제

"THIS IS VOCA 중급"을 얼마나 알고 있는지 VOCA?

☑ 자신이 아는 단어를 체크하고 그 의미를 제대로 알고 있는지 확인해 보세요!

☐ addiction	☐ bankrupt	☐ celebrate	☐ compare	☐ contain
☐ domestic	☐ extinct	☐ flavor	☐ generous	☐ grateful
☐ hesitate	☐ intelligence	☐ judgment	☐ location	☐ multiply
☐ nutrition	☐ optimistic	☐ overcome	☐ prohibit	☐ refund
☐ retire	☐ senior	☐ share	☐ stimulate	☐ trade
☐ treat	☐ urgent	☐ victim	☐ weapon	☐ yawn

맞은 개수	권장 학습 방법
0~15	음원을 여러 번 듣고 따라 말하며, 직접 어휘도 써 보면서 반복 학습을 통해 공부해 보세요! 모바일 VOCA TEST로 학습한 내용을 수시로 점검해 보는 것이 어휘 암기에 큰 도움이 됩니다!
16~25	단어의 의미를 좀 더 깊게 파고들기 위해서는 표제어의 파생어도 함께 암기하는 것이 좋습니다. 또한 Exercise 문제도 빠짐없이 풀어 본다면 더욱 더 향상된 어휘력을 갖출 수 있습니다.
26~30	상당한 어휘 실력을 갖고 있네요! 단어와 뜻 그 자체도 중요하지만, 문장에서 해당 단어가 어떻게 쓰이는지 주어진 예문을 통해서 공부한다면 상당한 양의 어휘를 단숨에 마스터할 수 있습니다.

어휘 뜻 확인하기   ☑ ____ / 30

☐ 중독	☐ 파산한	☐ 축하하다	☐ 비교하다	☐ 포함하다
☐ 가정의, 국내의	☐ 멸종된	☐ 맛	☐ 관대한	☐ 감사하는
☐ 망설이다	☐ 지능	☐ 판단	☐ 위치	☐ 곱하다
☐ 영양	☐ 긍정적인	☐ 극복하다	☐ 금지하다	☐ 환불
☐ 은퇴하다	☐ 손위의; 연장자	☐ 공유하다	☐ 자극하다	☐ 무역
☐ 다루다, 대접하다	☐ 긴급한	☐ 희생자, 피해자	☐ 무기	☐ 하품하다

Chapter
01

Human Life

Unit 01

Family & Neighbors

01 breed
[bri:d]

ⓥ 낳다, 기르다 **ⓝ** 품종　　　　　**mixed breed** 잡종

✤ Mr. Banks lives alone and breeds cattle for a living.

✤ What breed of dog do you like the best?

02 feminine
[fémənin]

ⓝ femininity 여성다움

ⓐ 여성의　　　　　**feminine designs** 여성적인 디자인

You are very feminine for a man.

03 parental
[pəréntl]

ⓝ parent 부모, 어버이

ⓐ 부모의, 어버이의　　　　　**parental support** 부모의 후원

Humans need parental care from birth.

04 supporter
[səpɔ́ːrtər]

ⓥ support
지탱하다, 지지하다, 부양하다

ⓝ 부양자, 지지자　　**an active supporter** 적극적인 지지자

My father is my biggest supporter.

05 belong
[bilɔ́ːŋ]

ⓥ 속하다, ~의 것이다　　　　　**belong to** ~에 속하다

Because we are social animals, we feel the need to belong to a family.

01 Banks 씨는 혼자 살고, 가축업을 한다. / 당신은 어떤 종의 개를 가장 좋아합니까? 02 너는 남자치고 굉장히 여성적이구나. 03 사람은 태어날 때부터 부모의 보살핌이 필요하다. 04 아버지는 나의 가장 큰 지지자이다. 05 우리는 사회적인 동물이기 때문에 가족에 속해야 하는 필요성을 느낀다.

06 babysitter
[béibisítər]

ⓥ **babysit** 아기를 돌보다

ⓝ 아이를 돌봐주는 사람, 유모

a part-time babysitter 아기 돌보는 파트타이머

You can leave your kids with a baby-sitter when necessary.

07 bridegroom
[bráidgrù(:)m]

ⓝ 신랑

a suitable bridegroom 신랑감

A wedding gift to the bridegroom was a finely decorated pillow.

08 childish
[tʃáildiʃ]

ⓐ 어린애 같은, 유치한

a childish thought 유치한 생각

Don't bother me anymore with your childish behavior.

09 childlike
[tʃáildlàik]

ⓐ 어린이다운

childlike innocence 어린이다운 순진함

She took an almost childlike delight in choosing her clothes.

10 companion
[kəmpǽnjən]

ⓐ **companionate** 친구의

ⓝ 동료

a traveling companion 여행 길동무

They accepted the Indian as their closest companion.

11 divorce
[divɔ́:rs]

ⓥ 이혼하다 ⓝ 이혼

divorce papers 이혼서류

It has been ten years since my parents got divorced.

---

06 필요하면 아이들을 돌봐주는 사람에게 맡겨도 된다. 07 신랑이 받은 결혼 선물은 고급스럽게 장식된 베개였다. 08 더는 네 유치한 태도로 나를 귀찮게 하지 마. 09 그녀는 옷을 고르는 데 어린애처럼 즐거워했다. 10 그들은 그 인도 사람을 그들의 가장 가까운 동료로 받아들였다. 11 우리 부모님이 이혼한 지 10년이 된다.

12 elderly
[éldərli]

ⓐ 나이 많은

an elderly couple 노부부　**the elderly** 노인들

A group of elderly ladies sat drinking tea in the cafeteria.

13 host
[houst]

ⓝ hostess 여주인

ⓝ 남자주인　　　　　**a show host** 사회자

Ken served as a host at the dinner for the wounded warriors.

14 household
[háushould]

ⓝ 가족 ⓐ 가족의　　**household goods** 가사용품

❀ 83.5% of all households have some form of medical insurance.

❀ This trailer is full of household appliances.

15 inborn
[ínbɔ́ːrn]

ⓐ 타고난, 선천적인　　**inborn talents** 타고난 재주

Tina seems to have an inborn talent for cooking.

16 infant
[ínfənt]

ⓝ infancy 유년기

ⓝ (7세 미만의) 유아　**the infant death rate** 영아 사망률

Always dry an infant's skin thoroughly after bathing.

17 innate
[inéit]

ⓐ 타고난, 천성의, 선천적인　**an innate instinct** 타고난 본능

Everyone has an innate ability to learn a language.

---

12 나이가 많은 여성 몇 명이 식당에 앉아서 차를 마셨다.　13 Ken은 부상당한 용사들을 위한 만찬의 사회를 맡았다.
14 전체 가구의 83.5%는 몇 가지 의료보험을 들고 있다. / 이 트레일러는 가전제품으로 가득 차 있다.　15 Tina는 요리에
타고난 재능이 있는 것 같다.　16 목욕 후에는 항상 유아의 피부를 잘 닦아야 한다.　17 모든 사람들은 언어를 배우는 선천
적인 능력을 갖추고 있다.

18 **junior**
[dʒúːnjər]

ⓐ 손아래의, 연하의 ⓝ 연소자, 졸업 학년의 바로 전 학년

junior high school 중학교

* Some people tend not to work with someone junior to them.
* By the end of junior year, you should think about what you want to do for a living.

19 **marriage**
[mǽridʒ]

ⓥ **marry** ~와 결혼하다

ⓝ 결혼, 결혼 생활

have a happy marriage 행복한 결혼 생활을 보내다

The key to a successful marriage is accepting each other's flaws.

20 **maid**
[meid]

ⓐ **maiden** 소녀의, 처녀의

ⓝ 소녀, 미혼녀, 하녀

a hotel maid 호텔 청소부

A maid pushed her cleaning cart down the hall.

21 **male**
[meil]

ⓝ 남성 ⓐ 남성의   **a male voice** 남자 목소리

* How males and females speak is different in many societies.
* There are many similarities between male and female attitudes.

22 **nurture**
[nə́ːrtʃər]

ⓥ 영양분을 주다, 양육하다

a well-nurtured child 잘 기른 아이

They carefully nurtured plants such as sunflowers and eggplants.

18 어떤 사람들은 자신보다 나이가 어린 사람과 일하기를 꺼리는 경향이 있다. / 3학년이 끝날 때 즈음에 여러분은 어떤 일을 하고 싶은지 생각해 보아야 합니다. 19 성공적인 결혼 생활의 비결은 서로의 결점을 받아들이는 것이다. 20 청소부가 청소카트를 끌고 복도를 지나갔다. 21 많은 사회에서 남성과 여성이 말하는 법은 다르다. / 남자와 여자의 태도에는 유사점이 많다. 22 그들은 조심스럽게 해바라기와 가지 같은 식물을 키웠다.

23 ☑ outsider
[àutsáidər]

ⓝ 문외한, 외부인   **a political outsider** 정치적 문외한

I'm an outsider, the only Asian woman in the group.

24 ☑ personal
[pə́:rsənəl]

ⓐ 개인의, 사적인   **personal life** 사생활

Sometime ago she left all her personal belongings to me.

25 ☑ senior
[sí:njər]

ⓐ 손위의, 연상의, 상급생의 **ⓝ** 연장자, 상급생

a senior citizen 고령 시민, 노령자

✽ Many seniors at the college work as personal tutors.

✽ She is marrying a man 10 years her senior.

26 ☑ unborn
[ʌnbɔ́:rn]

ⓐ 태어나지 않은

an unborn child 아직 태어나지 않은 아기, 태아

Even aspirin has proven to be dangerous to an unborn child.

27 ☑ villager
[vílidʒər]

ⓝ 마을 사람   **a local villager** 지역 주민

A local villager is dancing to the beat of a handmade drum.

23 나는 이 모임의 유일한 아시아인 여성으로, 외부인이나 마찬가지다. 24 그녀는 얼마 전에 소지품을 모두 내게 맡겼다.
25 많은 대학 졸업반 학생들은 과외선생님을 한다. / 그녀는 자신보다 10살 더 많은 남자와 결혼할 예정이다. 26 심지어
아스피린도 태아에게 위험하다고 입증되었다. 27 지역 주민 한 명이 수제 타악기에 맞춰 춤을 춘다.

18 Chapter 01 Human Life

28 ☑ foster
[fɔ́(ː)stər]

ⓥ 기르다, 양육하다 **ⓐ** 양육하는, 기르는

a foster mother 양어머니, 계모

❖ Fostering a teenager is different from fostering a small child.

❖ Fred had no idea that his parents were foster parents.

29 ☑ funeral
[fjúːnərəl]

ⓝ 장례식 **ⓐ** 장례식용의　　**a funeral director** 장의사

Recently I attended the funeral of my friend's father.

30 ☑ ancestor
[ǽnsestər]

ⓝ 선조, 조상　　**a common ancestor** 공통된 조상

My ancestors originally came from China then immigrated to Korea.

---

28 10대 아이를 키우는 것과 어린 아이를 키우는 것은 매우 다르다. / Fred는 그의 부모님이 양부모님이라는 것을 몰랐다.
29 나는 최근에 친구 아버지의 장례식에 참석했다. 30 내 조상은 원래 중국 출신이며 한국으로 이주해왔다.

 **Multi-Meaning Word**

single

ⓐ 단 하나의
They won the game by a **single** point.
그들은 단 일 점 차이로 게임을 이겼다.

ⓐ 독신의, 미혼의
Jeff is 38 years old and still **single**.
Jeff는 서른여덟 살이며 아직 미혼이다.

ⓐ 일인용의
We are looking for a **single** bed for our son.
우리는 아들이 쓸 일인용 침대를 찾고 있다.

EXERCISE

A 다음 영어는 우리말로, 우리말은 영어로 쓰시오.

01 unborn _____   06 소녀, 하녀 _____

02 nurture _____   07 마을 사람 _____

03 childlike _____   08 문외한, 외부인 _____

04 breed _____   09 부모의 _____

05 companion _____   10 여성의 _____

B 다음 영어는 우리말로, 우리말은 영어로 쓰시오.

01 feminine designs: _____

02 a senior citizen: _____

03 inborn talents: _____

04 공통된 조상: a common _____

05 양어머니: a(n) _____ mother

06 신랑감: a suitable _____

C 다음 빈칸에 들어갈 말을 고르시오. (필요하면 형태를 바꾸시오.)

infant	funeral	ancestor	junior	companion

01 The _____ service for the victims was conducted yesterday.
희생자들의 장례식은 어제 거행되었다.

02 There were four people _____ to me, so I felt comfortable.
나보다 직급이 낮은 사람들이 4명 있었다. 그래서 나는 마음이 편안했다.

03 They believe that their _____ lie in the cemetery.
그들은 그들의 선조가 공동묘지에 묻혀있다고 믿는다.

04 We adopted two _____, a son and a daughter in 2017.
우리는 2017년에 아들 하나 딸 하나의 두 아기를 입양했다.

05 Bad _____ tempted her to do the wrong things.
나쁜 친구들이 그녀를 유혹하여 잘못된 행동을 하도록 이끌었다.

🔍 Word Search

앞에서 배운 어휘를 기억하며 단어를 모두 찾아보세요.

정답

S	R	H	R	I	M	A	L	E	P	A	R	M	D	C
J	U	F	E	M	I	N	I	N	E	P	E	A	E	T
V	A	P	Q	R	N	L	A	N	A	Z	G	I	E	P
Z	A	M	P	T	A	N	T	R	P	Y	A	D	R	Q
T	A	N	O	O	S	R	S	S	D	P	L	Y	B	B
C	N	B	C	E	R	O	E	I	O	R	L	U	I	E
I	N	A	N	E	N	T	V	N	E	H	I	W	G	Y
I	N	I	F	A	S	O	E	W	U	P	V	E	R	W
R	O	N	L	N	R	T	S	R	S	F	M	B	Z	T
R	O	R	A	C	I	O	O	N	U	R	T	U	R	E
C	K	I	E	T	F	Z	H	R	U	N	B	O	R	N
I	N	K	N	B	E	Z	T	J	O	T	D	P	C	X
U	M	Y	U	U	V	R	Z	K	H	Q	B	G	Q	Z
F	Q	F	J	U	J	V	D	I	F	O	S	T	E	R

ancestor	breed	divorce	feminine
foster	host	infant	innate
junior	maid	male	nurture
senior	supporter	unborn	villager

---

01 **dwell**
[dwel]

ⓝ **dweller** 거주민
ⓝ **dwelling** 집, 주거, 주소

ⓥ 거주하다   **dwell in the forest** 숲속에 살다

Do not dwell on the past.

---

02 **freezer**
[fríːzər]

ⓐ **freezing** 어는, 몹시 추운
ⓥ **freeze** 얼리다, 냉각시키다

ⓝ 냉각기, 냉장고   **home freezer** 가정용 냉장고

I'll put the ice cream in the freezer.

---

03 **inhabit**
[inhǽbit]

ⓝ **inhabitant**
   주민, 거주자, 서식 동물
ⓐ **inhabited** 사람이 사는

ⓥ 살다, 거주하다, 서식하다

         inhabited islands 사람이 사는 섬

Tigers once inhabited the Korean mountains.

---

04 **aisle**
[ail]

ⓝ 통로, 복도   **an aisle seat** 통로 쪽 좌석

He sat in the seat on the opposite side of the aisle.

---

05 **alley**
[ǽli]

ⓝ 뒷골목, 좁은 길   **back alley** 뒷골목, 빈민가

A large fire truck blocked the entrance of the alley.

---

01 과거에 연연하며 살지 마. 02 내가 아이스크림을 냉장고에 넣을게. 03 호랑이들은 한때 한국의 산에 서식했었다. 04 그는 통로 반대쪽에 있는 자리에 앉았다. 05 큰 소방차가 골목 입구를 막아섰다.

06 sweep
[swi:p]

ⓥ 청소하다, 쓸다

n sweeper 청소부, 청소기

sweep out 쓸어내다, 없애버리다

Tom, can you sweep the floor?

07 settlement
[sétlmənt]

ⓥ settle 정착하다, 자리 잡다

n settler 이민자, 개척자, (식민지의) 정착민

n 정착지, 거주

an Iron Age settlement 철기시대 정착지

This place is our new settlement.

08 resident
[rézidənt]

ⓐ residential 주거의, 주택의

ⓥ reside 거주하다

n 거주자 **ⓐ** 거주하는

local residents 지역 거주민

a resident tutor 재택 가정교사

❖ Do you know the residents of your apartment?

❖ Mr. Jeong has been resident in Los Angeles for 30 years.

09 ceiling
[sí:liŋ]

n 천장, 최고 한도

a price ceiling 가격 최고 한도

glass ceiling 유리 천장
〈비유〉 여성의 승진을 막는 보이지 않는 장벽

There are large living rooms with high ceilings and fireplaces.

10 chamber
[tʃéimbər]

n 방, 침실

a gas chamber 가스실

Who are you and why did you enter my private chambers?

---

06 Tom, 바닥 좀 청소해주겠니? 07 이곳은 우리의 새로운 정착지이다. 08 너희 아파트 거주자들과 알고 지내니? / Jeong 씨는 로스앤젤레스에 30년 동안 거주하고 있다. 09 거기에는 천장이 높고 벽난로가 있는 거실들이 있다. 10 당신은 누구이고, 왜 내 개인 침실에 들어왔습니까?

11 ☑ **cleanse**
[klenz]

ⓥ 씻다, 청결히 하다　　　**cleansing cream** 세안 크림

Nothing cleanses your skin like a good facial cleanser.

---

12 ☑ **closet**
[klάzit]

ⓝ 벽장, 작은 방　　　**a china closet** 도자기 장

I have a closet full of clothes but nothing to wear.

---

13 ☑ **cottage**
[kάtidʒ]

ⓝ 작은 집, 작은 별장　**a charming cottage** 매력적인 작은 집

Our house is a charming white two-story cottage.

---

14 ☑ **domestic**
[douméstik]

ⓐ 가정의, 국내의, (동물이) 사육된

the domestic economy 국내 경제

domestic violence 가정 폭력

Let's read in the author's own words about his domestic life.

---

15 ☑ **drawer**
[drɔ́:ər]

ⓝ 서랍　　　**a desk drawer** 책상 서랍

Mother put it in her drawer and forgot about it for decades.

---

16 ☑ **fireplace**
[fáiərplèis]

ⓝ 벽난로　　　**a marble fireplace** 대리석 벽난로

For larger groups, we have three-bedroom cabins with fireplaces.

---

11 좋은 세안제만큼 피부를 청결하게 해주는 것은 없다. 12 내 옷장은 옷으로 가득 차있지만 입을 옷은 없다. 13 우리 집은 귀여운, 흰색 2층짜리 오두막이다. 14 작가가 자신의 가정생활에 대해 쓴 것을 읽어보자. 15 어머니는 그것을 서랍에 넣으시고 나서 수십 년간 잊고 계셨다. 16 인원이 더 많은 경우, 벽난로가 있고 침실이 3개인 작은 별장도 있습니다.

17 furnish
[fə́:*rni*ʃ]

ⓐ **furnished** 가구가 딸린

ⓥ (물건을) 공급하다, (가구를) 비치하다

a fully furnished flat 가구를 완전히 갖춘 아파트

Students will be provided with a single room furnished with a desk.

---

18 hut
[hʌt]

ⓝ 오두막

a wooden hut 나무로 지은 오두막

There are still the remains of some wooden huts.

---

19 pillow
[pílou]

ⓝ 베개

a pillow fight 베개 싸움

I lie on my bed and press my face into the pillows.

---

20 porch
[pɔːrtʃ]

ⓝ 현관, 입구

the porch steps 현관 계단

I mounted the porch steps and rang the bell repeatedly.

---

21 rural
[rúərəl]

ⓐ 시골의, 지방의

rural population 지방 인구

Half of the population of Indonesia lives in rural areas.

---

22 faucet
[fɔ́ːsit]

ⓝ 수도꼭지(= tap)

water faucet 수도꼭지
turn on[off] the faucet 수도꼭지를 틀다[잠그다]

More workers may be able to drink faucet water in this area.

---

17 학생들에게는 책상이 하나 있는 방이 제공될 것입니다. 18 아직도 나무 오두막의 잔해가 몇 개 남아 있다. 19 나는 침대에 누워 베개에 얼굴을 묻는다. 20 나는 현관 계단에 서서 초인종을 계속 눌렀다. 21 인도네시아 인구의 절반은 농촌 지역에 살고 있다. 22 많은 노동자들이 이 지역에서 수돗물을 마실 수 있다.

23 sewer
[súːər]

ⓝ 하수 시설   **a sewer line** 하수관

This line will connect sewers to the new tunnel.

24 tenant
[ténənt]

ⓝ 세입자, 임차인   **the previous tenant** 이전 세입자

The landlord doesn't want tenants with pets.

25 appliance
[əpláiəns]

ⓝ 기구, 전기기구   **home appliances** 가전제품

There are no kitchen appliances like a refrigerator in her room.

26 broom
[bru(ː)m]

ⓝ 비, 빗자루

❖ As I kept teasing him, he chased after me with the broom.
❖ A new broom sweeps clean.

27 plumbing
[plʌ́miŋ]

ⓥ plumb
수도[가스]관을 설치하다

ⓝ plumber 배관공

ⓝ (수도, 가스 등의) 배관, 배관 공사

I hadn't had any problems with the plumbing until last week.

---

23 이 하수관은 하수도를 새 터널에 연결한다. 24 집주인은 애완동물이 있는 세입자를 원하지 않는다. 25 그녀의 방에는 냉장고 같은 주방 가전제품이 없다. 26 내가 계속 놀리자, 그는 빗자루를 들고 나를 쫓아왔다. / 〈속담〉 새 빗자루가 깨끗하게 쓸린다. 27 지난주까지는 배관에 아무 문제도 없었다.

28 interior
[intíəriər]

ⓐ 안의, 내부의

interior design 실내 디자인

Nobody had a clue what his interior life was like.

29 ornament
[ɔ́:rnəmənt]

ⓝ 꾸밈, 장식

glass ornament 유리 장식품

This stone is widely used for ornament in many kinds of places.

30 shelf
[ʃelf]

ⓝ 선반

a bookshelf 책장

The dishes I need are on the top shelf.

---

28 누구도 그의 내면생활이 어떤지 몰랐다. 29 이 돌은 여러 장소에서 장식품으로 사용된다. 30 내가 필요한 그릇들은 선반 제일 위에 있다.

Multi-Meaning Word

domestic

ⓐ 가정의
domestic chores 집안일

ⓐ 사육되어 길든(= tame)
domestic animals 가축

ⓐ 국내의
a **domestic** airline 국내 항공(로), 국내 항공사

EXERCISE

A 다음 영어는 우리말로, 우리말은 영어로 쓰시오.

01 resident _____

02 sewer _____

03 domestic _____

04 closet _____

05 ceiling _____

06 청소하다, 쓸다 _____

07 뒷골목 _____

08 방, 침실 _____

09 서랍 _____

10 벽난로 _____

B 다음 영어는 우리말로, 우리말은 영어로 쓰시오.

01 glass ornament: _____

02 inhabited islands: _____

03 an aisle seat: _____

04 세안 크림: _____ cream

05 나무로 지은 오두막: a wooden _____

06 책상 서랍: a desk _____

C 다음 빈칸에 들어갈 말을 고르시오. (필요하면 형태를 바꾸시오.)

rural	pillow	settlement	porch	faucet

01 I had to use my bag for a _____ at the camp site.
야영지에서 가방을 베개로 사용해야 했다.

02 We called a plumber to fix the _____.
우리는 수도꼭지를 고칠 배관공을 불렀다.

03 Jane wasn't happy with her new _____.
Jane은 새로운 정착지에 만족하지 못했다.

04 The government plans to develop the _____ areas.
정부는 농촌 지역을 개발할 계획이다.

05 I pick up the newspaper from the _____ every morning.
나는 매일 아침 현관에서 신문을 집어온다.

Word Search

Unit 02 House & Well-being

```
C T D W E L L U Z I P F Z C E
P I I W V K Z H I U G Y P L G
S I S B D R A W E R E O R O A
H H L S A D E B J L R W U S T
E C J L E H K Q M C F H R E T
L D L B O M N A H H C G A T O
F Z U E P W O I R K H Y L X C
J M H E A F D D E C A A G C F
I G A S A N B W E F M L U H R
Q W L U E R S I Z X B X U D U
S X C I O Q L E Z F E T A O N
A E S O T I D W Z X R P X W J
T L M E N K U T E N A N T U U
E J X G S O W H X Y Z E X D X
```

broom	ceiling	chamber	cleanse
closet	cottage	drawer	dwell
faucet	hut	inhabit	pillow
porch	rural	shelf	tenant

Unit 03 Food & Clothes

---

01 ☑ **appetite**
[ǽpitàit]

ⓝ **appetizer** 애피타이저,
식욕 돋우는 음식

ⓝ 식욕　　　　　　　**loss of appetite** 식욕 상실

I feel I have somewhat lost my appetite lately.

---

02 ☑ **bare**
[bɛər]

㏐ **barely** 거의 ~않는

ⓐ 벌거벗은, 그저[겨우] ~뿐인　　　**bare feet** 맨발

✿ I caught the rabbit with my bare hands.
✿ There are only the bare necessities in
　Monica's bag.

---

03 ☑ **dining**
[dáiniŋ]

ⓥ **dine** 정찬을 들다,
저녁식사를 하다

ⓝ 식사, 정찬　　　　　　**a dining car** 식당차

I bought this table for the dining room.

---

04 ☑ **nutrition**
[nju:tríʃən]

ⓐ **nutritional** 영양의

ⓐⓝ **nutrient**
영양이 되는; 영양소

ⓝ 영양, 자양분, 음식물　　**a nutrition expert** 영양 전문가

Our products are well balanced in nutrition.

---

05 ☑ **starve**
[staːrv]

ⓝ **starvation** 굶주림, 기아

ⓥ 굶주리다, 굶기다

In some countries, children are starving to
death.

---

01 나는 최근에 다소 식욕을 잃은 느낌이야. 02 토끼를 맨손으로 잡았어. / Monica의 가방 안에는 최소한의 필수품만 있다. 03 이 탁자를 식당에 두려고 샀어요. 04 저희 제품은 영양이 균형 잡혀 있습니다. 05 몇몇 나라에서는 아이들이 굶어 죽어 간다.

06 tasteless
[téistlis]

n v taste 맛; 맛보다

a 무미한

Water is a tasteless, colorless, and odorless liquid.

07 blanket
[blǽŋkit]

n 담요, 전면을 덮는 것

a blanket of snow 사방을 온통 덮은 눈

❋ I keep a sleeping bag and extra blankets in my vehicle.

❋ The city was covered with a thick blanket of fog this morning.

08 beverage
[bévəridʒ]

n (보통 물 이외의) 마실 것, 음료

cooling beverages 청량음료

❋ Many kinds of alcoholic beverages can be found in Japan.

❋ You can have coffee and other hot beverages at the cafe in the lobby.

09 comb
[koum]

n 빗 **v** 빗질하다   **a wide-tooth comb** 굵고 칸이 넓은 빗

❋ He carefully pulled the comb through his hair.

❋ Jennifer dressed up and combed her hair before she left for the party.

10 cosmetic
[kɑzmétik]

a 화장의, 미용의 **n** 〈복수형〉 화장품

cosmetic surgery (미용을 목적으로 하는) 성형 수술

❋ Are you on a diet for health or cosmetic reasons?

❋ The EU bans animal testing for cosmetics.

---

06 물은 무미, 무색, 무향의 액체다. 07 나는 자동차에 침낭과 여분의 담요를 가지고 다닌다. / 도시는 오늘 아침에 짙은 안개로 뒤덮여 있었다. 08 일본에는 다양한 술이 있다. / 여러분은 로비에 있는 카페에서 커피와 다른 따뜻한 음료를 마실 수 있습니다. 09 그는 조심스럽게 머리카락 사이로 빗을 빼냈다. / Jennifer는 파티에 가기 전에 옷을 입고 빗질했다. 10 네가 다이어트를 하는 이유는 건강 때문이니 미용 때문이니? / 유럽 연합은 화장품을 위한 동물 실험을 금지한다.

11 ☑ **costume**
[kɑ́stʃuːm]

ⓝ 복장, (무대) 의상

a costume party 가장 파티, 서로 못 알아보게 꾸미는 파티

Typical Halloween costumes are witches, ghosts or monsters.

12 ☑ **edible**
[édəbəl]

ⓐ 먹을 수 있는, 식용에 적합한

an edible mushroom 식용 버섯

There are many edible fruits growing wild in the forest.

13 ☑ **fabric**
[fǽbrik]

ⓝ 직물, 천

fabric softener 섬유 유연제

Man-made fabrics such as polyester are easy to wash.

14 ☑ **flavor**
[fléivər]

ⓝ 맛, 조미료

artificial flavor 인공 조미료

This is a sweet wine with flavors of honey and citrus.

15 ☑ **kettle**
[kétl]

ⓝ 솥, 주전자

an electric kettle 전기 주전자

❖ She filled the kettle with water and set it on the stove.

❖ The pot calls the kettle black.

16 ☑ **laundry**
[lɑ́ːndri]

ⓝ 세탁물, 세탁소

do the laundry 빨래를 하다

My cat was using a pile of dirty laundry as a bed.

---

11 일반적인 할로윈 복장은 마녀, 유령, 괴물 등이다. 12 숲에는 먹을 수 있는 과일이 많이 자라고 있다. 13 폴리에스테르 같은 인공섬유는 세탁하기 쉽다. 14 이 포도주는 꿀과 밀감 맛이 나는 달콤한 포도주다. 15 그녀는 물로 주전자를 채우고 가스렌인지 위에 두었다. / 〈속담〉 냄비가 주전자보고 검다 한다.(=똥 묻은 개가 겨 묻은 개를 나무란다.) 16 우리 집 고양이는 더러운 세탁물 더미를 침대로 쓰고 있었다.

17 **needle**
[níːdl]

ⓝ 바늘   **a needle's eye** 바늘귀, 바늘구멍

Some diseases can be caused by the use of dirty needles.

18 **odor**
[óudər]

ⓐ **odorless** 무취의

ⓝ 향기, 냄새   **body odor** 체취

What is this odor I smell every morning?

19 **pork**
[pɔːrk]

ⓝ 돼지고기   **pork ribs** 돼지갈비

In Korea, beef costs more than chicken and pork.

20 **refrigerator**
[rifrìdʒəréitər]

ⓥ **refrigerate** 냉장하다

ⓝ 냉장고   **refrigerator door** 냉장고 문

You do not have to keep bananas in the refrigerator.

21 **roast**
[roust]

ⓥ 굽다   **roast a chicken** 닭고기를 굽다

It will take about an hour and 40 minutes to roast the chicken.

22 **sour**
[sáuər]

ⓐ (맛이) 신   **sour flavor** 신 맛   **go [turn] sour** 쉬다, 상하다

In these summer days, milk goes sour very quickly.

---

17 감염된 주삿바늘을 사용함으로써 질병이 생길 수도 있다. 18 아침마다 나는 이 냄새는 무엇이지? 19 한국은 소고기가 닭고기나 돼지고기보다 더 비싸다. 20 바나나는 냉장고에 보관할 필요 없다. 21 닭고기를 굽는 데 약 1시간 40분이 걸릴 것이다. 22 이런 여름날에는 우유가 매우 빨리 상한다.

23 **weave**
[wiːv]
(weave - wove - woven)

ⓥ 짜다, 뜨다   **weave cloth** 옷감을 짜다

They wove the beautiful blankets from sheep's wool.

24 **tray**
[trei]

ⓝ 쟁반, 요리 접시   **a serving tray** 음식을 차려낼 때 쓰는 쟁반

He will take the meal tray upstairs to his wife.

25 **recipe**
[résəpìː]

ⓝ (요리의) 조리법   **a recipe book** 요리책

Could you give me the recipe for that chocolate cake?

26 **bitter**
[bítər]

ⓐ 쓴, 쓰라린, 호된   **bitter taste** 쓴 맛

I'm not a fan of sweet tastes. I like strong and bitter coffee.

27 **collar**
[kálər]

ⓝ 깃, 칼라

a blue-collar worker 작업복을 입는 노동자, 육체노동자

He loosened his collar and tie, and then rolled up his sleeves.

---

23 그들은 양털로 아름다운 담요를 짰다. 24 그는 위층에 있는 아내에게 음식쟁반을 가져다줄 것이다. 25 그 초콜릿 케이크 요리법을 알려줄 수 있나요? 26 나는 단맛을 좋아하지 않아. 나는 진하고 쓴 커피를 좋아해. 27 그는 옷깃과 넥타이를 느슨하게 한 후, 소매를 걷어 올렸다.

28 famine
[fǽmin]

ⓝ 기근, 기아   **worldwide famine** 세계적인 기아

About 70 million people died from famines across the world last year.

29 ingredient
[ingríːdiənt]

ⓝ 성분, 재료   **the basic ingredient** 주요 성분

It is a home-cooked meal using fresh ingredients.

30 raw
[rɔː]

ⓐ 가공하지 않은, 날 것의   **raw materials** 원료

You must not eat raw meat and fish because you can get food poisoning.

28 작년에 전 세계에서 약 7천만 명이 기아로 죽었다. 29 이것은 신선한 재료로 집에서 요리한 음식이다. 30 식중독에 걸릴 수 있기 때문에 날고기나 날생선을 먹으면 안 된다.

Multi-Meaning Word

sour

ⓐ 시큼한 ⓝ 신맛, 신 것
a sour apple 풋사과, 신맛이 나는 사과

ⓐ (사물이) 불쾌한
be sour about ~에 대해 불쾌하다

ⓐ 빈약한, 졸렬한
go sour (일이) 잘못 되다

EXERCISE

A 다음 영어는 우리말로, 우리말은 영어로 쓰시오.

01 appetite _____   06 기근, 기아 _____

02 nutrition _____   07 성분, 재료 _____

03 fabric _____   08 (요리) 조리법 _____

04 blanket _____   09 세탁물, 세탁소 _____

05 beverage _____   10 복장, (무대) 의상 _____

B 다음 영어는 우리말로, 우리말은 영어로 쓰시오.

01 bare feet: _____

02 artificial flavor: _____

03 a needle's eye: _____

04 식당차: a(n) _____ car

05 전기 주전자: an electric _____

06 돼지갈비: _____ ribs

C 다음 빈칸에 들어갈 말을 고르시오. (필요하면 형태를 바꾸시오.)

tasteless	bitter	sour	cosmetic	edible

01 I went to the _____ store to buy a lipstick.
나는 립스틱을 사러 화장품 가게에 갔다.

02 I like the _____ taste of lemonade.
나는 레모네이드의 신맛이 좋아.

03 We need to cook the raw fish to make it _____.
날 생선을 먹을 수 있도록 요리해야 한다.

04 This coffee is too _____ for me.
이 커피는 내게 너무 쓰다.

05 This medicine is a(n) _____ liquid.
이 약은 무미한 액체이다.

Word Search

앞에서 배운 어휘를 기억하며 단어를 모두 찾아보세요.

정답

```
I  P  A  M  X  H  T  I  O  B  G  C  F  I  D
U  N  N  U  T  R  I  T  I  O  N  O  L  Y  X
G  T  G  S  F  F  K  Y  S  R  U  S  A  O  T
A  N  O  R  A  K  R  N  T  E  T  T  V  R  R
E  U  I  B  E  D  D  E  A  C  R  U  O  U  Z
R  S  R  N  N  D  L  S  R  I  T  M  R  N  R
H  I  B  U  I  D  I  A  V  P  R  E  S  A  B
C  K  A  I  E  B  P  E  E  E  O  F  L  Z  A
A  L  R  A  D  P  B  H  N  Y  B  N  D  N  R
N  N  N  K  E  E  X  I  Z  T  O  I  I  F  E
D  B  W  T  O  D  O  R  T  C  X  N  B  V  Y
J  R  I  K  E  T  T  L  E  T  A  V  M  V  I
S  T  A  P  L  G  Y  W  A  P  E  R  O  O  I
E  R  A  W  F  N  B  D  E  V  L  R  C  F  T
```

appetite	bare	bitter	comb
costume	fabric	flavor	ingredient
kettle	laundry	nutrition	odor
raw	recipe	sour	starve

Unit 04 Body & Health

---

01 ☑ **addiction**
[ədíkʃən]

v addict
빠지게 하다, 몰두시키다

a addictive
습관성의, 중독성의

n 중독   **alcohol addiction** 알코올 중독

Some people have an addiction to coffee.

---

02 ☑ **digest**
[daidʒést]

n digestion
소화 작용, 소화력

v 소화하다, 요약하다   **digest milk well** 우유를 잘 소화하다

Animals digest food to obtain energy.

---

03 ☑ **injury**
[índʒəri]

v injure 부상을 입히다

n 부상   **injury time** 추가 시간(소비한 시간만큼 경기를 연장한 시간)

Fortunately, his injury wasn't that serious.

---

04 ☑ **obese**
[oʊbíːs]

n obesity 비만

a 지나치게 뚱뚱한, 비만인   **an obese child** 비만 아동

You should avoid becoming obese for your health.

---

05 ☑ **alcoholic**
[æ̀lkəhɔ́(ː)lik]

n alcohol 알코올, 술

n 알코올중독자   **a chronic alcoholic** 만성 알코올중독자

What can we do to help an alcoholic stop drinking?

---

01 어떤 사람들은 커피에 중독되어 있다. 02 동물들은 에너지를 얻기 위해 음식을 소화한다. 03 다행히도 그의 부상은 그렇게 심하지 않았다. 04 건강을 위해 비만이 되는 것을 피하는 게 좋아. 05 알코올중독자가 술을 그만 마시게 하기 위해 무엇을 할 수 있을까?

06 ankle
[ǽŋkl]

n 발목　　　　　　**twist one's ankle** 발목을 삐다

Margaret slipped on the stairs and twisted her ankle.

07 brain
[brein]

n 뇌　　　　　　**brain death** 뇌사

The nerves send messages from the brain to the organs.

08 clinic
[klínik]

a clinical 임상의

n 의원, 상담소　　**a mental health clinic** 정신 건강 상담소

Amy wishes to build a free medical clinic in India.

09 cure
[kjuər]

a curable 치료할 수 있는

v 치료하다 **n** 치료법

a cure for a disease 질병에 대한 치료법

❂ Brian needs to go to the doctor to cure his cough.

❂ There is still no cure for the common cold.

10 deadly
[dédli]

a 죽음의, 치명적인　**a deadly weapon** 치명적인 무기, 흉기

Hemlock is one of nature's oldest and most deadly poisons.

11 dental
[déntl]

n dentist 치과의사

a 치과의, 치아의　　**dental care** 치아 관리

They graduated from medical and dental schools.

06 Margaret은 계단에서 미끄러져서 발목을 삐었다.　07 신경은 뇌의 메시지를 다른 장기에 보낸다.　08 Amy는 인도에 무료 의원을 세우고 싶어 한다.　09 Brian은 감기를 치료하기 위해 병원에 가야 한다. / 일반 감기는 아직도 치료법이 없다. 10 독미나리의 독은 자연의 가장 오래되고 가장 위험한 독약 중 하나다.　11 그들은 의과대학과 치과대학을 졸업했다.

12 drug
[drʌg]

ⓝ 약, 마약

drug abuse 약물남용
drug addict 약물중독

❧ Police are investigating the possibility of a drug overdose.

❧ Big drug companies try to develop medicines used in the treatment of AIDS.

---

13 eyelid
[áilìd]

ⓝ 눈꺼풀

not bat an eyelid 눈 하나 깜짝하지 않다

Why do our eyelids get heavy when we're tired?

---

14 facial
[féiʃəl]

ⓐ 얼굴의

facial skin 얼굴 피부

It is very hard for me to read your facial expression.

---

15 disabled
[diséibəld]

ⓥ disable 불구로 만들다
ⓝ disability 장애, 무능

ⓐ 불구가 된, 장애가 있는

the disabled 신체장애인들

❧ David went to a special school for disabled children.

❧ Almost every parking lot has some space reserved for the disabled.

---

16 healing
[híːliŋ]

ⓥ heal 치료하다

ⓐ 치료의

healing effect 치료 효과

The patient's age affects the healing process of his bone.

---

12 경찰은 약물 과다 복용의 가능성에 대해 수사를 하고 있다. / 큰 제약회사들은 에이즈 치료에 쓰이는 약을 개발하려고 노력한다. 13 피곤하면 왜 눈꺼풀이 무거워지는 걸까요? 14 당신의 표정을 읽는 것은 무척 어려워. 15 David는 장애아동을 위한 특수학교에 갔다. / 거의 모든 주차장은 장애인들을 위해 지정된 약간의 공간이 있다. 16 환자의 나이는 뼈의 치유 과정에 영향을 끼친다.

17 jaw
[dʒɔː]

ⓝ 턱

the lower jaw 아래턱

I counted 22 teeth in its upper jaw and 20 in its lower jaw.

18 lap
[læp]

ⓝ 무릎

sit on one's lap 무릎에 앉다

Rina entered the room and sat on her mother's lap.

19 limb
[lim]

ⓝ 수족, 손발

an artificial limb 의족(義足)

Their limbs are short and their hind feet are larger than their forefeet.

20 mature
[mətʃúər]

ⓝ maturity 성숙, 숙성

ⓐ 성숙한, 원숙한

mature appearance 성숙한 외모

Kelly is a pretty girl who is very mature for her age.

21 medicine
[médəsən]

ⓐ medical 의학의, 의료의

ⓝ 약, 내복약, 의학

traditional medicine 전통 의학

There is a saying that sleep is the best medicine.

22 nearsighted
[níərsáitid]

ⓐ 근시의

a nearsighted person 근시안의 사람

Is it possible to be nearsighted and farsighted at the same time?

---

17 윗니가 22개, 아랫니가 20개인 것을 확인했다. 18 Rina는 방에 들어와 어머니의 무릎에 앉았다. 19 그것의 손발은 짧고, 뒷발이 앞발보다 크다. 20 Kelly는 나이에 비해 매우 성숙한 예쁜 여자 아이다. 21 잠이 가장 좋은 약이라는 말이 있다. 22 동시에 근시이면서 원시인 것이 가능할까요?

23 painkiller
[péinkìlər]

ⓝ 진통제   **overdose of painkillers** 진통제 과다복용

Your doctor prescribed a painkiller to help you manage the pain.

24 pregnant
[prégnənt]

ⓝ pregnancy 임신

ⓐ 임신한   **a pregnant woman** 임신부

When I was pregnant with Mandy, I felt fat and unattractive.

25 sanitary
[sǽnətèri]

ⓐ 위생의   **sanitary conditions** 위생 상태

Diseases tend to spread through poor sanitary conditions.

26 sense
[sens]

ⓐ sensitive 민감한, 예민한
ⓐ sensible 분별력 있는

ⓝ 감각, 분별력   **common sense** 상식

❧ He has a really good sense of humor but is very shy.

❧ Terry has no sense of direction, so don't ask him about how to get to the post office.

27 spine
[spain]

ⓝ 등뼈, 척추   **spine surgery** 척추 수술

The pain began to spread through his whole body from his spine.

23 의사는 당신이 통증을 이길 수 있도록 진통제를 처방했습니다. 24 내가 Mandy를 가졌을 때, 뚱뚱하고 매력이 없다고 느꼈다. 25 질병은 열악한 위생 상태에서 퍼지는 경향이 있다. 26 그는 유머감각이 좋지만 부끄럼을 잘 탄다. / Terry는 방향감각이 없으니 그에게 우체국에 어떻게 가는지 물어보지 마. 27 통증은 척추로부터 온몸에 퍼지기 시작했다.

28 workout
[wə́:*r*kàut]

ⓝ 연습, 운동　　　　　**a daily workout** 매일의 운동

Start your workout with a short warm-up and stretching.

29 tablet
[tǽblit]

ⓝ 알약　　　　　**an aspirin tablet** 아스피린 한 알

I took headache tablets every day for a couple of years.

30 sore
[sɔ:*r*]

ⓐ 아픈　　　　　**have a sore throat** 목이 아프다
stick out like a sore thumb 눈에 띄다

My arms are sore from yesterday's workout.

---

28 짧은 준비운동과 스트레칭으로 운동을 시작하라. 29 나는 몇 년 동안 매일 두통약을 복용했다. 30 어제 한 운동 때문에 팔이 아프다.

Multi-Meaning Word

sense

ⓝ 감각, 오감
the **sense** of smell 후각

ⓝ 의미, 뜻
non-**sense** 난센스, 의미 없는

ⓥ 감지하다
sensing device 감지기

ⓝ 분별력
a man of **sense** 분별 있는 사람

EXERCISE

A 다음 영어는 우리말로, 우리말은 영어로 쓰시오.

01 obese _____   06 근시의 _____

02 deadly _____   07 임신한 _____

03 disabled _____   08 무릎 _____

04 limb _____   09 얼굴의 _____

05 sanitary _____   10 진통제 _____

B 다음 영어는 우리말로, 우리말은 영어로 쓰시오.

01 spine surgery: _____

02 common sense: _____

03 traditional medicine: _____

04 알코올 중독: alcohol _____

05 발목을 삐다: twist one's _____

06 치아 관리: _____ care

C 다음 빈칸에 들어갈 말을 고르시오. (필요하면 형태를 바꾸시오.)

injury	jaw	clinic	tablet	sense

01 The doctor told me to take these _____ after dinner.
의사는 내게 저녁을 먹고 나서 이 알약을 먹으라고 했다.

02 The medical team quickly treated Tom's _____.
의료진이 Tom의 상처를 신속하게 치료했다.

03 I receive regular treatment at a local _____.
나는 정기적으로 인근 의원에서 치료를 받는다.

04 The boxer hurt his _____ during a match.
권투 선수가 경기 중에 턱을 다쳤다.

05 We use many instruments to enhance the ability of human
_____.
우리는 인간의 감각 능력을 증대시키기 위해 다양한 도구를 사용한다.

Word Search

배운 어휘를 기억하며 단어를 모두 찾아보세요.

정답

S	B	P	H	D	L	P	E	T	J	Y	N	Q	T	A
E	R	R	S	T	V	A	B	R	R	A	A	W	A	N
N	C	E	O	U	A	E	T	U	E	C	W	E	B	K
S	I	G	R	T	G	L	J	N	I	T	S	Z	L	L
E	N	N	E	I	H	N	I	A	E	E	A	Z	E	E
E	I	A	D	V	I	J	L	N	B	D	X	M	T	W
M	L	N	S	N	K	D	H	O	G	J	G	J	H	N
U	C	T	I	C	G	F	H	Q	N	D	E	Q	T	G
C	R	C	A	N	G	G	B	F	V	N	C	E	X	W
W	L	P	M	B	F	U	V	L	I	H	E	C	Q	D
P	A	J	T	Y	Y	Z	R	P	P	A	L	X	N	M
Z	M	N	O	V	Y	H	S	D	Q	O	G	Z	A	K
V	A	T	R	C	U	R	E	Y	M	M	T	H	Z	P
R	V	N	U	B	R	A	I	N	B	M	I	L	T	U

ankle	brain	clinic	cure
dental	drug	injury	jaw
lap	limb	obese	pregnant
sense	sore	spine	tablet

Unit 05 Travel & Sports

---

01 ☑ **accommodate**
[əkámədèit]

ⓝ **accommodation**
(호텔, 객선, 여객기 등의)
숙박시설

ⓥ 수용하다, 숙박시키다

accommodate people 사람들을 수용하다

Our hotel can accommodate only 4 more
people tonight.

---

02 ☑ **athlete**
[ǽθliːt]

ⓐ **athletic** 운동의, 체육의

ⓝ 운동선수, 경기자　　**professional athletes** 프로 선수

I want to be a world-class athlete.

---

03 ☑ **breathe**
[briːð]

ⓝ **breath**[breθ] 숨, 호흡

ⓥ 호흡하다　　　　　　　**breathe deeply** 심호흡하다

Be sure to breathe in and out regularly
throughout the exercise.

---

04 ☑ **defeat**
[difít]

ⓥ 패배시키다 ⓝ 패배　　**accept defeat** 패배를 인정하다

Mark defeated the champion in two sets.

---

05 ☑ **navigator**
[nǽvəgèitər]

ⓥ **navigate**
(바다, 하늘을) 항해하다
ⓝ **navigation** 운항, 항해

ⓝ 항해자

He was the best navigator in Asia.

---

01 저희 호텔은 오늘 밤 4명만 더 수용할 수 있습니다. 02 나는 세계적인 운동선수가 되고 싶다. 03 운동하는 내내 반드시 규칙적으로 숨을 내쉬고 들이켜라. 04 Mark는 두 세트만에 챔피언을 물리쳤다. 05 그는 아시아에서 가장 뛰어난 항해자였다.

06 relax
[riláeks]

ⓝ relaxation 긴장을 품

ⓥ 긴장을 풀다, 편히 쉬다

Gentle exercise can relax stiff shoulder muscles.

07 strength
[streŋkθ]

ⓐ strong 강한
ⓥ strengthen 강하게 하다

ⓝ 체력, 힘

Great strength means great responsibility.

08 enthusiastic
[enθùːziǽstik]

ⓝ enthusiasm 열의, 열중

ⓐ 열심인, 열광적인

an enthusiastic welcome 열렬한 환영

Jack is very enthusiastic about basketball.

09 amateur
[ǽmətʃùər]

ⓝ 아마추어

amateur sports 아마추어 스포츠

He won some local amateur competitions last year.

10 break
[breik]

ⓝ 짧은 휴식

break time 휴식 시간
coffee break (커피 한 잔 마실 정도의 짧은) 쉬는 시간

He is going shopping during his lunch break.

11 guide
[gaid]

ⓝ 가이드, 안내서 **ⓥ** 안내하다

a tourists' guide to Spain 스페인 여행 안내서

Our tour guide took us to many beautiful places in Rome.

06 부드러운 운동은 뻣뻣한 어깨 근육의 긴장을 풀어준다. 07 큰 힘은 큰 책임감을 의미한다. 08 Jack은 농구에 큰 열의를 보인다. 09 그는 지난해 지역 아마추어 경기에서 몇 번이 겼다. 10 그는 점심시간에 쇼핑을 가려고 한다. 11 우리의 여행가이드는 우리를 로마의 많은 아름다운 장소로 안내해 주었다.

12 expedition
[èkspədíʃən]

a expeditionary 탐험의

ⓝ 탐험, 원정

expedition leader 원정대장

The purpose of the expedition was to explore the North Pole.

13 inn
[in]

ⓝ 여관

a country inn 시골 여관

A few old inns and cottages stood in line along the lake.

14 landscape
[lǽndskèip]

ⓝ 풍경, 경치

a landscape painting 풍경화

He talked about the beauty of the island's landscape.

15 monument
[mɑ́njəmənt]

ⓝ 기념물

a historic monument 역사적 기념물, 유적

The mayor reported ancient monuments were protected by law.

16 spectator
[spékteitər]

ⓥ spectate
(운동 경기를) 관람하다

ⓝ 구경꾼, 관객

Spectators cheered and clapped as the skydivers landed one by one.

17 overseas
[óuvərsíːz]

ⓐ 외국의 **ⓐⓓ** 외국으로

overseas investment 해외 투자

➡ The college has a large number of overseas students.

➡ There are many Koreans going overseas to study.

---

12 그 탐험의 목적은 북극을 탐사하는 것이었다. 13 몇몇 낡은 여관과 오두막집이 호수 근처에 줄지어 서 있었다. 14 그는 그 섬 경치의 아름다움에 관해 이야기했다. 15 시장은 고대 유적이 법의 보호를 받는다고 말했다. 16 관중들은 스카이다이버들이 한 명씩 착지할 때 환호하며 손뼉을 쳤다. 17 그 대학에는 외국에서 온 학생들이 매우 많다. / 외국으로 공부하러 가는 한국인이 많다.

18 pastime
[pǽstàim]

ⓝ 오락, 기분전환　　　　**national pastime** 국민적인 오락

Will's favorite pastime is collecting ceramic dolls.

---

19 professional
[prəféʃənəl]

ⓝ profession 직업

ⓐ 전문적인, 직업적인 **ⓝ** 전문가

professional bodyguard 전문 보디가드

❋ It's very hard to get a position on a professional football team.

❋ Andrew is an education professional and author of various educational books.

---

20 recreation
[rèkriéiʃən]

ⓥ recreate 휴양하다, 기분 전환을 시키다

ⓝ 휴양, 기분전환　　　　**recreation center** 휴양 센터

His only recreations are playing golf and working in the garden.

---

21 resort
[rizɔ́ːrt]

ⓝ 휴양지　　　　**ski resort** 스키 리조트

❋ Acapulco is one of Mexico's most popular resorts.

❋ My boyfriend and I took a three-week vacation to Laguna Beach Resort in Honduras.

---

22 scenery
[síːnəri]

ⓝ 풍경, 무대 장면　　　　**mountain scenery** 산의 풍경

She lives in a house surrounded by magnificent scenery.

---

18 Will이 가장 좋아하는 취미는 도자기 인형 수집이다.　19 프로 축구팀에서 포지션을 맡기는 매우 어렵다. / Andrew 는 교육 전문가이자, 다양한 교육 서적의 저자이다.　20 그의 몇 안 되는 여가 활동은 골프 치는 것과 정원 가꾸는 것이다. 21 아카풀코는 멕시코에서 가장 인기 있는 휴양지 중 하나이다. / 내 남자친구와 나는 온두라스에 있는 라구나 해변 리조 트로 3주간의 휴가를 떠났다.　22 그녀는 멋진 경치로 둘러싸인 집에 산다.

23 sightseeing
[sáitsì:iŋ]

ⓥ sightsee
관광하다, 여행하다

ⓝ 관광　　　　　　　　**a sightseeing tour** 관광 여행

They think of expensive sightseeing tours to famous places.

24 souvenir
[sù:vəníər]

ⓝ 기념품　　　　　　**a souvenir photo** 기념사진

On the second night, she took a wine cup as a souvenir.

25 tourist
[túərist]

ⓝ 여행자, 관광객　　　**a tourist attraction** 관광명소

The town is full of tourists to watch the bears.

26 visa
[víːzə]

ⓝ (여권 따위의) 입국 사증, 비자　　**an entry visa** 입국 비자

His visa expired on November 22, but he remained in Pakistan.

27 voyage
[vɔ́iidʒ]

ⓝ 항해, 여행, 여정

a voyage round the world 세계 일주 항해

The journal describes the voyage from England to Sydney.

28 departure
[dipá:rtʃər]

ⓥ depart 떠나다

ⓝ 출발, 떠남　　　**departure gate** (공항의) 탑승구

He managed to arrive before the train's departure.

---

23 그들은 유명한 곳으로 사치스런 관광을 떠날 생각이다.　24 그녀는 두 번째 날 밤에 기념품으로 포도주잔을 샀다.
25 그 도시는 곰을 보려는 관광객으로 가득 찬다.　26 그의 비자는 11월 22일에 만료됐지만, 그는 파키스탄에 머물렀다.
27 그 일지는 잉글랜드에서 시드니까지의 여정을 묘사한다.　28 그는 기차가 출발하기 전에 도착할 수 있었다.

29 competition
[kὰmpətíʃən]

ⓥ compete
겨루다, 경쟁하다

ⓝ competitor 경쟁자

ⓝ 경쟁

The competition between the fans resulted in a fight.

30 gymnasium
[dʒimnéiziəm]

ⓝ 체육관(= gym)　　　　　　　**gym suit** 운동복

I work out at the gymnasium every morning Monday to Friday.

---

29 팬들 사이의 경쟁은 싸움으로 끝이 났다.　30 나는 월요일에서 금요일까지 매일 아침 체육관에서 운동한다.

Multi-Meaning Word

break

　　ⓥ 부수다
　　break a wall 벽을 부수다

　　ⓥ 고장 내다
　　a **broken** car 고장 난 자동차

　　ⓥ (약속을) 어기다
　　break a promise 약속을 어기다

　　ⓥ (기록을) 깨다
　　break a record 기록을 깨다

　　ⓝ 잠시의 휴식
　　lunch **break** 점심시간

　　ⓝ 탈옥
　　prison **break** 탈옥

EXERCISE

A 다음 영어는 우리말로, 우리말은 영어로 쓰시오.

01 defeat _____

02 amateur _____

03 accommodate _____

04 inn _____

05 landscape _____

06 경쟁 _____

07 호흡하다 _____

08 전문적인 _____

09 탐험, 원정 _____

10 구경꾼, 관객 _____

B 다음 영어는 우리말로, 우리말은 영어로 쓰시오.

01 overseas investments: _____

02 a voyage round the world: _____

03 a domestic excursion: _____

04 관광명소: a(n) _____ attraction

05 관광 여행: a(n) _____ tour

06 운동복: a(n) _____ suit

C 다음 빈칸에 들어갈 말을 고르시오. (필요하면 형태를 바꾸시오.)

monument	athlete	souvenir	break	recreation

01 I like to play tennis for _____.
나는 기분전환을 위해 테니스를 즐겨 친다.

02 The players sat in the shadow for a short _____.
선수들은 짧은 휴식을 위해 그늘에 앉았다.

03 That statue is a(n) _____ for a famous baseball player.
저 동상은 유명한 야구 선수를 위한 기념물이다.

04 The _____ are training hard for the Olympics.
운동선수들이 올림픽을 위해 열심히 훈련에 임하고 있다.

05 I bought a(n) _____ for my sister at the airport.
여동생을 위해 공항에서 기념품을 샀다.

Word Search

배운 어휘를 기억하며 단어를 모두 찾아보세요.

정답

```
D A E Z B N T S Q G U R R S Q
B E C T A R T R D M T E I S E
S J P C A R E O O O H X N Y P
D P Y A E L T A I S R K E R A
N B E N R A H S T T E S V E C
V A G C F T R T N H A R U N S
T T M Q T U U E A E E B O E D
H A R I C A M R S A M R S C N
E K E X T U H E A O E H S A
G R E F N S E O S U C A I B L
A V E O E V A X R H K K G P V
Y N M L O D H P T S I R U O T
O O N F A A S I V I T N O E Z
V S M I F X U U V K O U M W G
```

break	breathe	defeat	departure
inn	landscape	monument	relax
resort	scenery	souvenir	spectator
strength	tourist	visa	voyage

Word Mapping

앞에서 배운 어휘를 기억하며 빈칸을 채워 보세요.

정답

_____ 선조, 조상

_____ 마을 사람

_____ 동료

_____ 부양자, 지지자

_____ 거주하다

_____ 기구, 전기기구

_____ 현관, 입구

_____ (가구를) 비치하다

Family & Neighbors
가족과 이웃

House & Well-being
주거와 복지

Human Life
인간의 생활

Food & Clothes
음식과 의복

Health & Sports
건강과 스포츠

_____ 영양, 음식물

_____ 음료

_____ 세탁물, 세탁소

_____ 직물, 천

_____ 소화하다

_____ 위생의

_____ 체력, 힘

_____ 경쟁

Chapter
02

Emotion and Sense

Thinking & Expression

01 analyze
[ǽnəlàiz]

ⓝ analysis 분석

ⓥ 분석하다, 검토하다   **analyze the data** 자료를 분석하다

Scientists are working hard to analyze the human brain.

---

02 conclusion
[kənklú:ʒən]

ⓥ conclude
마치다, 결론을 내다

ⓝ 결말, 결론   **come to a conclusion** 결론에 도달하다

What is the conclusion of your report?

---

03 criticize
[krítisàiz]

ⓝ criticism 비평, 비판
ⓝ critic 비평가, 평론가

ⓥ 비판하다   **be strongly criticized** 몹시 비판받다

You must be open-minded as to how others criticize your work.

---

04 decisive
[disáisiv]

ⓝ decision 결심, 결단

ⓐ 단호한   **a decisive manner** 단호한 태도

Mr. Smith is a very decisive leader.

---

05 emphasize
[émfəsàiz]

ⓝ emphasis 강조

ⓥ 강조하다

My teacher emphasizes moral values.

---

01 과학자들은 인간의 두뇌를 분석하기 위해 열심히 노력하고 있다. 02 자네 보고서의 결론이 무엇인가? 03 다른 사람들이 네 작업을 비판하는 것에 대해 마음을 열어야 해. 04 Smith 씨는 매우 단호한 지도자다. 05 우리 선생님은 도덕적 가치를 강조하신다.

06 intend
[inténd]

ⓝ intention 의도

ⓥ ~할 작정이다, 의도하다

No matter what they say, I intend to keep my word.

07 summarize
[sʌ́məràiz]

ⓝ summary 요약, 개요

ⓥ 요약하여 말하다, 요약하다

Jenny, can you summarize your report for me?

08 approve
[əprúːv]

ⓝ approval 승인

ⓥ 승인하다, 찬성하다

approve a promotion 승진을 승인하다

I love him but my parents do not approve of him.

09 assume
[əsjúːm]

ⓝ assumption 가정

ⓥ 가정하다, 추정하다　**assume the worst** 최악을 가정하다

It is assumed that the book was written around 300 years ago.

10 concentrate
[kánsəntrèit]

ⓝ concentration 집중

ⓥ 집중하다　**concentrate the mind** 정신을 집중하다

I couldn't concentrate on my homework for the rest of the day.

11 concept
[kánsept]

ⓝ 개념, 생각　**a new concept** 신개념

What's your concept of an ideal mate?

---

06 그들이 뭐라고 해도 나는 약속을 지킬 작정이야. 07 Jenny, 자네 보고서 요약해 줄 수 있나? 08 나는 그를 사랑하지만, 부모님은 그를 인정하지 않는다. 09 그 책은 약 300년 전에 쓰였다고 추정된다. 10 나는 남은 하루 동안 숙제에 집중할 수가 없었다. 11 이상적인 친구에 대한 너의 생각은 무엇이니?

12 **concern**
[kənsə́ːrn]

ⓝ 관심, 걱정 **ⓥ** ~에 관계하다, 걱정하다

national concern 국가적 관심사

❧ We can't limit our concern for human rights to our own country.

❧ Issues relating to what people often eat concern all of us.

13 **conscious**
[kánʃəs]

ⓝ consciousness 의식

ⓐ 의식적인

a conscious smile 의식적인 웃음

I've become conscious of my looks.

14 **consider**
[kənsídər]

ⓐ considerate
이해심이 있는

ⓝ consideration
숙고, 고려

ⓥ 생각하다, 간주하다

considering that ~을 고려하면

Mr. Michaels is considered an excellent English teacher.

15 **convince**
[kənvíns]

ⓐ convincing 설득력 있는

ⓥ 납득시키다, 확신시키다

convince A of B A에게 B를 확신 시키다

This data convinced us of the error of our ways.

16 **deliberate**
[dilíbərət]

ⓝ deliberation 심사숙고

ⓐ 신중한, 고의의

a deliberate decision 신중한 결정

I believe war is a deliberate attempt to change the course of history.

---

12 우리는 인권에 대한 관심을 우리나라에만 국한할 수 없다. / 사람들이 자주 먹는 것과 관련한 문제들은 우리 모두에게 관계가 있다. 13 나는 내 외모를 의식하게 되었다. 14 Michaels 선생님은 훌륭한 영어 선생님으로 여겨진다. 15 이 자료는 우리에게 우리의 방법에 오류가 있음을 깨닫게 했다. 16 나는 전쟁이 역사의 흐름을 변화시키려는 고의적인 시도라고 믿는다.

17 estimate
[éstəmèit]

n estimation 판단, 추정

v 어림잡다, 추산하다　**an estimated amount** 추산한 양

Scientists estimate that smoking causes 80% of lung cancers in Europe.

18 expectation
[èkspektéiʃən]

v expect
기대하다, 예상하다

n 기대, 예상　**an unrealistic expectation** 비현실적인 기대

She lives with the expectation that her father is coming home soon.

19 misjudge
[misdʒʌdʒ]

n misjudgment 오판

v 잘못 판단하다　**misjudge a person** 사람을 잘못 판단하다

It's easy to misjudge the speed and distance of oncoming cars.

20 neglect
[niglékt]

a neglectful
소홀한, 무관심한

v 경시하다, 소홀히 하다 **n** 태만, 부주의

neglect of duty 의무의 태만

❋ He was neglected by his parents when he was a child.

❋ His coworkers are complaining about Tom's neglect of duty.

21 recognize
[rékəɡnàiz]

n recognition 인정, 인식

v 알아보다, 인정하다

recognize one's talent 재능을 알아보다

We recognized how little we knew about Middle Eastern cultures.

---

17 과학자들은 유럽에서 흡연이 폐암의 80%를 일으킨다고 추산한다. 18 그녀는 아버지가 곧 집에 올 거라는 기대를 갖고 산다. 19 다가오는 차의 속도와 거리를 잘못 판단하기가 쉽다. 20 그는 어렸을 때 부모님에게 홀대를 당했다. / Tom의 동료들은 그의 업무 태만에 대해 불만이었다. 21 우리가 중동 문화에 대해 얼마나 잘 모르는지 알게 되었다.

22 recollect
[rèkəlékt]

ⓝ recollection 회상

ⓥ 생각해 내다, 회상하다   **recollect the past** 과거를 회상하다

She recollected that she was asleep alone on the couch.

23 remind
[rimáind]

ⓥ 생각나게 하다   **remind A of B** A에게 B를 상기시키다

Thanks for reminding me of the good old days.

24 subconscious
[sʌbkánʃəs]

ⓝ subconsciousness 잠재의식

ⓐ 잠재의식의   **a subconscious fear** 잠재적인 두려움

Dreams reflect our subconscious desires.

25 suppose
[səpóuz]

ⓝ supposition 가정, 추정

ⓥ 가정하다, 생각하다   **be supposed to** ~하기로 되어 있다

I suppose it's too late to ask for a refund.

26 suspect
[səspékt]

ⓐ suspicious 의심스러운

ⓥ 의심하다

suspect a person of murder ~에게 살인 혐의를 두다

She strongly suspected Jacky was lying to her.

27 view
[vjuː]

ⓝ 견해, 관점   **a point of view** 관점

It required courage to express a different view on the issue.

---

22 그녀는 혼자 의자에 잠들었던 것을 떠올렸다. 23 내게 아름다운 옛 시절을 떠올리게 해주셔서 고맙습니다. 24 꿈은 우리의 잠재적인 욕망을 반영한다. 25 나는 환불을 요청하기에는 너무 늦었다고 생각한다. 26 그녀는 Jacky가 그녀에게 거짓말한다고 강하게 의심했다. 27 그 쟁점에 대해 다른 견해를 표현하는 것은 용기가 필요했다.

28 ☑ disclose
[disklóuz]

ⓝ disclosure 폭로, 발각

ⓥ 드러내다, 폭로하다   **disclose a secret** 비밀을 폭로하다

People were shocked by what the reporters disclosed.

29 ☑ judgment
[dʒʌ́dʒmənt]

ⓥ judge 판단하다

ⓝ 판단   **poor judgment** 잘못된 판단

The accident was caused by an error of judgment.

30 ☑ determined
[ditə́ːrmind]

ⓥ determine 결정하다

ⓐ 결심한, 결의가 굳은

    a determined look 단호한 표정, 결의에 찬 표정

She made a determined effort to give up smoking.

---

28 사람들은 기자들이 폭로한 사실 때문에 매우 놀랐다. 29 그 사고는 판단 착오에서 야기되었다. 30 그녀는 마음을 굳게 먹고 담배를 끊으려고 노력했다.

🐈 Multi-Meaning Word

view

ⓝ 전망, 조망
a room with an ocean **view** 바다쪽 전망이 있는 방

ⓝ 견해, 의견
a **view** on the subject 그 주제에 관한 견해

ⓝ 목적, 계획
with the **view** of -ing ~할 목적으로

EXERCISE

A 다음 영어는 우리말로, 우리말은 영어로 쓰시오.

01 decisive _____   06 분석하다 _____

02 criticize _____   07 판단 _____

03 concentrate _____   08 가정하다 _____

04 estimate _____   09 강조하다 _____

05 suspect _____   10 납득시키다 _____

B 다음 영어는 우리말로, 우리말은 영어로 쓰시오.

01 recognize one's talent: _____

02 misjudge a person: _____

03 a point of view: _____

04 의식적인 웃음: a(n) _____ smile

05 승진을 승인하다: _____ a promotion

06 신중한 결정: a(n) _____ decision

C 다음 빈칸에 들어갈 말을 고르시오. (필요하면 형태를 바꾸시오.)

conclusion	expectation	concern	concept	intend

01 I couldn't understand what Sam _____.
나는 Sam이 의도한 것을 이해할 수 없었다.

02 Your _____ doesn't make any sense to me.
네 결론은 어불성설인 것 같아.

03 My diary is none of your _____!
내 일기장은 네가 걱정할 일이 아냐!

04 The _____ of freedom has been developed throughout history.
자유에 대한 개념은 역사 속에서 발전해왔다.

05 I try to meet my parent's _____.
나는 부모님의 기대에 부응하려고 노력한다.

Word Search

배운 어휘를 기억하며 단어를 모두 찾아보세요.

정답

```
E S T E E R C E T I U F T P R
V Y C T S E O M C N I S K G A
O P E P W C N P A T V J L S R
R E P R L O S H L E V N S C E
P S S T C L I A G N D U O E C
P O U N S L D S E D M N V R O
A P S E I E E I N E S R V E G
S P J C D C R Z H C S I H M N
I U V N H T G E I I E N C I I
H S Z O L E S O C W G P H N Z
A P C C M L U E J R G W D D E
N M W D S S D E C N I V N O C
E S T I M A T E A N A L Y Z E
T C O N C E R N F F M O K V H
```

analyze	approve	assume	concern
conscious	consider	convince	emphasize
estimate	intend	recognize	recollect
remind	suppose	suspect	view

Human Emotion 1

01 ☑ **favorable**
[féivərəbəl]

ⓐ 호의를 보이는, 찬성의

I look forward to receiving your favorable reply.

ⓝ **favor** 호의, 친절
ⓐ **favorite** 마음에 드는

---

02 ☑ **impressive**
[imprésiv]

ⓐ 인상적인, 감명적인 **an impressive movie** 감동적인 영화

Your work is very impressive.

ⓥ **impress**
~에게 감명을 주다
ⓝ **impression** 인상, 감명

---

03 ☑ **fancy**
[fǽnsi]

ⓝ 애호, 좋아함 **take a fancy to** ~을 좋아하다

I'm glad that you took a fancy to its color.

---

04 ☑ **fondness**
[fándnis]

ⓝ 좋아함 **have a fondness** 좋아하다, 애호하다

Bella has a bit of a fondness for expensive clothes and shoes.

ⓐ **fond** 애정 있는

---

05 ☑ **hearty**
[háːrti]

ⓐ 진심의 **a hearty laugh** 마음에서 우러난 웃음

The doctors received a hearty welcome from the natives.

---

01 너의 호의적인 답변을 받기를 기대한다. 02 네 작품은 굉장히 인상적이야. 03 네가 그 색을 좋아해서 기뻐. 04 Bella 는 비싼 옷과 신발을 약간 좋아한다. 05 그 의사들은 원주민으로부터 환대를 받았다.

06 amuse
[əmjúːz]

ⓥ 흥겹게 하다, 기쁘게 하다

The new TV series is quite amusing.

ⓝ amusement
즐거움, 오락(물)

---

07 content
[kəntént]

ⓐ 만족하는   self-content 자기만족

Mr. Samberg was content with his son's success.

---

08 delightful
[diláitfəl]

ⓐ 매우 기쁜, 유쾌한

a delightful sense of humor 유쾌한 유머 감각

I have the most delightful news!

ⓥⓝ delight
기쁘게 하다; 기쁨

---

09 beloved
[bilʌ́vid]

ⓐ 사랑하는   the most beloved cartoon character
가장 사랑 받는 만화 캐릭터

The artist passed on his talent to his beloved daughter.

---

10 enjoyable
[endʒɔ́iəbəl]

ⓐ 유쾌한, 즐거운   highly enjoyable 매우 즐거운

The performance was an enjoyable experience for my family.

---

11 joyful
[dʒɔ́ifəl]

ⓐ 즐거운   a joyful heart 기쁜 마음

We heard the joyful news of his arrival.

ⓝ joy 기쁨, 즐거움

---

06 새로 시작한 텔레비전 프로그램이 꽤 재미있다. 07 Samberg 씨는 아들의 성공에 만족했다. 08 매우 기쁜 소식이 있어! 09 그 예술가는 그의 재능을 사랑하는 딸에게 넘겨주었다. 10 그 공연은 우리 가족에게 즐거운 경험이었다. 11 우리는 그가 도착했다는 기쁜 뉴스를 들었다.

12 ☑ **pleased**
[pliːzd]

ⓝ **pleasure** 기쁨, 즐거움

ⓐ 기뻐하는, 만족한　**be pleased with** ~에 기뻐하다, 만족하다

Jack said he was pleased to present the award that night.

---

13 ☑ **pride**
[praid]

ⓐ **proud** 자랑스러운, 거만한

ⓝ 자랑, 자부심, 거만함　　　**take pride in** ~을 자랑하다

Chinese students have a strong sense of national pride.

---

14 ☑ **satisfied**
[sǽtisfàid]

ⓥ **satisfy** 만족시키다

ⓐ 만족한　　　**completely satisfied** 완전히 만족한

I have no doubt that this restaurant has plenty of satisfied customers.

---

15 ☑ **thankful**
[θǽŋkfəl]

ⓐ 고맙게 여기는　　　**a thankful prayer** 감사의 기도

We were thankful that the meeting didn't last long.

---

16 ☑ **friendly**
[fréndli]

ⓐ 우호적인, 다정한　　　**a friendly game** 친선경기

Answering service provides a friendly voice on the phone.

---

17 ☑ **congratulate**
[kəngrǽtʃəlèit]

ⓝ **congratulation** 축하

ⓥ 축하하다

congratulate A on B A에게 B에 대해서 축하하다

I congratulate you on your graduation.

---

12 Jack은 그날 밤 상을 수여하게 되어 기쁘다고 말했다.　13 중국 학생들은 조국에 대한 강한 자부심을 느끼고 있다.
14 이 식당에 만족감을 느끼는 고객들이 많은 것은 의심할 바 없다.　15 우리는 회의가 오래 끌지 않은 것을 고마워했다.
16 전화 응답 서비스는 전화상으로 친근한 목소리를 제공한다.　17 너의 졸업을 축하한다.

18 satisfactory
[sæ̀tisfǽktəri]

ⓝ satisfaction 만족

ⓐ 만족스러운　　a satisfactory answer 만족스러운 대답

I would say my stay at this hotel was satisfactory.

---

19 celebrate
[séləbrèit]

ⓝ celebration 축하, 의식

ⓥ (식, 축전으로) 축하하다

celebrate one's birthday 생일을 축하하다

We celebrated our 20th wedding anniversary with our children.

---

20 comfort
[kʌ́mfərt]

ⓐ comfortable
편안한, 안락한

ⓥ 위로하다, 편안하게 하다　ⓝ 위로, 위안

seek comfort 위안을 찾다

◈ She comforted her frightened son who had a nightmare.

◈ Your words would be a great comfort to your parents.

---

21 grateful
[gréitfəl]

ⓐ 고맙게 여기는　　be grateful for ~ 때문에 고마워하다

I am grateful for all the support you have given to me.

---

22 hospitable
[háspitəbəl]

ⓝ hospitality 환대

ⓐ 환대하는, (환경이) 살기 적합한

a hospitable climate 살기 적합한 기후

◈ Be hospitable when your child brings friends home to play.

◈ We should find a hospitable place to stay at a reasonable price.

---

18 내 생각에 이 호텔에서의 투숙이 만족스러웠다. 19 우리는 결혼 20주년을 아이들과 함께 축하했다. 20 그녀는 악몽을 꿔 무서워하는 아들을 편안하게 했다. / 네 말은 부모님께 큰 위안이 될 거야. 21 저에게 베풀어 준 모든 지원에 감사드립니다. 22 여러분의 자녀가 친구들을 집에 데려와 놀려 할 때 반갑게 맞이해 주어라. / 우리는 저렴한 가격으로 살 만한 머물 곳을 찾아야 해.

23 attract
[ətrǽkt]

- **ⓝ** attraction 끄는 힘, 매력
- **ⓐ** attractive 매력적인

ⓥ 끌다, 매혹시키다   **attract tourists** 관광객을 끌다

People are attracted to his good manners.

---

24 encourage
[enkə́:ridʒ]

- **ⓝ** encouragement 격려
- **ⓝ** courage 용기

ⓥ 격려하다, 용기를 북돋다

encouraging news 고무적인 소식, 쾌보

It was Dorothy who encouraged me to apply for the job.

---

25 entertain
[èntərtéin]

- **ⓝ** entertainment 오락
- **ⓝ** entertainer 광대, 연예인

ⓥ (여흥 따위로) 즐겁게 하다, 대접하다

an entertaining movie 즐거운 영화

These videos not only teach you English, but also entertain you with songs.

---

26 preferable
[préfərəbəl]

- **ⓥ** prefer 좋아하다, 선호하다
- **ⓝ** preference 선호

ⓐ 바람직한, 선호할만한

This larger shirt is preferable to the smaller one.

---

27 striking
[stráikiŋ]

- **ⓐd** strikingly 두드러지게

ⓐ 두드러진, 인상적인, 멋진   **a striking contrast** 현저한 차이

She was a striking woman with long blond hair.

---

23 사람들은 그의 좋은 매너에 매혹된다. 24 나에게 그 일자리에 지원하라고 권한 것은 바로 Dorothy였다. 25 이 비디오는 영어를 가르쳐 줄뿐만 아니라, 노래로 즐겁게 해준다. 26 이 큰 셔츠가 더 작은 셔츠보다 나아 보인다. 27 그녀는 긴 금발머리의 멋진 여자였다.

28 relieve
[rilíːv]

⓷ reliever 완화제

⓷ relief
(고통 등의) 제거, 안도

ⓥ 안도케 하다, 구원하다   **relieve the tension** 긴장을 줄이다

Listening to music actually helped to relieve the pain of patients.

29 admirable
[ǽdmərəbəl]

ⓥ admire 감탄하다

ⓐ 감탄할 만한   **admirable record** 감탄할 만한 기록

The product qualities are quite admirable.

30 touching
[tʌ́tʃiŋ]

ⓥ touch 감동시키다

ⓐ touched 감동받은

ⓐ 감동적인   **a touching scene** 감동적인 장면

You'll see a touching reunion of father and son.

28 음악을 듣는 것은 실제로 환자의 통증을 덜어주었다. 29 제품 품질이 감탄할 만했다. 30 여러분은 아버지와 아들의 감동적인 재회를 보게 될 것입니다.

Multi-Meaning Word

relieve

ⓥ 경감하다, 덜다
relieve one's sorrow 슬픔을 덜다

ⓥ 구원하다
relieve the poor from poverty 빈민을 구제하다

ⓥ (긴장을) 풀다
relieve the tension 긴장을 풀다

EXERCISE

A 다음 영어는 우리말로, 우리말은 영어로 쓰시오.

01 admirable _____

02 attract _____

03 delightful _____

04 congratulate _____

05 pride _____

06 좋아함 _____

07 사랑하는 _____

08 호의를 보이는 _____

09 진심의 _____

10 애호, 좋아함 _____

B 다음 영어는 우리말로, 우리말은 영어로 쓰시오.

01 highly enjoyable: _____

02 a touching scene: _____

03 completely satisfied: _____

04 친선경기: a(n) _____ game

05 긴장을 줄이다: _____ the tension

06 자기만족: self-_____

C 다음 빈칸에 들어갈 말을 고르시오. (필요하면 형태를 바꾸시오.)

hospitable	impressive	satisfactory	joyful	grateful

01 The host was very _____ to us.
주인은 우리를 환대했다.

02 We had a very _____ evening at the lake.
우리는 호숫가에서 즐거운 저녁 시간을 보냈다.

03 I found your report very _____, Steve.
Steve, 자네 보고서가 매우 인상적이었네.

04 We must be _____ for what we have.
우리에게 주어진 것에 대해 감사해야 한다.

05 I hope the room is _____ to the guests.
손님들이 방을 만족스러워 했으면 좋겠다.

Word Search

배운 어휘를 기억하며 단어를 모두 찾아보세요.

정답

```
I  A  F  S  F  F  P  F  E  P  T  W  E  Y  D
E  Y  D  A  I  L  A  G  U  B  N  T  G  L  E
V  G  N  M  E  Q  A  V  R  Q  A  N  G  D  I
R  C  I  A  I  R  J  N  O  R  M  N  T  N  F
Y  R  S  S  U  R  K  N  B  R  E  B  A  E  S
G  E  V  O  S  F  A  E  J  K  A  M  U  I  I
D  T  C  T  U  E  L  B  I  S  U  B  D  R  T
Z  N  R  L  R  E  R  R  L  S  D  A  L  F  A
E  K  K  W  C  O  P  P  E  E  V  G  H  E  S
F  B  X  S  C  S  F  P  M  O  P  R  I  D  E
T  N  E  T  N  O  C  M  L  I  I  W  T  K  O
A  T  T  R  A  C  T  A  O  H  E  A  R  T  Y
L  U  F  Y  O  J  B  G  I  C  P  N  D  R  Y
E  V  E  I  L  E  R  W  H  A  V  L  Y  D  L
```

admirable	amuse	attract	celebrate
comfort	content	encourage	fancy
favorable	friendly	hearty	joyful
pleased	pride	relieve	satisfied

Unit 08 Human Emotion 2

---

01 ☑ **bored**
[bɔːrd]

ⓥ **bore** 지루하게 하다
ⓐ **boring** 지루한, 따분한

ⓐ 지루해 하는, 싫증나는　　**a bored look** 지루해 하는 얼굴

At the end of the movie, I got bored.

---

02 ☑ **disappointment**
[dìsəpɔ́intmənt]

ⓥ **disappoint** 실망시키다

ⓝ 실망　　**to one's disappointment** 실망스럽게도

Jack didn't try to hide his disappointment.

---

03 ☑ **dread**
[dred]

ⓐ **dreadful**
무서운, 무시무시한

ⓥ 두려워하다 ⓝ 공포, 두려움　　**a sense of dread** 공포감

I dreaded something like this might happen.

---

04 ☑ **greedy**
[gríːdi]

ⓝ **greed** 탐욕

ⓐ 욕심 많은, 탐욕스러운　　**a greedy pig** 욕심 많은 돼지

I'm tired of your greedy actions!

---

05 ☑ **sorrow**
[sárou]

ⓐ **sorrowful** 슬픈

ⓝ 슬픔, 비애　　**joy and sorrow** 기쁨과 슬픔

I wish I could take away your sorrow.

---

01 영화의 결말쯤에 나는 지루해졌다. 02 Jack은 자신의 실망을 감추려 하지 않았다. 03 이런 일이 일어날까 봐 두려워
했어. 04 난 너의 탐욕스러운 행동에 진저리가 나! 05 내가 네 슬픔을 없애줄 수 있으면 좋겠어.

06 ☑ annoy
[ənɔ́i]

ⓝ annoyance
성가심, 골칫거리

ⓥ 성가시게 하다, 짜증나게 하다

an annoying sound 짜증나는 소리

✤ It's very annoying to do it a few times a day.

✤ I am annoyed every time I see someone smoking a cigarette indoors.

07 ☑ arrogant
[ǽrəgənt]

ⓝ arrogance 무례

ⓐ 무례한, 거만한　　**an arrogant attitude** 거만한 태도

The waiter had an arrogant attitude toward his customers.

08 ☑ shameful
[ʃéimfəl]

ⓝ shame 부끄럼, 창피

ⓐ 부끄러운, 창피스러운 **a shameful behavior** 부끄러운 행동

It was shameful that they did not recognize him.

09 ☑ astonish
[əstániʃ]

ⓐ astonishing 놀라운

ⓥ 놀라게 하다　　**be astonished at** ~에 놀라다

✤ The way she speaks to her students astonishes me all the time.

✤ I'm astonished that you can write Chinese characters so well.

10 ☑ burdensome
[bə́:rdnsəm]

ⓝ burden 짐, 부담

ⓐ 부담이 되는

burdensome responsibility 부담되는 책임

Japanese mobile phone bills are burdensome for almost all users.

---

06 하루에도 몇 번씩 그 일을 하는 것이 매우 짜증이 난다. / 나는 누가 실내에서 흡연하는 것을 볼 때마다 짜증이 난다.
07 그 웨이터는 손님들에게 무례한 태도를 보였다. 08 그들이 그를 알아보지 못한 것은 부끄러운 일이다. 09 그녀가 학생들에게 말하는 방식은 언제나 날 놀라게 한다. / 나는 네가 한자를 매우 잘 쓰는 것에 놀랐다. 10 일본의 휴대전화 청구서는 거의 모든 사용자에게 부담이 된다.

11 desperate
[déspərit]

ⓥ ⓝ despair 절망하다; 절망

ⓝ desperation
절망, 자포자기

ⓐ 필사적인, 절망적인　　**desperate efforts** 필사적인 노력

I was really desperate to get a job at the time.

---

12 embarrassed
[imbǽrəst]

ⓥ embarrass
당황하게 하다

ⓝ embarrassment 당황

ⓐ 당황한, 난처한

　　embarrassed silence 난처한 침묵, 무안한 침묵

He looked embarrassed when I asked him where he had been.

---

13 fearful
[fíərfəl]

ⓝ fear 두려움

ⓐ 무서운, 두려운

　　a shy and fearful child 수줍어하고 무서워하는 아이

Consumers are fearful of rising interest rates.

---

14 frighten
[fráitn]

ⓝ fright 공포, 경악

ⓥ 깜짝 놀라게 하다　　**frighten away** 놀라게 하여 쫓아내다

Terrorist activity in the area has frightened most tourists away.

---

15 hateful
[héitfəl]

ⓥ hate 미워하다

ⓐ 미운, 지겨운

　　deal with hateful people 싫은 사람을 대하다

❀ One of the most hateful chores is doing the dishes.

❀ Sean was bullied by a hateful classmate, Jim, when he was young.

---

11 나는 그 당시 직장을 구하려고 필사적이었다.　12 내가 그에게 어디에 있었는지 물었을 때 그는 당황한 것처럼 보였다.
13 소비자들은 오르는 이자율을 두려워한다.　14 그 지역에서 테러리스트 활동은 관광객 대부분을 놀라게 하여 쫓아내 버
렸다.　15 가장 하기 싫은 허드렛일 중 하나는 접시를 닦는 것이다. / Sean은 어렸을 때 미운 학급 친구인 Jim에게 괴롭힘
을 당했다.

16 ☑ **indifferent**
[indífərənt]

ⓝ indifference 무관심

ⓐ 무관심한, 냉담한 **indifferent to money** 돈에 무관심한

Her father was quite friendly, but she seemed somewhat indifferent.

---

17 ☑ **timid**
[tímid]

ⓝ timidity 겁 많음, 소심함

ⓐ 겁 많은, 소심한 **a timid child** 소심한 아이

He was a timid child, but he had a special liking for animals.

---

18 ☑ **negative**
[négətiv]

ⓥ negate 부정하다

ⓐ 부정적인 **negative attitudes** 부정적인 태도

❖ Do video games have a negative effect on kids?

❖ On the negative side, it will take a relatively long time.

---

19 ☑ **nervous**
[nə́:rvəs]

ⓝ nerve 신경

ⓐ 초조한, 긴장하는 **a nervous state** 신경질적인[초조한] 상태

She felt quite nervous about her upcoming exams.

---

20 ☑ **regret**
[rigrét]

ⓐ regretful 후회되는

ⓥ 후회하다, 유감으로 여기다

regret to say that ~ ~라고 말하게 되어 유감이다

I have regretted the decision many times since I began the project.

---

16 그녀의 아버지는 매우 다정했지만, 그녀는 다소 냉담했다. 17 그는 겁이 많은 아이였다. 하지만, 그는 동물을 특별히 좋아했다. 18 비디오 게임이 아이들에게 부정적인 영향을 미치는가? / 부정적인 측면은 상대적으로 오래 걸린다는 것입니다. 19 그녀는 다가올 시험 때문에 매우 초조해했다. 20 나는 그 프로젝트를 시작한 이래 그 결정을 수없이 후회했다.

21 **repent**
[ripént]

repentance 후회

ⓥ 후회하다, 뉘우치다   **repent of one's sins** 죄를 뉘우치다

Richard confessed and repented of what he had done before God.

---

22 **restless**
[réstlis]

rest 휴식, 안정

ⓐ 침착하지 못한, 들떠있는   **a restless night** 잠 못 이루는 밤

I am likely to skip breakfast after a restless night.

---

23 **shame**
[ʃeim]

ⓐ **shameless** 뻔뻔한

ⓝ 부끄럼, 창피, 수치   **Shame on you!** 부끄러운 줄 알아!

I have carried a deep sense of shame and guilt about the problem.

---

24 **stupid**
[stjú:pid]

ⓝ **stupidity** 어리석음

ⓐ 어리석은, 멍청한   **a stupid behavior** 바보 같은 행동

I made such stupid mistakes on math tests.

---

25 **disgrace**
[disgréis]

ⓐ **disgraceful** 불명예스러운

ⓝ 불명예, 치욕   **suffer disgrace** 망신을 당하다

The more you pursue honor, the more you fear disgrace.

---

26 **hazardous**
[hǽzərdəs]

ⓝ **hazard** 위험

ⓐ 위험한, 모험적인

The mountain road was hazardous.

---

21 Richard는 신 앞에 그가 저지른 일을 고백하고 후회했다. 22 나는 잠 못 이루는 밤을 보내고 난 뒤에는 아침을 거르는 경우가 많다. 23 나는 그 문제에 대해 깊은 수치심과 죄의식을 가졌다. 24 나는 수학 시험에서 매우 바보 같은 실수를 했다. 25 명예를 좇을수록 치욕을 두려워하는 법이다. 26 산길은 위험했다.

---

27 ☑ **tension**
[ténʃən]

ⓝ 긴장, 불안　　　　**under tension** 긴장 상태에서

There was much tension as we waited for the test to begin.

---

28 ☑ **depression**
[dipréʃən]

ⓥ depress 우울하게 하다

ⓝ 우울(증)　　　　**deep depression** 깊은 우울증

His depression made him not say anything to anyone.

---

29 ☑ **despise**
[dispáiz]

ⓥ 경멸하다　　　　**despise for ~** 때문에 얕보다

I can't understand why you despise Susan so utterly?

---

30 ☑ **wicked**
[wíkid]

ⓐ 악한, 심술궂은　　　　**wicked habits** 나쁜 습관, 악습

Wicked witches are easy to see in fairy tales.

---

27 시험이 시작되기를 기다릴 때 우리는 긴장을 많이 했다.　28 우울증은 그를 아무하고도 이야기하지 않게 만들었다.
29 나는 네가 왜 그렇게 Susan을 경멸하는지 이해할 수 없어.　30 악한 마녀는 동화에 자주 등장한다.

Multi-Meaning Word

negative

ⓐ 나쁜, 해로운
a **negative** effect 해로운 효과

ⓐ 반대; 거절하는
a **negative** reply 부정적인 답변

ⓐ (테스트 결과가) 음성의
HIV **negative** HIV 음성의

ⓐ (숫자가) 음수의
negative numbers 음수

EXERCISE

A 다음 영어는 우리말로, 우리말은 영어로 쓰시오.

01 sorrow _____
02 astonish _____
03 fearful _____
04 repent _____
05 shame _____

06 침착하지 못한 _____
07 불명예 _____
08 긴장, 불안 _____
09 무례한, 거만한 _____
10 당황한, 난처한 _____

B 다음 영어는 우리말로, 우리말은 영어로 쓰시오.

01 a shameful behavior: _____
02 a greedy pig: _____
03 a bored look: _____
04 깊은 우울: deep _____
05 공포감: a sense of _____
06 신경질적인 상태: a(n) _____ state

C 다음 빈칸에 들어갈 말을 고르시오. (필요하면 형태를 바꾸시오.)

| negative | indifferent | hazardous | wicked | timid |

01 He is too _____ to speak up.
그는 너무 소심해서 용기 내 말할 수 없다.

02 There is a(n) _____ chemical in this barrel.
이 통에는 위험한 화학 물질이 들어있다.

03 The witch used a(n) _____ trick.
마녀는 악한 술수를 썼다.

04 She was _____ to her friend's problems.
그녀는 친구의 문제에 무관심했다.

05 Try not to be so _____ about the situation.
상황을 너무 부정적으로 생각하지 않도록 해봐.

Word Search

배운 어휘를 기억하며 단어를 모두 찾아보세요.

E	B	Z	G	L	X	E	N	R	P	D	V	D	T	D
J	U	F	X	J	G	R	T	E	R	J	Z	E	E	E
T	N	Z	Q	M	M	Z	E	A	G	L	R	R	R	K
H	S	I	N	O	T	S	A	S	X	A	F	O	G	C
N	O	I	S	N	E	T	B	D	T	E	T	B	E	I
A	C	Q	A	H	K	Y	G	I	R	E	P	I	R	W
Q	I	H	A	G	A	W	O	U	P	L	E	S	V	L
W	O	R	R	O	S	T	B	N	E	U	L	S	E	E
N	E	R	V	O	U	S	E	X	N	U	T	Y	S	D
E	S	I	P	S	E	D	N	F	F	A	D	S	D	T
A	R	R	O	G	A	N	T	H	U	E	X	R	I	V
E	M	A	H	S	P	W	A	U	E	L	E	M	G	I
D	X	L	F	Z	Z	E	V	R	Q	A	I	N	J	X
C	A	E	S	A	F	N	G	B	D	D	C	B	C	R

annoy	arrogant	astonish	bored
despise	dread	greedy	hateful
negative	nervous	regret	shame
sorrow	tension	timid	wicked

Unit 09 Attitude & Personality 1

---

01 ☑ **acceptable**
[ækséptəbəl]

ⓥ **accept** 받아들이다

ⓐ 받아들일 수 있는

socially acceptable 사회적으로 용인되는

I find your offer acceptable.

---

02 ☑ **confident**
[kɑ́nfidənt]

ⓝ **confidence** 자신감

ⓐ 확신하는, 자신이 있는

a confident attitude 자신 있는 태도

Peter seems confident about the test.

---

03 ☑ **dependent**
[dipéndənt]

ⓝ **dependence** 의존

ⓐ 의존하는 **dependent on the weather** 날씨에 좌우되는

I try not to be too dependent on my parents.

---

04 ☑ **diligent**
[dílədʒənt]

ⓝ **diligence** 근면함

ⓐ 근면한 **a diligent worker** 근면한 노동자

After years of diligent research, he published a book.

---

05 ☑ **sensitive**
[sénsətiv]

ⓝ **sensitivity** 민감도

ⓐ 민감한, 예민한 **sensitive to criticism** 비판에 민감한

It is believed that women are more sensitive than men.

---

01 당신의 제안은 받아들일 만한 것 같군요. 02 Peter는 시험에 자신이 있어 보여. 03 나는 부모님에게 너무 의존하지 않으려고 해. 04 여러 해에 걸친 성실한 연구 끝에 그는 책을 출판했다. 05 남자보다 여자가 더 예민하다고 여겨진다.

06 bold
[bould]

ⓐ 대담한, 무모한   **a bold explorer** 대담한 탐험가

He is bold enough to criticize the president openly.

07 courageous
[kəréidʒəs]

ⓝ courage 용기

ⓐ 용기 있는   **a courageous act** 용기 있는 행동

We know that he was a courageous leader of his people.

08 dishonest
[disάnist]

ⓝ dishonesty 부정

ⓐ 부정직한   **dishonest dealing** 부정직한 거래

There are a few dishonest dealers with very nice websites.

09 impatient
[impéiʃənt]

ⓝ impatience
조급, 성급함

ⓐ 참을성 없는, 초조한   **an impatient gesture** 성급한 몸짓

He raised his head with an impatient gesture.

10 rational
[rǽʃənəl]

ⓐ 이성적인   **a rational explanation** 합리적인 설명

He became old and ill, and unable to make a rational decision.

11 doubtful
[dáutfəl]

ⓝⓥ doubt 의심; 의심하다

ⓐ 의심스러운, 미심쩍은   **a doubtful answer** 미심쩍은 답변

I am doubtful that it will rain today.

06 그는 공개적으로 대통령을 비판할 만큼 대담하다. 07 우리는 그가 그의 민족의 용기 있는 지도자였다는 것을 알고 있다. 08 매우 훌륭한 웹 사이트를 이용하여 부정직한 거래를 하는 사람들이 있다. 09 그는 초조한 몸짓을 하면서 머리를 들었다. 10 그는 늙고 아파서 합리적인 결정을 할 수 없었다. 11 오늘 비가 올 거라는 것이 의심스럽다.

12 hesitate
[hézətèit]

ⓝ hesitation 주저, 망설임

ⓥ 주저하다, 망설이다

hesitate for a moment 한순간 망설이다

➡ He hesitated to talk to the professor.

➡ Don't hesitate to ask your teacher if you have any questions about the problems.

13 emotional
[imóuʃənəl]

ⓝ emotion 감정, 감동

ⓐ 감정적인

emotional support 정신적인 지지
emotional state 감정적 상태

The physical and emotional state of the patient is also important.

14 pity
[píti]

ⓐ pitiful 가엾은

ⓝ 동정, 연민의 정

What a pity! 안타깝구나!

It's a pity that he didn't accept the job.

15 sympathy
[símpəθi]

ⓥ sympathize 동정하다
ⓐ sympathetic
동정심이 있는

ⓝ 동정심

out of sympathy 동정심에서, 안쓰러운 마음에서

There is a lot of sympathy for the families of the victims.

16 disbelief
[dìsbilí:f]

ⓥ disbelieve 믿지 않다

ⓝ 불신

in disbelief 불신하여

My friends looked at me with disbelief, but I just smiled at them.

---

12 그는 교수님과 대화하기를 주저했다. / 문제에 대한 질문이 있다면 선생님에게 물어보는 것을 망설이지 마라. 13 환자의 신체적, 정서적 상태 또한 중요하다. 14 그가 그 자리를 수락하지 않은 것은 참 안타깝다. 15 희생자의 가족에 대한 동정심이 많다. 16 내 친구들은 믿을 수 없다는 듯 나를 바라보았지만, 나는 그저 미소만 지었다.

17 ☑ dissatisfaction
[dissætisfǽkʃən]

ⓥ dissatisfy
불만을 갖게 하다

ⓐ dissatisfactory
불만족스러운

ⓝ 불만   the growing dissatisfaction 늘어가는 불만

Most of the customers expressed dissatisfaction with the service.

---

18 ☑ temper
[témpər]

ⓝ 성질, 기질   **a hot temper** 성급한 기질

You can't get along with us if you lose your temper like that.

---

19 ☑ offensive
[əfénsiv]

ⓥ offend 성나게 하다
ⓝ offense 위반, 공격

ⓐ 공격적인   **offensive behavior** 공격적인 행동

He is an offensive basketball player.

---

20 ☑ optimistic
[àptəmístik]

ⓝ optimism 낙천주의

ⓐ 낙관적인, 낙천적인

My father sounds pretty optimistic about the whole thing.

---

21 ☑ reliable
[riláiəbəl]

ⓥ rely 믿다, 의지하다

ⓐ 믿을 만한   **a reliable source** 믿을 만한 소식통

Dieting is a reliable method of losing weight.

---

17 대부분의 손님은 서비스에 불만을 나타냈다. 18 계속 그렇게 성질을 부리면 우리와 어울릴 수 없다. 19 그는 공격 위주의 농구 선수다. 20 아버지는 모든 일에 매우 낙천적이시다. 21 식이요법은 체중을 줄이는 믿을만한 방법이다.

22 sincere
☑ [sinsíər]

ⓐ 성실한, 진지한   **a sincere apology** 진실한 사과

I would like to express my sincere thanks to all the students.

23 trustworthy
☑ [trʌ́stwə̀ːrði]

ⓝ trust 신뢰, 신용

ⓐ 신뢰할 수 있는

a trustworthy person 신뢰할 수 있는 사람

If you want to be a trustworthy person, never tell a lie.

24 careless
☑ [kɛ́ərlis]

ⓝ carelessness 부주의

ⓐ 부주의한   **a careless mistake** 부주의한 실수

I sometimes make a careless mistake.

25 outgoing
☑ [áutgòuiŋ]

ⓐ 사교적인, 외향성인

an outgoing personality 사교적인 성격

James is an outgoing person who enjoys meeting new people and trying new things.

26 crazy
☑ [kréizi]

ⓝ craziness 광기

ⓐ 미친, 미치광이의   **go crazy** 미치다

The crowd went crazy as the show began.

---

22 나는 모든 학생에게 진심어린 고마움을 표하고 싶다. 23 여러분이 신뢰할 수 있는 사람이 되고 싶다면 절대 거짓말하지 마라. 24 나는 가끔 부주의한 실수를 저지른다. 25 James는 새로운 사람을 만나고 새로운 시도를 즐기는 외향적인 사람이다. 26 공연이 시작하면서 관객은 흥분하기 시작했다.

27 ☑ **brutal**
[brúːtl]

ⓐ 잔인한, 짐승 같은   **a brutal attack** 잔인한 공격

ⓝ brutality 잔인성, 만행

Alexander was so brutal that the king banished him.

---

28 ☑ **keen**
[kiːn]

ⓐ 예민한, 날카로운, 예리한   **a keen thinker** 예리한 사상가

She is too keen about the feelings of others at times.

---

29 ☑ **liberal**
[líbərəl]

ⓐ 자유로운, 관대한   **a liberal parent** 자유로운 부모
         the Liberal Party 〈정치〉 자유당

ⓝ liberty 자유
ⓥ liberate 자유롭게 만들다

He is somewhat liberal with his money.

---

30 ☑ **positive**
[pázətiv]

ⓐ 확신하는, 긍정적인   **be positive of** ~을 확신하다

Thomas, are you positive that this is the right way?

---

27 Alexander는 너무 잔인해서 왕은 그를 추방했다. 28 그녀는 때때로 타인의 감정에 너무 예민하다. 29 그는 돈 씀씀이가 비교적 자유롭다. 30 Thomas, 이 길이 맞는다는 것을 확신하니?

Multi-Meaning Word

temper

ⓝ 기질, 천성
a calm **temper** 침착한 기질

ⓝ 화, 짜증
control one's **temper** 화를 다스리다

ⓥ 부드럽게 하다, 진정하다
temper one's anger 화를 진정시키다

ⓥ 단련시키다
temper iron 철을 단련시키다

EXERCISE

A 다음 영어는 우리말로, 우리말은 영어로 쓰시오.

01 dependent _____
02 courageous _____
03 disbelief _____
04 dissatisfaction _____
05 careless _____

06 받아들일 수 있는 _____
07 민감한, 예민한 _____
08 의심스러운 _____
09 주저하다, 망설이다 _____
10 자유로운, 관대한 _____

B 다음 영어는 우리말로, 우리말은 영어로 쓰시오.

01 a rational explanation: _____

02 go crazy: _____

03 dishonest dealing: _____

04 성급한 기질: a hot _____

05 정신적인 지지: _____ support

06 대담한 탐험가: a(n) _____ explorer

C 다음 빈칸에 들어갈 말을 고르시오. (필요하면 형태를 바꾸시오.)

| optimistic | pity | confident | keen | outgoing |

01 His speech gave a(n) _____ impression to many people.
그의 연설은 많은 사람에게 강렬한 인상을 주었다.

02 Experts are _____ about the current economy.
전문가들은 현재 경제 상황에 대해 낙관적이다.

03 My father is a very _____ person.
아버지는 매우 사교적인 분이시다.

04 Jane was very _____ about the exams.
Jane은 시험에 매우 자신 있었다.

05 It was a(n) _____ to hear the bad news.
나쁜 소식을 들어 매우 안타까웠다.

Word Search

배운 어휘를 기억하며 단어를 모두 찾아보세요.

정답

R	B	A	J	V	Q	V	P	D	S	C	O	O	X	T
A	T	W	P	I	F	K	A	S	Z	R	I	X	S	N
T	E	R	D	Z	Y	P	O	V	H	A	E	K	E	E
I	M	D	Y	T	E	E	W	X	D	Z	S	O	N	G
O	P	B	I	N	G	K	W	J	W	Y	H	M	S	I
N	E	P	D	A	D	O	U	B	T	F	U	L	I	L
A	R	E	R	T	N	E	D	I	F	N	O	C	T	I
L	N	U	O	F	F	E	N	S	I	V	E	S	I	D
T	O	H	E	S	I	T	A	T	E	B	Y	I	V	F
C	S	O	U	T	G	O	I	N	G	L	B	N	E	P
X	O	W	L	A	R	E	B	I	L	U	O	C	N	E
T	N	E	A	T	A	P	M	I	X	N	L	E	T	L
Z	Z	E	V	I	T	I	S	O	P	D	D	R	E	G
N	E	E	K	O	U	Q	N	T	C	Y	B	E	G	R

bold	confident	crazy	diligent
doubtful	hesitate	keen	liberal
offensive	outgoing	pity	positive
rational	sensitive	sincere	temper

Unit 10 Attitude & Personality 2

01 cunning
[kʌ́niŋ]

ⓐ 교활한, 약삭빠른   **a cunning trick** 교활한 술책

My father often plays many cunning tricks to catch mice.

02 deceive
[disíːv]

ⓥ 속이다, 기만하다   **a deceiving smile** 거짓 미소

ⓝ deceit 기만

I was deceived by all the lies he told me.

03 ridiculous
[ridíkjələs]

ⓐ 우스운, 어리석은   **a ridiculous remark** 우스운 말

ⓥ ⓝ ridicule 비웃다; 비웃음

❖ There was a ridiculous scene in the play.

❖ I cannot stop laughing out loud every time I see him make a ridiculous face.

04 desirous
[dizáiərəs]

ⓐ 간절히 바라는

desirous to learn more 더 배우기를 간절히 바라는

ⓥ ⓝ desire 바라다, 원하다; 욕망, 욕구

She is desirous of him to find a job.

05 folly
[fáli]

ⓝ 어리석음, 어리석은 행동   **human folly** 인간의 어리석음

It is folly to take global warming lightly.

---

01 아버지는 쥐를 잡으려고 종종 여러 가지 교묘한 속임수를 쓰신다. 02 나는 그가 내게 한 모든 거짓말에 속았다. 03 연극에 우스꽝스러운 장면이 있었다. / 나는 그가 우스운 표정을 짓는 것을 볼 때마다 웃음을 참을 수 없다. 04 그녀는 그가 직업을 구하길 간절히 바라고 있다. 05 지구 온난화를 가볍게 여기는 것은 어리석은 짓이다.

06 corrupt
[kərʌ́pt]

ⓝ **corruption** 타락, 부패

ⓐ 부패한, 타락한 ⓥ 부패시키다, 타락시키다

✧ Many people think the world of politics is corrupt.

✧ It is believed that money and power corrupt innocent people.

07 sociable
[sóuʃəbəl]

ⓐ **social** 사회적인

ⓐ 사교적인   a sociable behavior 사교적인 행동

What are the secrets of being an outgoing and sociable person?

08 eager
[íːgər]

ⓐ 열망하는, 열성적인   be eager to ~을 열망하다

He was eager to get back to work after his accident.

09 helpless
[hélplis]

ⓐ 무력한

a helpless situation 무력한 상황, 손을 쓸 수 없는 상황

I feel pretty helpless when something goes wrong with my car.

10 swift
[swift]

ⓐ 날쌘, 재빠른   a swift runner 달리기가 빠른 사람

He made a swift response to her tricky question.

11 profound
[prəfáund]

ⓐ 깊은, 심오한   a profound truth 심오한 진리

The philosopher's ideas were profound.

06 많은 사람들은 정치의 세계가 부패했다고 생각한다. / 돈과 권력이 순수한 사람들을 타락시킨다고 여겨진다. 07 외향적이고 사교적인 사람이 되는 비결은 무엇인가? 08 그는 사고가 난 뒤에 일터로 돌아가기를 갈망했다. 09 나는 내 차에 문제가 생기면 큰 무력감을 느낀다. 10 그는 그녀의 곤란한 질문에 재빠르게 대답했다. 11 철학자의 생각은 심오했다.

12 **selfish**
[sélfiʃ]

ⓝ **self** 자신, 자기

ⓐ 이기적인   **a selfish motive** 이기적인 동기

How could she be so selfish about this matter?

---

13 **insane**
[inséin]

ⓝ **insanity** 광기

ⓐ 미친, 광기의   **an insane act** 광적인 행동

She proposes the most insane ideas once in a while.

---

14 **senseless**
[sénslis]

ⓝ **sense** 지각, 상식, 의식
ⓝ **senselessness** 몰상식

ⓐ 의미 없는, 지각없는 **senseless death** 의미 없는 죽음

I can't see the purpose of this senseless argument.

---

15 **sly**
[slai]

ⓝ **slyness** 교활함

ⓐ 교활한   **as sly as a fox** 매우 교활한

She was playing a sly game for her own advantage.

---

16 **tame**
[teim]

ⓐ 길든, 유순한 ⓥ 길들이다 **tame plants** 재배 식물

❧ We can see some tame animals like dogs and cats.
❧ I wonder how they tame wild animals at the circus.

---

17 **pessimistic**
[pèsəmístik]

ⓝ **pessimist** 비관론자
ⓝ **pessimism** 비관, 비관론

ⓐ 비관적인

You must lose your pessimistic view.

---

12 이 문제에 대해 그녀는 어떻게 그리 이기적일 수 있을까? 13 그녀는 이따금 정말 이상한 아이디어를 제안한다. 14 이 무의미한 논쟁의 의도를 모르겠다. 15 그녀는 자신의 이득을 위해 간사를 부리고 있었다. 16 우리는 개와 고양이 같은 길 들인 동물을 볼 수 있다. / 서커스에서 야생 동물을 어떻게 길들이는지 궁금하다. 17 너의 비관적인 견해를 없애야 해.

18 intimacy
[íntəməsi]

ⓐ intimate 친밀한

ⓝ 친밀함

Modern society has lost its sense of intimacy for one another.

19 devote
[divóut]

ⓝ devotion 헌신

ⓥ 헌신하다, 몰두하다

Helen devoted her life to fight against famine.

20 endure
[endjúər]

ⓝ endurance 인내

ⓥ 참다

The writer tried to capture the people enduring poverty.

21 tolerate
[tálərèit]

ⓐ tolerant 관대한
ⓐ tolerable 참을 수 있는
ⓝ tolerance 인내, 관용

ⓥ 참다, 견디다

The principal said he would not tolerate any violence in school.

22 familiar
[fəmíljər]

ⓥ familiarize 친숙하게 하다
ⓝ familiarity 친밀, 친숙

ⓐ 친숙한, 친근한

I believe everyone in this classroom is not familiar with this subject.

---

18 현대 사회는 서로에 대한 친밀감을 상실했다. 19 Helen은 기근과 싸우기 위해 그녀의 인생을 헌신했다. 20 작가는 사람들이 가난을 참고 견디는 모습을 담으려고 했다. 21 교장선생님은 학교에서 폭력을 용납하지 않을 것이라고 이야기했다. 22 나는 이 교실에 있는 모든 사람들이 이 과목을 잘 모를 거라고 생각한다.

23 skeptical
[sképtikəl]

n skeptic 회의론자

ⓐ 회의적인   **skeptical eyes** 회의적인 시각

He is skeptical about the accuracy of these reports.

---

24 generous
[dʒénərəs]

n generosity 관대, 아량

ⓐ 관대한, 푸짐한

He is described as a kind and generous man.

---

25 responsible
[rispánsəbəl]

n responsibility 책임

ⓐ 책임감 있는

      make oneself responsible for ~을 책임지다

She felt responsible for her students.

---

26 attitude
[ǽtitʃùːd]

n 태도   **a positive attitude** 긍정적인 태도

He was scolded because of his rude attitude.

---

27 energetic
[ènərdʒétik]

n energy 힘, 에너지

ⓐ 원기 왕성한, 활동적인

      an energetic person 활동적인 사람

He became an energetic person after starting to exercise.

---

28 frank
[fræŋk]

ad frankly 솔직히 (말해서)

ⓐ 솔직한, 숨김없는   **a frank personality** 솔직한 성격

All right, I will be frank with you and tell you everything.

---

23 그는 이 보고서의 정확성에 대하여 회의적이다. 24 그는 친절하고 관대한 사람으로 묘사된다. 25 그녀는 자신의 학생들에 대한 책임감을 느꼈다. 26 그는 무례한 태도 때문에 혼났다. 27 그는 운동하기 시작한 뒤로 활동적인 사람이 되었다. 28 좋아, 너에게 솔직하게 모든 것을 이야기해 줄게.

---

29 **mean**
[miːn]

ⓐ 비열한, 짓궂은　　　　　　　**a mean trick** 비열한 술책

It was mean of you to disturb her when she was studying.

---

30 **punctual**
[pʌ́ŋktʃuəl]

ⓝ **punctuality** 시간 엄수

ⓐ 시간을 엄수하는　**a punctual person** 시간을 잘 지키는 사람

You will be fired if you don't become more punctual.

---

29 그녀가 공부하고 있을 때 네가 방해한 것은 비열하다.　30 시간을 더욱더 지키지 않으면 당신은 해고될 것이다.

 Multi-Meaning Word

mean

ⓥ 의미하다
What do you **mean** by this word? 이 말은 무엇을 의미하지?

ⓥ ~할 작정이다
I didn't **mean** to hurt you. 너에게 상처 줄 작정은 아니었어.

ⓐ 비열한
play a **mean** trick 비열한 술책을 사용하다

ⓐ 중간의
take a **mean** course 중간 입장을 취하다

ⓝ 수단
by **means** of ~에 의하여, ~을 수단으로

ⓝ 재산
a man of **means** 재력가

EXERCISE

A 다음 영어는 우리말로, 우리말은 영어로 쓰시오.

01 desirous _____ 06 무력한 _____

02 sly _____ 07 태도 _____

03 corrupt _____ 08 시간을 엄수하는 _____

04 familiar _____ 09 참다 _____

05 eager _____ 10 비열한, 짓궂은 _____

B 다음 영어는 우리말로, 우리말은 영어로 쓰시오.

01 a cunning trick: _____

02 a selfish motive: _____

03 a ridiculous remark: _____

04 거짓 미소: a(n) _____ smile

05 사교적인 행동: a(n) _____ behavior

06 긍정적인 태도: a positive _____

C 다음 빈칸에 들어갈 말을 고르시오. (필요하면 형태를 바꾸시오.)

intimacy	folly	frank	insane	generous

01 We will soon see the _____ of the past generation.
우리는 곧 과거 세대의 어리석음을 알게 될 것이다.

02 Roy was always outgoing and _____ to everyone.
Roy는 항상 외향적이고 모든 사람들에게 관대했다.

03 She and I built _____ over the past few weeks.
그녀와 나는 지난 몇 주 동안 친분을 쌓았다.

04 You must be _____ with me at all times.
너는 언제나 나에게 솔직해야 한다.

05 It would be _____ to do such a thing.
그런 행동을 하는 것은 미친 짓일 거야.

배운 어휘를 기억하며 단어를 모두 찾아보세요.

Unit 10 Attitude & Personality 2

```
O  Y  R  Q  F  H  B  S  N  X  L  F  Y  J  E
N  L  P  E  E  N  D  L  O  S  F  L  R  F  E
L  L  C  Z  G  P  G  G  X  O  S  B  A  I  N
T  O  P  N  O  A  P  V  C  O  R  R  T  A  A
P  F  X  J  L  R  E  S  X  G  E  E  G  L  S
L  A  C  I  T  P  E  K  S  L  F  L  N  S  N
A  Y  D  T  F  E  Y  Y  O  D  A  A  S  E  I
B  T  A  E  R  R  C  T  E  T  M  U  E  N  G
U  M  T  U  V  E  A  C  E  F  I  T  L  A  H
E  I  A  I  M  O  E  N  S  I  L  C  F  E  P
N  N  G  I  T  I  T  C  K  W  I  N  I  M  D
E  H  T  E  V  U  X  E  J  S  A  U  S  C  P
H  N  H  E  G  S  D  R  G  Z  R  P  H  T  Z
I  F  W  C  B  A  N  E  T  P  U  R  R  O  C
```

attitude	corrupt	deceive	devote
eager	familiar	folly	frank
insane	mean	punctual	selfish
skeptical	sly	swift	tame

Unit 11 Mind & Atmosphere

---

01 ☑ hurried
[hə́ːrid]

ⓐ 매우 급한   **a hurried departure** 서두른 출발

After eating a hurried meal, he headed for the beach.

---

02 ☑ vigorous
[vígərəs]

ⓝ **vigor** 활기, 정기

ⓐ 격렬한   **vigorous exercise** 격렬한 운동

You should drink plenty of water after vigorous exercise.

---

03 ☑ dim
[dim]

ⓐ 어둑한   **dim light** 어두운 빛

The room was too dim after one of the lightbulbs died.

---

04 ☑ terror
[térər]

ⓐ **terrible** 무서운, 지독한

ⓝ 공포   **the terrors of war** 전쟁의 공포

These young minds are filled with terror and hatred.

---

05 ☑ monotonous
[mənátənəs]

ⓝ **monotone** 단조로움

ⓐ 단조로운, 지루한

Jack has the most monotonous job that I know of.

---

01 급히 식사를 한 뒤, 그는 해변으로 향했다. 02 격렬하게 운동하고 나서는 물을 충분히 마시는 것이 좋다. 03 전구 하나가 나가자 방이 너무 어두워졌다. 04 이 젊은이들의 마음에는 공포와 증오로 가득 차 있었다. 05 Jack은 내가 아는 한 가장 지루한 직업을 가지고 있다.

06 funny
[fʌ́ni]

n fun 재미, 장난

a 익살맞은, 재미있는　　**a funny movie** 재미있는 영화

We want to hear funny stories about your pets.

07 unrest
[ʌnrést]

n 불안, 동요　　　**social unrest** 사회적 불안

The economic unrest will go on for another year.

08 carefree
[kέərfrìː]

a 걱정 없는, 태평한　　**a carefree life** 안락한 생활

Libras tend to take a carefree attitude to life and money.

09 anxious
[ǽŋkʃəs]

n anxiety 걱정, 근심, 불안

a 걱정하는, 염려하는

on the anxious bench 안절부절못하는, 초조한

His anxious look started to get me worried as well.

10 dreadful
[drédfəl]

v dread 두려워하다

a 무서운, 두려운

I watched the dreadful news on TV last night.

11 horrible
[hɔ́ːrəbəl]

n horror 공포

a 무서운, 끔찍한　　**a horrible experience** 끔찍한 경험

I kept having a horrible nightmare.

---

06 우리는 당신의 애완동물에 대한 재미있는 이야기를 듣고 싶다.　07 경제적인 동요는 1년간 더 계속될 것이다.　08 천칭자리는 인생과 돈에 대해 걱정 없는 태도를 보이는 경향이 있다.　09 그의 불안한 얼굴은 나까지 불안하게 만들었다. 10 나는 어젯밤에 TV에서 무서운 뉴스를 봤다. 11 나는 계속해서 무서운 악몽을 꾸었다.

12 homesick
[hóumsìk]

n homesickness 향수병

a 향수병의, 집을 그리워하는   **get homesick** 향수병에 걸리다

Most students get homesick the first time they leave home.

13 furious
[fjúəriəs]

n fury 분노

a 성난, 격노한   **fast and furious** 정신없이 전개되는

⇨ I have never seen Tom so furious ever since I met him.

⇨ Employees of the company were furious at the decision.

14 blue
[blu:]

a 우울한   **feel blue** 우울하다

Jacob didn't want to tell his friends the reason he'd been so blue.

15 melancholy
[mélənkàli]

a 우울한, 슬픈   **melancholy mood** 우울한 분위기

Whenever I feel melancholy, I read Keats' poetry.

16 concerned
[kənsə́:rnd]

v concern
걱정시키다, 걱정하다

a 걱정하는   **be concerned about** ~에 대해 걱정하다

⇨ My father is concerned about bike safety.

⇨ People in the U.S. are very concerned about the rising unemployment rate.

12 대부분의 학생들은 집을 처음 떠날 때 집을 그리워한다. 13 내가 Tom을 만난이래 그렇게 화난 모습은 본 적이 없다. / 그 회사의 직원들은 그 결정에 분노했다. 14 Jacob은 친구들에게 그가 왜 우울했는지 이야기하고 싶지 않았다. 15 나는 우울함을 느낄 때마다 키츠의 시를 읽는다. 16 아버지는 자전거 안전을 걱정스러워 하신다. / 미국 사람들은 증가하는 실업률에 대해 매우 걱정한다.

17 confuse

☑ [kənfjúːz]

ⓝ confusion 혼란

ⓥ 혼란시키다[당황케 하다], 혼동하다

become confused 혼란스러워지다

❧ I hope my fast explanation didn't confuse students.

❧ Although I am her close friend, I sometimes confuse Jenna with her twin sister.

18 worried

☑ [wɔ́ːrid]

ⓐ 걱정하는

be worried about ~에 관해 걱정하다

Tourists were worried they wouldn't have enough money.

19 lonely

☑ [lóunli]

ⓝ loneliness 외로움, 고독

ⓐ 외로운

a lonely old man 외로운 노인

She was lonely when she first came to New Zealand.

20 peaceful

☑ [píːsfəl]

ⓐ 평화로운

a peaceful life 평화로운 생활

❧ We had a peaceful afternoon without the children.

❧ There was a peaceful demonstration outside the City Hall.

21 puzzled

☑ [pʌ́zld]

ⓝ puzzle 수수께끼, 퍼즐

ⓐ 당황한

a puzzled look 당황한 표정

Mandy still had a puzzled expression on her face.

---

17 내 빠른 설명이 학생들을 혼란스럽게 하지 않았기를 바란다. / 비록 나는 Jenna의 친한 친구지만, 가끔 Jenna와 그녀의 쌍둥이 언니를 혼동한다. 18 관광객들은 자신들이 충분한 돈을 갖고 있지 않을까 봐 걱정했다. 19 그녀는 처음 뉴질랜드에 왔을 때 외로웠다. 20 우리는 아이들이 없이 평화로운 오후를 보냈다. / 시청 밖에는 평화 시위가 있었다. 21 Mandy는 여전히 당황한 표정을 하고 있었다.

22 solitary
[sáliteri]

ⓝ solitude 고독, 독거

ⓐ 고독한, 쓸쓸한, 유일한

live a solitary life 고독한 생활을 하다

I sometimes took long solitary walks to the nearby villages.

23 shocking
[ʃákiŋ]

ⓐ 놀랄만한　　**a shocking accident** 충격적인 사고

I heard the shocking news that their daughter was gravely ill.

24 thrilling
[θríliŋ]

ⓐ thrilled 신이 난

ⓐ 긴장감 있는, 감격적인, 떨리는

a thrilling experience 스릴 있는 체험

India's national team won a thrilling victory over Pakistan's.

25 hopeless
[hóuplis]

ⓐ 희망 없는, 가망 없는　　**hopeless future** 절망적인 미래

The situation is not as hopeless as it seems.

26 incredible
[inkrédəbəl]

ⓐ 믿을 수 없는, 매우 훌륭한

an incredible experience 믿을 수 없는 경험

The effect of this new medicine is incredible!

27 uncomfortable
[ʌnkʌ́mfərtəbəl]

ⓐ 불편한　　**an uncomfortable bed** 불편한 침대

I feel uncomfortable at this party.

---

22 나는 때때로 근처 마을까지 길고 외로운 걸음을 했다.　23 나는 그들의 딸이 몹시 아프다는 충격적인 뉴스를 들었다.
24 인도 국가대표팀은 파키스탄을 이기는 감격스런 승리를 했다.　25 상황은 보기보다 절망적이지 않다.　26 이 새로운 약
의 효과는 매우 훌륭해!　27 나는 이 파티에 있는 것이 불편하다.

28 ☑ **miserable**
[mízərəbəl]

ⓝ **misery** 불행

ⓐ 불쌍한, 비참한

I felt miserable after I broke up with my girlfriend.

---

29 ☑ **cynical**
[sínikəl]

ⓝ **cynic** 빈정대는 사람

ⓐ 냉소적인, 빈정대는　　**a cynical smile** 냉소적인 웃음

I don't know why Fred is so cynical about everything.

---

30 ☑ **serious**
[síəriəs]

ⓐ 진지한, 중대한　　**a serious crime** 중대한 범죄

I want you to give me a serious answer to my question.

---

28 나는 여자친구와 헤어지고 나서 비참했다.　29 나는 Fred가 왜 모든 일에 빈정대는지 모르겠다.　30 내 질문에 진지한 답변을 해주길 원해.

Multi-Meaning Word

content

ⓐ 만족하는
be **content** with ~에 만족하다

ⓥ 만족시키다(= satisfy)
content oneself with ~에 만족하다

ⓝ 내용, 알맹이
the **contents** of a box 상자 속의 내용물

ⓝ (서적 따위의) 목차
the **contents** page 목차 페이지

EXERCISE

A 다음 영어는 우리말로, 우리말은 영어로 쓰시오.

01 monotonous _____

02 dreadful _____

03 concerned _____

04 lonely _____

05 miserable _____

06 공포 _____

07 긴장감 있는, 떨리는 _____

08 격렬한 _____

09 향수병의 _____

10 익살맞은, 재미있는 _____

B 다음 영어는 우리말로, 우리말은 영어로 쓰시오.

01 social unrest: _____

02 a hurried departure: _____

03 a peaceful life: _____

04 절망적인 미래: _____ future

05 어두운 빛: _____ light

06 고독한 생활을 하다: live a(n) _____ life

C 다음 빈칸에 들어갈 말을 고르시오. (필요하면 형태를 바꾸시오.)

| melancholy | furious | puzzled | anxious | cynical |

01 Fred was _____ about the test results.
Fred는 시험 결과를 걱정했다.

02 He was _____ when she asked him a question.
그녀가 그에게 질문했을 때 그는 당황했다.

03 I was _____ when I heard the news.
그 소식을 들었을 때 나는 크게 화가 났다.

04 I get angry sometimes when Susan is so _____.
Susan이 냉소적일 때 가끔 화가 나곤 한다.

05 She cried in her _____ mood.
그녀는 우울한 기분 속에서 울었다.

Word Search

배운 어휘를 기억하며 단어를 모두 찾아보세요.

정답

Unit 11 Mind & Atmosphere

W	Y	G	I	D	L	V	S	L	S	Z	S	L	T	L
C	H	S	H	O	X	U	R	E	O	C	T	A	S	B
A	M	D	N	M	O	F	X	L	L	O	O	C	E	T
S	S	E	O	I	D	C	C	B	I	N	I	I	R	F
L	L	U	X	A	S	R	E	I	T	F	R	N	N	U
Y	B	N	E	J	V	P	M	R	A	U	U	Y	U	N
K	A	R	A	K	F	S	P	R	R	S	F	C	F	N
D	D	T	E	R	R	O	R	O	Y	E	D	E	G	Y
P	E	A	C	E	F	U	L	H	D	C	L	B	B	O
D	E	I	R	Z	O	W	D	E	L	Z	Z	U	P	S
Q	L	H	U	R	R	I	E	D	B	L	U	E	B	I
H	O	M	E	S	I	C	K	S	U	O	I	R	E	S
R	G	N	I	K	Y	O	H	S	Y	F	Q	A	M	E
Z	L	D	I	M	H	V	Z	R	R	P	J	U	D	C

anxious	blue	confuse	cynical
dim	funny	homesick	horrible
hurried	lonely	peaceful	puzzled
serious	solitary	terror	unrest

Word Mapping

앞에서 배운 어휘를 기억하며 빈칸을 채워 보세요.

정답

Chapter 02 Emotion and Sense

_____ 의도하다

_____ 비판하다

_____ 가정하다, 추정하다

_____ 알아보다, 인정하다

_____ 인상적인, 감명적인

_____ 격려하다

_____ 자랑, 자부심

_____ 무례한, 거만한

Thinking & Expression
생각과 표현

Human Emotion
인간의 감정

Emotion and Sense
감정과 감각

Attitude & Personality
태도와 성격

Mind & Atmosphere
심경과 분위기

_____ 근면한

_____ 민감한, 예민한

_____ 낙천적인

_____ 사교적인

_____ 걱정하는, 염려하는

_____ 외로운

_____ 진지한, 중대한

_____ 불편한

Chapter
03

Society and Education

Unit 12 Knowledge & Research

---

01 ☑ **ethics**
[éθiks]

ⓝ ethic 윤리
ⓐ ethical 도덕상의, 윤리적인

ⓝ 윤리학

I want to study ethics to solve the dilemmas in modern life.

---

02 ☑ **historian**
[histɔ́ːriən]

ⓝ history 역사

ⓝ 역사가

It is important for historians to keep an objective view.

---

03 ☑ **ignorant**
[ígnərənt]

ⓥ ignore 무시하다
ⓝ ignorance 무지

ⓐ 모르는, 깨닫지 못하는, 무식한

　　　　　　 ignorant of the truth 진실을 모르는

I can't stand Richard's ignorant behavior.

---

04 ☑ **inspection**
[inspékʃən]

ⓥ inspect 조사[검사]하다
ⓝ inspector 검사자

ⓝ 조사, 검사

Our plans passed the inspection.

---

05 ☑ **literary**
[lítərèri]

ⓝ literature 문학

ⓐ 문학의 　　　　　 **literary criticism** 문학 평론

The publishers recognized Steve's literary talent.

---

01 나는 현대사회의 딜레마를 해결하기 위해 윤리학을 공부하고 싶어. 02 역사가들이 객관적인 관점을 유지하는 것이 중요하다. 03 나는 Richard의 무지한 행동을 견딜 수 없어. 04 우리 계획이 검사를 통과했다. 05 출판업자들이 Steve의 문학적 재능을 알아봤다.

06 academic
[æ̀kədémik]

n academy 학원, 학교

a 학문적인, 학구적인

an academic reputation 학문적인 명성

The study of art as an academic discipline started in 1871.

07 apparent
[əpǽrənt]

v appear 보이게 되다, ~인 것 같아 보이다

a 분명한, 눈에 띄는, 느낄 수 있는

an apparent fact 분명한 사실

Some of the differences may seem more apparent than they actually are.

08 degree
[digríː]

n 학위, 정도, 등급

bachelor's[master's, doctor's] degree
학사[석사, 박사] 학위

Applicants must have a degree in Electrical Engineering.

09 illiterate
[ilítərit]

a 문맹의 **n** 문맹, 무식자   **illiterate people** 문맹자

❖ Only 15% of the workers said that they were illiterate.

❖ It is commonly considered that there are not many illiterates in Korea compared to other countries like the U.S.

10 instance
[ínstəns]

n 실례, 사례   **for instance** 예를 들어

There are very rare instances of moon rainbows.

06 학문 과목으로 예술을 공부하는 것은 1871년에 시작되었다. 07 그 차이점 중 일부는 실제보다도 더 두드러지게 보일 것이다. 08 지원자들에게는 전기공학 학위가 필수이다. 09 근로자 중 15%만이 자신들이 문맹이라고 말했다. / 한국은 보통 미국 같은 다른 나라에 비해서 문맹이 많지 않다고 여겨진다. 10 달무지개가 나타나는 경우는 거의 찾아보기 어렵다.

11 **intelligence**
[intélədʒəns]
ⓐ **intelligible** 이해하기 쉬운

ⓝ 지성 **artificial intelligence** 인공지능

He showed high intelligence from an early age.

12 **irony**
[áirəni]

ⓝ 모순, 풍자, 반어 **bitter irony** 신랄한 풍자

It is irony that the hardest workers are usually the poorest in capitalism.

13 **literal**
[lítərəl]
ⓐⓓ **literally**
글자 그대로, 사실상

ⓐ 글자 그대로의 **the literal meaning** 글자 그대로의 의미

A trade war is not a war in the literal sense.

14 **logic**
[ládʒik]
ⓐ **logical** 논리적인

ⓝ 논리, 논리학 **clear logic** 명백한 논리

What's the logic of your argument?

15 **motto**
[mátou]

ⓝ 좌우명, 격언 **a school motto** (학교의) 교훈

During that time the school's motto was "The sky is not the limit."

16 **nonverbal**
[nɑnvə́ːrbəl]
ⓐ **verbal** 말의, 언어의

ⓐ 비언어적인
nonverbal communication 비언어적인 의사소통

Nonverbal signals form an important part of communication.

---

11 그는 어렸을 때부터 지능이 높았다. 12 자본주의에서 가장 열심히 일하는 근로자들이 보통 가장 가난한 사람들이라는 것은 모순이다. 13 무역전쟁은 문자적 의미의 전쟁은 아니다. 14 네 주장의 논점은 무엇이냐? 15 그 당시 그 학교의 교훈은 '창공은 끝없다.'였다. 16 비언어적인 신호도 의사소통의 중요한 일부를 차지한다.

17 **philosophy**
[filάsəfi]

ⓝ 철학, 근본 원리　　**philosophy of science** 과학철학

He provides us with his philosophy of life.

18 **poetry**
[póuitri]

ⓐ poetic 시적인

ⓝ (집합적) 시　　　　　　**recite poetry** 시를 낭독하다

She reads a lot of epic poetry written in English.

19 **procedure**
[prəsí:dʒər]

ⓥ proceed 진행시키다

ⓝ 순서, 절차　　　　　**normal procedure** 정식 절차

What's the procedure for applying for a visa?

20 **professor**
[prəfésər]

ⓝ 교수　　　**a professor of economics** 경제학 교수

I have a chance to be a professor of history after graduate school.

21 **award**
[əwɔ́:rd]

ⓝ 상 ⓥ 수여하다　　　　　**win an award** 수상하다

The award winners will be announced tonight.

22 **proverb**
[prάvə:rb]

ⓝ 속담, 격언　　　**a proverb that says** ~라고 하는 속담

English proverbs and sayings are used in everyday conversation.

---

17 그는 우리에게 그의 인생관을 전해 준다. 18 그녀는 영어로 쓰인 서사시를 많이 읽는다. 19 비자를 신청하는 절차가 어떻게 됩니까? 20 대학원 졸업 후에는 역사학 교수가 될 기회가 있다. 21 수상자들은 오늘 밤에 발표될 것입니다. 22 영어의 속담과 격언은 일상 대화에서 쓰인다.

23 remains
[riméinz]

ⓥ remain 남다

ⓝ 잔존물, 유해, 유적, 화석　　**animal remains** 동물의 시체

Animal remains can tell us a lot about prehistoric people's diets.

---

24 scholar
[skálər]

ⓐ scholarly
학술적인, 학자적인

ⓝ 학자　　　　　　**a biblical scholar** 성서학자

Huston is an eminent scholar of world religions.

---

25 scholarship
[skálərʃìp]

ⓝ 장학금　　　**receive a scholarship** 장학금을 받다

The company offers scholarships to the promising employees.

---

26 sociology
[sòusiálədʒi]

ⓐ sociological 사회학적인

ⓝ 사회학　　**the department of sociology** 사회학부

Sociology is the study of daily life.

---

27 standpoint
[stǽndpɔ̀int]

ⓝ 관점, 견해

from an economic standpoint 경제적인 관점에서

Reality might be interpreted from the standpoint of women.

---

28 subjective
[səbdʒéktiv]

ⓐ 주관적인　　**a subjective point of view** 주관적인 관점

As a critic, she must avoid being far too subjective.

---

23 동물의 화석을 통하여 선사시대 사람들의 식생활에 대해 많은 것을 알 수 있다. 24 Huston은 세계 종교에 대한 저명한 학자이다. 25 그 회사는 전도유망한 직원들에게 장학금을 제공한다. 26 사회학은 일상생활의 일부이다. 27 여성의 관점에서 현실을 이해해야 할 것이다. 28 그녀는 비평가로서 지나치게 주관적인 것을 피해야 한다.

29 theory
[θíəri]

ⓝ 이론, 이치

Darwin's theory of evolution 다윈의 진화론

❉ Some people believe that Darwin's theory of evolution is imperfect.

❉ There have been different theories about how languages are learned.

30 unknown
[ʌ̀nnóun]

ⓐ 알려지지 않은　**an unknown reason** 알려지지 않은 원인

❉ Almost all the cards were painted by an unknown artist.

❉ An unknown number of people were missing because of the earthquake.

---

29 어떤 사람들은 다윈의 진화론이 불완전하다고 생각한다. / 언어가 어떻게 습득되는지에 대한 다양한 이론이 존재해왔다. 30 거의 모든 카드가 알 수 없는 화가가 그린 것이었다. / 지진 때문에 알 수 없는 수의 사람들이 실종되었다.

Multi-Meaning Word

degree

ⓝ 정도
the **degree** of damage 손상된 정도

ⓝ 학위
a master's **degree** 석사학위

ⓝ (온도, 각도의) 도
an angle of 45 **degrees** 45도의 각도

EXERCISE

A 다음 영어는 우리말로, 우리말은 영어로 쓰시오.

01 sociology _____   06 깨닫지 못하는 _____

02 professor _____   07 윤리학 _____

03 motto _____   08 실례, 사례 _____

04 illiterate _____   09 속담, 격언 _____

05 academic _____   10 순서, 절차 _____

B 다음 영어는 우리말로, 우리말은 영어로 쓰시오.

01 receive a scholarship: _____

02 bachelor's degree: _____

03 Darwin's theory of evolution: _____

04 시를 낭독하다: recite _____

05 동물의 시체: animal _____

06 수상하다: win a(n) _____

C 다음 빈칸에 들어갈 말을 고르시오. (필요하면 형태를 바꾸시오.)

apparent	literal	nonverbal	logic	subjective

01 Computer programs use _____ in many ways.
컴퓨터 프로그램은 여러 면에서 논리를 사용한다.

02 This sentence means more than its _____ meaning.
이 문장은 글자 그대로의 의미보다 많은 의미를 가지고 있다.

03 This text isn't as _____ as you think.
이 글은 네가 생각하는 것처럼 분명하지 않다.

04 Try to avoid being _____ when you answer the question.
질문에 대답할 때 너무 주관적이지 않도록 해봐.

05 We always send more _____ messages than we think.
우리는 항상 생각보다 많은 비언어적 메시지를 내보내고 있다.

Word Search

배운 어휘를 기억하며 단어를 모두 찾아보세요.

정답

```
N Y A Y M Z I Q U U A B Y L K
S O G C I O E T Z N P G R A I
F C I O A R T C X N P I A R T
F X H T T D O T G X A C R E U
Q C V O C O E N O U R C E T R
N P B R L A I M Y E E B T I R
X I I C L A P C I X N L I L P
P O E T R Y R S O C T S L T R
T H E O R Y D S N S G A O S E
E C N A T S N I H I C V D C M
H I S T O R I A N I E R R I A
R O S S E F Y R P R P P A H I
E E R G E D S K B X O L W T N
W C I G O L Y N M A T I A E S
```

academic	apparent	award	degree
ethics	historian	instance	irony
literal	literary	logic	motto
poetry	remains	scholarship	theory

Unit 13 School & Class

---

01 ☑ **absence**
[ǽbsəns]

ⓐ **absent** 부재의, 결석의

ⓝ 부재, 결석　　　　**in an absence of** ~이 없으면

Mr. Smith taught us during Miss Park's absence.

---

02 ☑ **dictate**
[díkteit]

ⓝ **dictator** 독재자

ⓥ 구술하다, 명령하다

Do not let other people dictate your life.

---

03 ☑ **graduate**
[grǽdʒuət/grǽdʒuèit]

ⓝ **graduation** 졸업

ⓝ 졸업생 ⓥ 졸업하다

❖ Several graduates visited Mr. Kim on Teacher's Day.

❖ Although Mark graduated from the medical school, he became an auto mechanic.

---

04 ☑ **instruction**
[instrʌ́kʃən]

ⓥ **instruct**
가르치다, 지시하다

ⓝ **instructor** 교사, 교관

ⓝ 교육, 지시

Mr. Thomson gave us instructions for the school play.

---

05 ☑ **librarian**
[láibrέəriən]

ⓝ **library** 도서관

ⓝ 도서관 사서

I was very close with the former school librarian.

---

01 박 선생님이 안 계신 동안 Smith 선생님이 우리를 가르치셨다.　02 다른 사람들이 네 인생을 조종하지 못하게 해라.
03 스승의 날에 졸업생 몇 명이 김 선생님을 방문했다. / 비록 Mark는 의과대학을 졸업했지만, 자동차 수리공이 되었다.
04 Thomson 선생님께서 교내 연극에 대해 우리에게 지시를 내리셨다.　05 나는 학교의 전(前) 도서관 사서와 매우 친했다.

06 presence
[prézəns]

ⓐ present
출석하고 있는, 지금의

ⓝ 참석, 출석

Mind your manners in the teacher's presence.

---

07 pronounce
[prənáuns]

ⓝ pronunciation
발음, 발음법

ⓐ pronounced
뚜렷한, 명백한

ⓥ 발음하다

Did I pronounce your name correctly?

---

08 verbal
[vɔ́ːrbəl]

ⓐ 말의, 구두의　　　　**a verbal report** 구두 보고

We had a verbal agreement but no written contract.

---

09 coed
[kóuéd]

ⓝ 남녀 공학(= coeducation)

coed dormitory 남녀 공용 기숙사

Many coed schools provide excellent education.

---

10 counseling
[káunsəliŋ]

ⓥ counsel 상담하다

ⓝ 상담　　　　**guidance counseling** 지도 상담

We paid a little fee for career counseling appointments.

---

11 dormitory
[dɔ́ːrmətɔ̀ːri]

ⓝ 기숙사　　　　**student dormitory** 학생 기숙사

I stayed in a female dormitory while studying abroad.

---

06 선생님이 계시면 예의 바르게 행동해. 07 내가 네 이름을 제대로 발음했니? 08 우리는 구두로 합의를 보았지만 서면 계약서는 쓰지 않았다. 09 많은 남녀 공학 학교가 훌륭한 교육을 제공한다. 10 우리는 소정의 상담료를 내고 직업 상담을 예약했다. 11 유학기간 동안 나는 여성 기숙사에서 생활했다.

12 education
[edʒukéiʃən]

ⓥ educate 교육시키다

ⓝ 교육   **physical education** 체육

Many parents cannot afford private education for their children.

13 entrance
[éntrəns]

ⓝ 들어감, 입구, 입학

      the college-entrance exam 대학 입학시험

Most students select their department based on the entrance exam's score.

14 farewell
[fɛərwél]

ⓘⁿᵗ 안녕 **ⓝ** 작별   **A Farewell to Arms** 무기여 잘 있거라.

Our committee members prepared such a big farewell party.

15 institution
[ìnstətʲú:ʃən]

ⓝ 공공기관[단체], 제도

      an educational institution 교육기관

      the institution of marriage 결혼 제도

❖ Harvard University is a public institution of higher education.

❖ Social institutions like family, marriage, religion, and the education system play an important role in our society.

16 intellectual
[ìntəléktʃuəl]

ⓝ intellect 지성, 지력

ⓐ 지적인   **the intellectual class** 지식 계급

The intellectual development of children is linked to their language.

---

12 많은 부모가 자녀에게 사교육을 시킬 경제적 여유가 없다. 13 대부분 학생들은 입학시험 점수를 근거로 학부를 고른다. 14 우리 위원회의 구성원들은 매우 성대한 송별회를 준비했다. 15 하버드대학은 공공 고등 교육기관이다. / 가족, 결혼, 종교, 교육 제도 같은 사회 제도는 우리 사회에 중요한 역할을 한다. 16 아이들의 지능 발달은 그들의 언어와 관련이 있다.

17 lecture
[léktʃər]

ⓝ 강의　　　　　a lecture hall 강당, 큰 교실

Students are expected to take notes while listening to lectures.

18 mentor
[méntər]

ⓝ 조언자, 스승　　a political mentor 정치적 조언자

You need a mentor to guide you along the way.

19 method
[méθəd]

ⓝ 방법, 방식　　teaching method 교수법

It's a good method, but it is hard to practice.

20 multilingual
[mÀltilíŋgwəl]

ⓐ 여러 나라의 말을 하는

a multilingual dictionary 다국어 사전

The hotel has a multilingual staff.

21 oral
[ɔ́ːrəl]

ⓐ 구두의, 구술의　　an oral test 구술시험

She gave an oral presentation on her research.

22 review
[rivjúː]

ⓝ 재검토, 복습, 비평 **ⓥ** 복습하다　　a book review 서평

❖ Kenneth's latest book has had mixed reviews.

❖ You had better review the notes before the next exam.

---

17 학생들은 강의를 들으면서 노트 필기를 하는 것이 일반적이다. 18 너에게는 앞길을 인도해 줄 조언자가 필요해. 19 그것은 좋은 방법이지만 실천이 어렵다. 20 그 호텔에는 여러 언어를 말할 수 있는 직원이 있다. 21 그녀는 연구에 대해 구두로 발표를 했다. 22 Kenneth의 최신작은 각양각색의 비평을 받았다. / 다음 시험 전에 필기를 복습하는 것이 좋겠어요.

23 secondary
[sékəndèri]

ⓐ 제2의, 중등학교의

a secondary school 중등학교 (초등학교와 대학 사이의 학교)

Secondary education is the stage following primary education.

---

24 semester
[siméstər]

ⓝ 학기   **a new semester** 신학기

Fall semester starts the 29th of August.

---

25 session
[séʃən]

ⓝ 회기, 학기   **summer session** 여름 학기

I signed up for the winter session at my school.

---

26 stationery
[stéiʃənəri]

ⓝ 문방구, 문구   **a stationery store** 문구점

You could easily buy a cheap pen from the stationery shop.

---

27 undergraduate
[ʌndərgrǽdʒuit]

ⓐ 대학 재학생의 ⓝ 대학 재학생

an undergraduate course 학부 과정

◈ The couple first met when they were undergraduate students.

◈ I teach physics to undergraduates at Princeton University.

---

23 중등 교육은 초등 교육에 이어지는 다음 단계이다. 24 가을 학기는 8월 29일에 시작한다. 25 나는 겨울학기를 등록했다. 26 너는 그 문구점에서 값싼 볼펜을 쉽게 살 수 있어. 27 그 부부는 대학생일 때 처음 만났다. / 나는 프린스턴 대학교에서 학부생들에게 물리학을 가르친다.

28 term
[təːrm]

ⓝ 학기, 기간, 용어, 말 **the first term** 제1학기

The main exams are at the end of the summer term.

29 kindergarten
[kíndərgàːrtn]

ⓝ 유치원 **a kindergarten teacher** 유치원 교사

I wanted to be a kindergarten teacher when I was young.

30 pupil
[pjúːpəl]

ⓝ 학생, 제자 **a third-grade pupil** 3학년 학생

The 20 pupils attending the meetings are ages 5-12.

---

28 중요한 시험은 여름학기 끝에 실시한다. 29 어렸을 때 나는 유치원 교사가 되고 싶었다. 30 회의에 참석하는 20명의 학생은 5세에서 12세이다.

Multi-Meaning Word

term

ⓝ 기간, 학기
a long-term tour 장기 여행

ⓝ 용어
many grammatical terms 많은 문법적 용어

ⓝ 교제, 관계
be on good terms with ~와 관계가 좋다

ⓝ 관점
in terms of ~의 관점에서

EXERCISE

A 다음 영어는 우리말로, 우리말은 영어로 쓰시오.

01 dictate _____

02 pronounce _____

03 education _____

04 multilingual _____

05 semester _____

06 참석 _____

07 졸업생 _____

08 기숙사 _____

09 대학 재학생 _____

10 학생, 제자 _____

B 다음 영어는 우리말로, 우리말은 영어로 쓰시오.

01 the first term: _____

02 a book review: _____

03 a lecture hall: _____

04 구두 보고: a(n) _____ report

05 대학 입학시험: the college-_____ exam

06 남녀 공용 기숙사: a(n) _____ dormitory

C 다음 빈칸에 들어갈 말을 고르시오. (필요하면 형태를 바꾸시오.)

presence	mentor	term	dormitory	method

01 I plan to stay at the school _____.
나는 학교 기숙사에서 지낼 계획이야.

02 Mrs. Jackson was an excellent _____ for me.
Jackson 선생님은 내게 훌륭한 스승이셨다.

03 I try to be polite in the teacher's _____.
나는 선생님이 계실 때 공손하려고 노력한다.

04 I need a better study _____ for the exams.
나는 시험을 대비하여 더 좋은 공부 방법이 필요해.

05 The _____ in this textbook are difficult.
이 교과서의 용어들은 매우 어렵다.

Word Search

배운 어휘를 기억하며 단어를 모두 찾아보세요.

정답

L	I	P	U	P	V	M	E	N	Y	N	T	A	W	I
J	F	G	O	E	E	T	O	R	C	A	E	B	E	P
D	V	R	R	T	N	P	E	D	S	I	R	S	I	A
I	A	B	H	A	T	N	O	H	H	T	M	E	V	R
L	A	O	R	A	E	R	G	O	I	C	J	N	E	E
L	D	T	C	I	M	R	R	C	V	U	T	C	R	M
D	N	U	T	I	A	E	E	B	J	R	C	E	B	J
E	D	A	T	D	S	C	T	O	G	T	U	O	Q	L
E	T	O	U	R	Y	N	S	V	K	S	S	M	E	O
S	R	A	O	O	M	E	E	S	K	N	R	P	M	D
Y	T	X	W	T	A	S	M	G	U	I	V	N	Y	J
E	M	S	C	N	Y	E	E	E	T	A	T	C	I	D
N	D	I	Y	E	V	R	S	E	R	U	T	C	E	L
V	W	Q	C	M	Z	P	S	E	S	S	I	O	N	M

absence	coed	dictate	dormitory
graduate	lecture	mentor	method
oral	presence	pupil	review
semester	session	term	verbal

01 construct
[kənstrʌ́kt]

- n **construction** 건설, 구조, 건축물
- n **constructor** 건설자

v 건설하다, 세우다

A new library is being constructed in our neighborhood.

02 convenience
[kənvíːnjəns]

- a **convenient** 편리한

n 편의, 편리

Blankets have been provided for the passengers' convenience.

03 delivery
[dilívəri]

- v **deliver** 인도하다, 배달하다
- n **deliverance** 구출, 구조
- n **deliverer** 구조자, 배달인

n 인도, 배달, 구조

Most pizza restaurants have a delivery service.

04 emigrate
[éməgrèit]

- n **emigration** 이민
- a n **emigrant** 이민하는, 이주하는; 이주민

v 이민가다

Many Koreans have emigrated to the United States.

05 mobility
[moubíləti]

- a **mobile** 가동성 있는

n 이동, 가동성

The resistance won the battle because of their greater mobility.

---

01 우리 동네에 새 도서관이 건설되고 있다. 02 승객의 편의를 위해 담요가 제공되었습니다. 03 대부분의 피자 음식점은 배달 서비스가 있다. 04 많은 한국인들이 미국에 이민 갔다. 05 저항군이 기동성이 더 뛰어나 전투에서 승리했다.

06 ☑ **aboard**
[əbɔ́:rd]

prep (비행기 등을) 타고　　**aboard the ship** 배 위에서

I'm sorry but smoking is not allowed aboard the flight.

07 ☑ **basement**
[béismənt]

n 지하(실)　**stairs to the basement** 지하실로 내려가는 계단

They were scared by the strange noise in the basement.

08 ☑ **cabin**
[kǽbin]

n 오두막, 선실, 조종실　　**a log cabin** 통나무 오두막

❧ My grandfather has a small cabin in the forest.

❧ Unlike your expectation, the first class cabin often has empty seats.

09 ☑ **district**
[dístrikt]

n 구역, 지역　　**a residential district** 주거 지역

This is the main financial district of Seoul.

10 ☑ **facility**
[fəsíləti]

n 시설, 편의　　**an entertainment facility** 오락 시설

This area needs more medical facilities for the residents.

11 ☑ **fountain**
[fáuntin]

n 분수　　**a drinking fountain** 식수대

The birds gathered around and drank water from the fountain.

---

06 죄송하지만, 비행 중 흡연은 금지되어 있습니다.　07 그들은 지하실에서 나는 이상한 소리에 겁을 먹었다.　08 우리 할아버지는 숲 속에 작은 오두막을 가지고 있다. / 여러분의 예상과는 달리, 1등실에는 종종 빈 좌석이 있습니다.　09 이곳은 서울의 주요 금융 지구이다.　10 이 지역은 주민을 위한 의료 시설이 더 많이 필요하다.　11 새들은 모여서 분수에서 물을 마셨다.

12 **harbor**
[há:rbər]

ⓝ 항구　a ship in harbor 정박한 배　**Pearl Harbor** 진주만

There were many ships in the harbor loading supplies.

13 **jam**
[dʒæm]

ⓝ 혼잡　　　　　　　　　　　**a traffic jam** 교통 혼잡

I was late because of a terrible traffic jam at the intersection.

14 **lane**
[lein]

ⓝ 차선　　　　　　　　　　　**a traffic lane** 차선

❖ Cars must stay within their lane to avoid accidents.

❖ You cannot change lanes here; it's too crowded.

15 **license**
[láisəns]

ⓝ 면허증, 허가증　　　　　**driver's license** 운전면허증

He is training to receive a scuba diving license.

16 **manpower**
[mǽnpàuər]

ⓝ 인력, 노동력　　　　　　**lack of manpower** 인력 부족

It takes a lot of manpower to operate this machine.

17 **metropolis**
[mətrápəlis]

ⓝ 대도시　　　　　　　**a bustling metropolis** 분주한 대도시

He moved to a metropolis because of his new job.

---

12 항구에 물자를 싣기 위해 정박한 배가 많았다.　13 교차로에 심각한 교통 체증 때문에 늦었다.　14 사고를 피하려면 자신의 차선 안에 있어야 한다. / 여기서 차선을 바꿀 수 없어. 너무 혼잡해.　15 그는 스쿠버다이빙 면허증을 받기 위해 훈련하고 있다.　16 이 기계를 작동하기 위해서는 인력이 많이 동원된다.　17 그는 새 직장 때문에 대도시로 이사했다.

18 migrate
[máigreit]

ⓥ 이주하다   **migrating birds** 철새

ⓝ **migration** 이주, 이동
ⓐ **migratory** 이주하는

In the winter, ducks migrate down south to a warmer climate.

19 route
[ruːt]

ⓝ 길, 노선

     a delivery route 배달 길 **trade route** 교역로

❖ Can you tell me which way is the shortest route to the hospital?

❖ Let's take a look at the map of bus routes and decide which bus to take.

20 row
[rou]

ⓝ 열, 줄   **row of teeth** 치열 **in a row** 한 줄로, 일렬로

The soldiers marched in a long row through the field.

21 shipment
[ʃípmənt]

ⓝ 선적, 발송   **a shipment of goods** 상품의 발송

ⓝ **shipping** 해운(업), 선박

When will the next shipment of goods arrive?

22 site
[sait]

ⓝ 유적, (사건이 있었던) 장소 **a construction site** 건설 현장

It is always noisy if you pass by a construction site.

18 오리는 겨울에 따뜻한 기후를 찾아 남쪽으로 이동한다. 19 병원까지 가는 가장 짧은 길이 어디인지 알려주시겠습니까? / 버스 노선도를 보고, 어떤 버스를 탈지 정하자. 20 군인들이 일렬로 길게 운동장을 지나며 행군했다. 21 다음으로 발송되는 상품들이 언제 도착합니까? 22 건설 현장은 지날 때마다 항상 시끄럽다.

23
☑ **speeding**
[spíːdiŋ]

ⓝ 속도위반　　　**a speeding ticket** 속도위반 딱지

Morris was caught speeding by the traffic police the other day.

24
☑ **structure**
[strʌ́ktʃər]

ⓝ 건물, 구조　　　**a weak structure** 약한 구조물

power structure 권력 구조

How can someone make such a complex structure with stone?

25
☑ **traffic**
[trǽfik]

ⓝ 교통, 교통량　　　**heavy traffic** 극심한 교통량

traffic lights 신호등

◈ I use the subway to avoid the traffic during rush hour.

◈ Public transportation contributes to reduce the amount of traffic.

26
☑ **trail**
[treil]

ⓝ 오솔길　　　**a mountain trail** 산길

This trail leads to my father's farm which I grew up on.

27
☑ **vehicle**
[víːikəl]

ⓝ 수송 수단, 탈것　　　**a space vehicle** 우주선

sport utility vehicle(SUV) 스포츠용 차량

◈ This vehicle can run without consuming fossil fuels.

◈ Could you describe the stolen vehicle?

---

23 Morris는 이전에 속도위반 하다가 교통경찰에게 적발됐다.　24 어떻게 돌로 이렇게 정교한 건물을 만들 수 있을까?
25 나는 러시아워 동안 교통량을 피하기 위해 지하철을 이용한다. / 대중교통은 교통량을 줄이는 데에 기여한다.　26 이
오솔길은 내가 자랐던 아버지의 농장으로 이어진다.　27 이 차는 화석 연료를 소비하지 않고도 작동할 수 있다. / 도난당
한 차량을 묘사해 주시겠습니까?

28 ☑ flight
[flait]

v fly 날다, 비행하다

n 비행, 비행기 여행　　**non-stop flights** 직항 비행편

Why am I tired when I get off the airplane after a long flight?

29 ☑ congestion
[kəndʒéstʃən]

n 혼잡, 밀집　　**traffic congestion** 교통 혼잡

One of the urban problems is traffic congestion.

30 ☑ intersection
[ìntərsékʃən]

n 교차로

the intersection where Post and Pine St. cross
Post가와 Pine가가 만나는 교차로

Turn left at the intersection and the school is just ahead on the left.

---

28 장시간 비행을 하고 비행기에서 내릴 때 왜 피곤할까? 29 도시의 문제점 중 하나가 교통 혼잡이다. 30 교차로에서 좌회전하면 학교가 왼쪽으로 바로 앞에 있다.

Multi-Meaning Word

jam

v 쑤셔 넣다
jam a hole 구멍을 틀어막다

v 움직이지 않게 하다
jam a machine 기계를 움직이지 않게 하다

v 방해하다
jam a signal 신호를 방해하다

n 혼잡
a traffic jam 교통 체증

n 잼
strawberry jam 딸기잼

EXECISE

A 다음 영어는 우리말로, 우리말은 영어로 쓰시오.

01 emigrate _____

02 cabin _____

03 fountain _____

04 metropolis _____

05 construct _____

06 수송 수단, 탈것 _____

07 편의, 편리 _____

08 구조, 건물 _____

09 비행 _____

10 유적, 장소 _____

B 다음 영어는 우리말로, 우리말은 영어로 쓰시오.

01 migrating birds: _____

02 a ship in harbor: _____

03 a traffic lane: _____

04 주거 지역: a residential _____

05 상품의 발송: a(n) _____ of goods

06 교통 혼잡: a(n) _____ jam

C 다음 빈칸에 들어갈 말을 고르시오. (필요하면 형태를 바꾸시오.)

> basement   license   intersection   facility   row

01 You need a(n) _____ to drive a car.
자동차를 운전하려면 면허가 필요하다.

02 There was a car accident at the _____.
교차로에서 차사고가 일어났다.

03 Sitting in the back _____ at the theater, I couldn't enjoy the show at all.
나는 극장의 뒷줄에 앉았기 때문에 쇼를 전혀 즐길 수 없었다.

04 We keep our old furniture in the _____.
우리는 오래된 가구를 지하실에 보관한다.

05 They are building a(n) _____ for the elderly.
노인을 위한 시설을 건설하고 있다.

Word Search

배운 어휘를 기억하며 단어를 모두 찾아보세요.

T	H	G	I	L	F	O	Y	C	C	C	R	Y	K	P
T	R	A	I	L	U	E	A	O	N	O	O	E	S	D
T	N	H	I	N	I	B	N	V	H	N	U	X	M	H
X	V	H	C	L	I	G	M	E	W	S	T	V	I	T
M	B	I	I	N	E	E	R	T	O	T	E	S	F	D
H	L	B	R	S	W	A	V	A	R	R	M	K	P	Z
E	O	D	T	T	W	M	V	R	Y	U	E	T	A	I
M	R	I	E	O	S	E	X	G	R	C	S	C	U	S
X	O	N	P	A	H	I	D	I	E	T	N	I	M	I
N	A	N	M	I	T	R	D	M	V	J	E	F	F	T
L	A	A	C	A	A	I	D	X	I	H	C	F	F	O
M	J	L	P	O	H	F	S	T	L	W	I	A	K	G
T	E	W	B	M	U	W	I	U	E	G	L	R	W	R
G	Q	A	H	A	R	B	O	R	D	I	M	T	J	V

aboard	cabin	congestion	construct
delivery	flight	harbor	jam
lane	license	migrate	route
row	traffic	trail	vehicle

Unit 15 Religion & Service

---

01 ☑ **contribute**
[kəntríbjut]

- ⓝ **contribution** 기부, 기여
- ⓝ **contributor** 기부자

ⓥ 기부하다, 기여하다

- He contributed a great amount of money for building the orphanage.
- Cigarette smoking contributes to countless deaths a year in the world.

---

02 ☑ **donate**
[dóuneit]

- ⓝ **donation** 기증, 기부
- ⓝ **donor** 기증자

ⓥ 기증하다, 주다   **donate blood** 헌혈하다

- A number of people couldn't find a way to donate to victims of Hurricane Katrina.
- Our family donates blood to the Red Cross once every six months.

---

03 ☑ **faith**
[feiθ]

- ⓐ **faithful** 충실한, 성실한
- ⓐ **faithless** 믿을 수 없는

ⓝ 신념, 신앙

Have faith in your dreams.

---

04 ☑ **participation**
[pɑːrtìsəpéiʃən]

- ⓥ **participate** 참여하다
- ⓐ **participatory** 참여하는

ⓝ 참여

Participation in community events brings its members together.

---

01 그는 고아원 건립에 큰돈을 기부했다. / 흡연은 전 세계적으로 일 년에 수많은 죽음의 원인이 된다. 02 많은 사람들이 허리케인 카트리나 희생자들에게 기증할 방법을 찾지 못했다. / 우리 가족은 6개월에 한 번씩 적십자에 헌혈한다. 03 네 꿈을 믿어라. 04 지역 행사에 참여하면 구성원들이 가까워진다.

05 pray
[prei]

ⓝ prayer 기도

ⓥ 기도하다

She prayed that her son would be safe.

---

06 religious
[rilídʒəs]

ⓝ religion 종교

ⓐ 종교의, 신앙의　　a religious war 종교 전쟁

Christmas was originally a religious holiday.

---

07 bless
[bles]

ⓥ 축복하다　　God bless you! 신의 축복이 있기를!

Churchgoers bless their loved ones.

---

08 good
[gud]

ⓝ 선, 미덕　　the highest good 최고선(最高善)

There are no unchanging standards of what is good and evil.

---

09 cathedral
[kəθíːdrəl]

ⓝ 성당　　St. Paul's Cathedral 성 바오로 성당

I always wanted to visit the large cathedrals in Europe.

---

10 charity
[tʃǽrəti]

ⓐ charitable
자비로운, 자선의

ⓝ 자비, 자선　　give money to charity 자선 기부를 하다

He supported the research center out of charity.

---

05 그녀는 아들이 무사하기를 기도했다. 06 크리스마스는 원래 종교적인 기념일이었다. 07 교회를 다니는 사람들은 사랑하는 이들을 축복해준다. 08 무엇이 선이고 무엇이 악인지에 대한 변하지 않는 기준은 없다. 09 난 항상 유럽에 있는 대성당에 가보고 싶었다. 10 그는 자선으로 연구 센터를 지원했다.

11 □ cradle
[kréidl]

ⓝ 요람

from the cradle to the grave 요람에서 무덤까지, 평생

We bought a cute little cradle for our expected baby.

12 □ ritual
[rítʃuəl]

ⓝ 의식, 의례, 예배   **religious ritual** 종교적인 의식

We performed the sacred ritual of lighting candles in the temple.

13 □ homeless
[hóumlis]

ⓐ 집 없는   **a homeless shelter** 노숙자 보호소

There are many homeless people in front of the train station.

14 □ mercy
[mə́ːrsi]

ⓐ merciful 자비로운
ⓐ merciless 무자비한

ⓝ 자비   **have mercy** 자비를 베풀다

He showed no mercy for the criminals.

15 □ minister
[mínistər]

ⓝ 목사   **a strict minister** 엄격한 목사

He quit his previous job and became a minister at a late age.

16 □ miracle
[mírəkəl]

ⓐ miraculous 기적적인

ⓝ 기적   **by a miracle** 기적적으로

The mother prayed in tears for a miracle every day.

---

11 우리는 곧 태어날 아기를 위해 귀엽고 작은 요람을 샀다. 12 우리는 절에서 촛불을 켜는 신성한 의식을 수행했다. 13 기차역 앞에는 노숙자가 많다. 14 그는 범죄자들에게 아무런 자비를 베풀지 않았다. 15 그는 전 직장을 그만두고 늦은 나이에 목사가 됐다. 16 어머니는 매일같이 기적이 일어나기를 눈물로 기도했다.

17 missionary
[míʃənèri]

ⓝ mission 선교, 전도

ⓐ 전도의, 선교(사)의 ⓝ 선교사　**missionary work** 선교 활동

Many people from the church went abroad for missionary work.

---

18 monk
[mʌŋk]

ⓝ 수도사　　　　　　　　　　　　**a monks' robe** 수도복

The monk retreated to the mountain to be alone.

---

19 nun
[nʌn]

ⓝ nunnery 수녀원

ⓝ 수녀　　　　　　　　　　　　　**a loving nun** 자애로운 수녀

The nuns taught the children how to read.

---

20 pilgrim
[pílgrim]

ⓝ 순례자　　　　　　　　　　　　**a pilgrim's course** 순례 여정

The pilgrims sailed to the new continent to start a new life.

---

21 preach
[priːtʃ]

ⓝ preachment 설교

ⓥ 전도하다, 설교하다　　　　**preach the Bible** 성서를 전도하다

The minister preached lessons from the Bible to the public.

---

22 priest
[priːst]

ⓝ priesthood 성직, 성직자

ⓝ 성직자, 신부

He was a priest for twenty years until his death.

---

17 그 교회의 많은 사람들이 선교 활동을 위해 외국으로 나갔다. 18 수도사는 혼자 있으려고 산속에 은둔했다. 19 수녀들은 아이들에게 읽는 법을 가르쳤다. 20 순례자들은 새 삶을 시작하기 위해 신대륙으로 항해했다. 21 목사는 대중에게 성경에 있는 교훈들을 설교했다. 22 그는 작고할 때까지 20년간 신부였다.

23
☑ **sacred**
[séikrid]

ⓐ 신성한

a sacred place 신성한 장소

This is a sacred shrine for the believers.

ⓝ sacredness
신성불가침(신성하여 함부로
침범할 수 없음)

24
☑ **saint**
[séint]

ⓝ 성인

Saint John 성 요한

The Bible has stories of many saints.

25
☑ **sin**
[sin]

ⓝ 죄악

a minor sin 가벼운 죄

He felt bad about his past and regretted he committed a great sin.

ⓐ sinful 죄가 있는

26
☑ **temple**
[témpl]

ⓝ 사원

a Buddhist temple 불교 사찰

This temple was built by monks a thousand years ago.

27
☑ **virtue**
[və́ːrtʃuː]

ⓝ 미덕

the virtue of honesty 정직의 미덕

Courage is an important universal virtue around the world.

ⓐ virtuous 덕 있는

---

23 이곳은 신자들에게 성스러운 신전이다. 24 성경에는 여러 성인에 대한 이야기가 있다. 25 그는 자신의 과거를 반성하고 크나큰 죄를 저지른 것을 후회했다. 26 이 사원은 수도사들이 천 년 전에 지었다. 27 용기는 전 세계에서 중요한 보편적인 미덕이다.

28 ☑ **volunteer**
[vὰləntíər]

ⓝ 지원자

volunteer work 자원 봉사

He has been a volunteer at the homeless shelter for over 5 years.

29 ☑ **warmth**
[wɔːrmθ]

ⓐ **warm** 따뜻한

ⓝ 따뜻함, 온정

a mother's warmth 어머니의 온정

Her heart was full of warmth ever since she was a child.

30 ☑ **worship**
[wə́ːrʃip]

ⓐ **worshipful** 숭배하는

ⓥ 숭배하다

worship gods 신들을 숭배하다

Ancient people worshipped the sun.

28 그는 5년 넘게 노숙자 보호소에서 자원 봉사자로 일했다. 29 그녀는 어릴 때부터 마음이 온정으로 가득 찼다. 30 고대 사람들은 태양을 숭배했다.

Multi-Meaning Word

good

ⓐ 좋은
good health 좋은 건강

ⓝ 선, 미덕
good and evil 선과 악

ⓝ 이익
public **good** 공익

goods

ⓝ 상품
canned **goods** 통조림 제품

EXERCISE

A 다음 영어는 우리말로, 우리말은 영어로 쓰시오.

01 pray _____ 06 기부하다, 기여하다 _____

02 cathedral _____ 07 선, 미덕 _____

03 monk _____ 08 기증하다, 주다 _____

04 saint _____ 09 따뜻함, 온정 _____

05 worship _____ 10 전도하다, 설교하다 _____

B 다음 영어는 우리말로, 우리말은 영어로 쓰시오.

01 a sacred place: _____

02 donate blood: _____

03 missionary work: _____

04 신의 축복이 있기를!: God _____ you!

05 순례 여정: a(n) _____'s course

06 가벼운 죄: a minor _____

C 다음 빈칸에 들어갈 말을 고르시오. (필요하면 형태를 바꾸시오.)

| volunteer | miracle | charity | homeless | mercy |

01 It was a _____ that she was cured.
그녀가 회복된 것은 기적이었다.

02 The church offered free meals to _____ people.
교회가 노숙자들에게 무료로 식사를 제공했다.

03 I worked as a _____ during the Christmas season.
나는 크리스마스 시즌 동안 자원봉사자로 일했다.

04 Many religions say that one must show _____.
많은 종교에서 사람들이 자비를 보여야 한다고 가르치고 있다.

05 The fund that is raised will go to _____.
모금된 기금은 자선 활동에 쓰일 것이다.

Word Search

배운 어휘를 기억하며 단어를 모두 찾아보세요.

정답

```
C N J Z M V R N Q L K Q W R B
V I T M M I N U X E F N E H L
R S O Q T E L P M E T T D T C
Y N R U X M P A Q N S I O A R
K N A F S I W T D E V K O E A
H L J U L O Y A N R Y F G R D
I S E G R P B I H T I A F P L
P L R S M R M C E T A N O D E
B I H E J I H H E S A I N T N
M I R V B E K A Y A N Y K W K
P C W D R S N R E A T U M U P
Y X W I C T A I M T R R N N X
S S S L A D S T B P M P I V M
N M T Z G V I Y W G G A C V U
```

charity	cradle	donate	faith
good	mercy	monk	nun
pilgrim	pray	priest	ritual
saint	sin	temple	worship

Unit 16 History & Change

---

01 ☑ **civilization**
[sìvəlizéiʃən]

ⓐ **civilized** 문명화된, 개화된

ⓝ 문명　　Chinese civilization 중국 문명

Ancient civilizations had their own wisdom.

---

02 ☑ **conservative**
[kənsə́ːrvətiv]

ⓥ **conserve**
보존하다, 보호하다

ⓝ **conservation** 보호

ⓐ 보수적인　　the Conservative Party 〈정치〉 英 보수당

Her father was a very conservative person.

---

03 ☑ **develop**
[divéləp]

ⓝ **development**
발달, 발전, 개발

ⓥ 발전시키다, 개발하다

The town developed into a city.

---

04 ☑ **noble**
[nóubəl]

ⓝ **nobility** 고귀, 귀족

ⓐ 귀족의, 고상한, 숭고한 ⓝ 귀족　　a noble family 귀족 집안

✤ He had a noble personality.

✤ In the Middle Ages, nobles used to hold great power in the royal courts.

---

05 ☑ **ancient**
[éinʃənt]

ⓐ 옛날의, 고대의　　an ancient tomb 고대의 무덤

Slavery used to be a common thing in ancient Greece.

---

01 고대 문명들은 그들만의 지혜가 있었다. 02 그녀의 아버지는 매우 보수적인 사람이었다. 03 그 마을은 도시로 발전했다. 04 그는 고상한 성격을 가졌다. / 중세시대에 귀족들은 조정에서 큰 권력을 가지고 있었다. 05 고대 그리스에서 노예제도는 일반적이었다.

06 ☑ revolution
[rèvəlúːʃən]

ⓐ revolutionary
혁명의, 혁명적인

ⓝ 혁명, 회전   **the Industrial Revolution** 산업 혁명

The invention of the computer was a technological revolution.

---

07 ☑ memorial
[mimɔ́ːriəl]

ⓝ memory 기억, 추억
ⓥ memorize 기억하다

ⓐ 기념의 ⓝ 기념물   **a memorial service** 추도식

✤ The Queen Victoria Memorial Statue stands in front of Buckingham Palace.
✤ This memorial was erected at the end of the war.

---

08 ☑ antique
[æntíːk]

ⓝ antiquity 낡음, 고대

ⓐ 골동의, 고대의   **an antique chair** 골동품 의자

This sculpture is made in an antique style.

---

09 ☑ custom
[kʌ́stəm]

ⓐ customary
통례의, 관습적인

ⓝ 관습, 풍습   **native customs** 토속적 풍습

It is a custom of Korean culture to bow to elders.

---

10 ☑ decline
[dikláin]

ⓥ 기울다, 쇠하다   **gradually decline** 점차 쇠락하다

The great kingdom declined until it disappeared.

---

06 컴퓨터의 발명은 기술 혁명이었다. 07 빅토리아 여왕의 기념 동상이 버킹엄 궁전 앞에 세워져 있다. / 이 기념물은 전쟁이 끝났을 때 세워졌다. 08 이 조각상은 고대 양식으로 만들어졌다. 09 어른에게 인사하는 것은 한국 문화의 풍습이다. 10 대왕국은 사라질 때까지 쇠락했다.

11 **era**
[íərə]

ⓝ 시대   **the end of an era** 한 시대의 종말
                 the Victorian era 빅토리아 시대

The steam engine is a milestone for the modern era.

---

12 **establish**
[istǽbliʃ]

ⓥ 확립하다, 설립하다   **establish peace** 평화를 확립하다

He established a foundation to continue his charity work.

---

13 **everlasting**
[èvərlǽstiŋ]

ⓐ 영구한, 끝없는   **everlasting love** 영원한 사랑

The emperor thought his empire would be everlasting.

---

14 **heritage**
[héritidʒ]

ⓝ 유산, 전통
     proud of one's heritage 전통을 자랑스럽게 여기다

It is important to preserve the national heritage.

---

15 **historical**
[histɔ́(:)rikəl]

ⓐ 역사적인   **a historical event** 역사적인 사건

We wish to preserve the great historical value of this building.

---

16 **improve**
[imprúːv]

ⓝ improvement
개선, 진보, 향상

ⓥ 개선하다, 향상시키다
     improve one's abilities 능력을 향상시키다

He improved the current design to make it easier to use.

---

11 증기 기관은 현대의 이정표이다. 12 그는 자선 사업을 계속하기 위해 재단을 설립했다. 13 황제는 자신의 제국이 영원할 것으로 생각했다. 14 나라의 문화유산을 보존하는 것은 중요하다. 15 우리는 이 건물의 위대한 역사적 가치를 보존하고 싶다. 16 그는 현재의 디자인을 사용하기에 더욱 편리하도록 개선했다.

---

17 ☑ **inherit**
[inhérit]

n inheritance 유산

v 상속 받다   **inherit a fortune** 재산을 상속 받다

He inherited a grand farm from his grandparents.

---

18 ☑ **kingdom**
[kíŋdəm]

n 왕국   **a neighboring kingdom** 이웃 왕국

The small kingdom was destroyed by the mighty empire.

---

19 ☑ **legend**
[lédʒənd]

a legendary 전설의

n 전설   **the legend of King Arthur** 아서왕의 전설
     urban legend 도시 전설, 도시 괴담

➪ Nobody believes that the legend tells the truth.

➪ His countless masterpieces have made Michael a living legend.

---

20 ☑ **lord**
[lɔːrd]

n 군주, 왕   **serve a lord** 군주를 섬기다
     The Lord of the Rings 〈소설, 영화〉 반지의 제왕

The lord called for his servants to give them orders.

---

21 ☑ **myth**
[miθ]

a mythical
신화의, 신화적인

n 신화   **the myth of Hercules** 헤라클레스 신화

She is interested in myths, especially the Greek ones.

---

17 그는 조부모님으로부터 거대한 농장을 상속받았다. 18 작은 왕국은 막강한 제국에 의해 파괴되었다. 19 아무도 전설이 사실이라고 믿지 않는다. / 그의 무수한 걸작들이 Michael을 살아있는 전설로 만들었다. 20 군주는 명령하려고 하인을 불렀다. 21 그녀는 신화, 특히 그리스 신화에 관심이 많다.

22 **offspring**
[ɔ́(:)fsprìŋ]

ⓝ 자손

bear offspring 자손을 낳다

It is sad that he died before he could see his offspring succeed.

---

23 **out-of-date**
[áutəvdéit]

ⓐ 시대에 뒤떨어진, 촌스러운

out-of-date information 뒤떨어진 정보

✹ The movie I saw last night seemed to be very out-of-date.

✹ The information in the tourist book is obviously out-of-date.

---

24 **past**
[pæst]

ⓝ 과거 **ⓐ** 지나간, 과거의

remember the past 과거를 기억하다

✹ He did many kind things to his friends in the past.

✹ The bookstore on Hyde St. has been closed for the past two years.

---

25 **primitive**
[prímətiv]

ⓐ 원시의, 원시적인

a primitive tribe 원시 부족

Many things used to be much simpler in primitive times.

---

26 **royal**
[rɔ́iəl]

ⓝ royalty 왕위

ⓐ 왕의

the royal crown 왕관

She was born and raised in a royal family.

---

22 그의 자손들이 성공하는 것을 보기 전에 죽은 것이 슬프다. 23 내가 어젯밤에 본 영화는 매우 시대에 뒤떨어져 보였다. / 이 여행책에 있는 정보는 분명 오래되었다. 24 그는 과거에 친구들에게 친절한 일을 많이 했다. / Hyde가에 있는 그 서점은 지난 2년 동안 닫혀 있다. 25 원시 시대에는 많은 것들이 훨씬 더 단순했다. 26 그녀는 왕족으로 태어나고 자랐다.

27 ☑ ruin
[rúːin]

ⓝ 파멸, 폐허　　　　　**ancient ruins** 고대 폐허

He visited the vast ruins of the ancient Roman Empire.

28 ☑ slave
[sleiv]

ⓝ slavery 노예 제도

ⓝ 노예　　　　　**a slave ship** 노예선

The slaves were finally freed from the reign of the nobles.

29 ☑ treasure
[tréʒər]

ⓝ 보물　　　　　**a treasure ship** 보물선

He searched for the lost treasure of the ancient tribe.

30 ☑ throne
[θroun]

ⓥ enthrone 왕위에 올리다

ⓝ 왕좌　　　　　**take the throne** 왕좌를 차지하다

The king sat on the throne with a pleasant smile on his face.

---

27 그는 고대 로마 제국의 거대한 유적을 방문했다. 28 노예들은 마침내 귀족들의 통치에서 해방되었다. 29 그는 고대 부족의 잃어버린 보물을 찾아 나섰다. 30 왕은 얼굴에 기쁜 미소를 띠며 왕좌에 앉았다.

Multi-Meaning Word

revolution

ⓝ 혁명, 개혁
the French **Revolution** 프랑스 혁명

ⓝ 회전 (운동)
the **revolution** of the Earth around the sun 지구의 공전

ⓝ 순환
the **revolution** of the seasons 계절의 순환

EXERCISE

A 다음 영어는 우리말로, 우리말은 영어로 쓰시오.

01 improve _____   06 관습 _____

02 develop _____   07 확립하다, 설립하다 _____

03 antique _____   08 문명 _____

04 legend _____   09 유산, 전통 _____

05 lord _____   10 기울다, 쇠하다 _____

B 다음 영어는 우리말로, 우리말은 영어로 쓰시오.

01 an ancient tomb: _____

02 inherit a fortune: _____

03 a historical event: _____

04 보물선: a(n) _____ ship

05 뒤떨어진 정보: _____ information

06 영원한 사랑: _____ love

C 다음 빈칸에 들어갈 말을 고르시오. (필요하면 형태를 바꾸시오.)

myth	ancient	ruins	noble	era

01 In history, many people died for a(n) _____ cause.
역사적으로, 많은 사람들이 숭고한 목적을 위해 죽었다.

02 People try to discover historical facts from _____.
사람들은 신화에서 역사적 사실을 발견하고자 한다.

03 We're trying to find out what _____ this artifact was made in.
우리는 이 유물이 어느 시대에 만들어졌는지 발견하려고 한다.

04 Scientists discovered tools made by _____ tribes.
과학자들은 고대 부족이 만들었던 도구들을 발견했다.

05 These _____ used to be a castle of a great kingdom.
이 유적지는 과거에 거대한 왕국의 성이었다.

Word Search

배운 어휘를 기억하며 단어를 모두 찾아보세요.

정답

Z	X	W	B	P	N	X	D	I	M	P	R	O	V	E
E	G	S	X	O	N	G	T	I	R	E	H	N	I	P
E	U	X	B	J	C	E	T	L	X	B	M	K	I	Z
Q	R	L	P	L	B	H	I	H	B	U	V	R	F
M	E	R	I	P	M	H	S	C	R	O	H	B	C	K
H	C	N	S	O	O	L	S	E	N	O	D	Z	T	T
T	E	A	T	A	A	L	G	I	E	A	N	R	J	J
Y	A	S	N	V	E	A	E	Q	V	R	Q	E	O	B
M	U	Q	E	T	T	R	Y	V	V	B	A	Q	A	L
C	X	S	W	I	I	S	T	W	E	T	A	W	L	M
W	E	W	R	P	A	Q	F	E	H	D	A	T	Q	T
G	F	E	T	S	A	P	U	R	O	Y	A	L	S	G
R	H	L	E	G	E	N	D	E	N	I	U	R	G	E
Y	Y	G	A	M	A	G	T	N	K	R	W	E	X	Y

antique	custom	develop	era
heritage	improve	inherit	legend
lord	myth	noble	past
royal	ruin	slave	throne

Word Mapping

앞에서 배운 어휘를 기억하며 빈칸을 채워 보세요.

정답

_____ 이론, 이치

_____ 학자

_____ 윤리학

_____ 조사, 검사

_____ 교육, 지시

_____ 기숙사

_____ 강의

_____ 조언자, 스승

Knowledge & Research
학문과 연구

School & Class
학교와 수업

Society and Education
사회와 교육

City & Traffic
도시와 교통

Religion & History
종교와 역사

_____ 혼잡, 밀집

_____ 시설, 편의

_____ 길, 노선

_____ 교차로

_____ 축복하다

_____ 숭배하다

_____ 문명

_____ 혁명

Chapter
04

Nature and Science

Unit 17 Environment & Climate

---

01 ☑ **deserted**
[dizə́:rtid]

ⓐ 버려진, 사람이 살지 않는　　**a deserted island** 무인도

Helen is taking care of a deserted cat.

---

02 ☑ **pollutant**
[pəlú:tənt]

ⓥ **pollute** 오염시키다
ⓝ **pollution** 오염, 환경 파괴

ⓝ 오염 물질

The river is exposed to pollutants from the factories.

---

03 ☑ **purify**
[pjúərəfài]

ⓐ **pure** 순수한, 맑은

ⓥ 정화하다　　**purified water** 정수된 물

It took a long time for the river to be purified.

---

04 ☑ **respiratory**
[réspərətɔ̀:ri]

ⓥ **respire** 호흡하다
ⓝ **respiration** 호흡

ⓐ 호흡의　　**respiratory organs** 호흡기관

Air pollution causes respiratory diseases.

---

05 ☑ **shortage**
[ʃɔ́:rtidʒ]

ⓐ **short** 짧은, 부족한

ⓝ 부족, 결핍　　**shortage of food** 식량 부족

Lots of people suffered from water shortage as well as poverty.

---

01 Helen은 버려진 고양이를 돌보고 있다.　02 강은 공장에서 나온 오염 물질에 노출되어 있다.　03 강이 정화되는 데 오랜 시간이 걸렸다.　04 대기오염은 호흡기 질환을 일으킨다.　05 많은 사람들이 가난뿐만 아니라 물 부족으로 고생했다.

06 ☑ Arctic
[á:rktik]

ⓐ 북극의   **the Arctic Ocean** 북극해

The Arctic is the region around the Earth's North Pole.

07 ☑ disaster
[dizǽstər]

ⓐ disastrous 재난의

ⓝ 재해, 재난   **suffer a disaster** 재해[재난]를 당하다
declared a disaster area 재난 지역으로 선포하다

Natural disasters such as floods and earthquakes are common here.

08 ☑ distance
[dístəns]

ⓐ distant (거리 등이) 먼

ⓝ 거리   **a long-distance call** 장거리 전화, 시외 전화

What is the distance between the Earth and the sun?

09 ☑ environment
[inváiərənmənt]

ⓝ 환경, 주위   **natural environment** 자연환경
working environment 노동환경

🔹 These fires are doing damage to the environment.

🔹 The company should provide a safe environment for its employees.

10 ☑ exterior
[ikstíəriər]

ⓐ 바깥쪽의, 외부의   **exterior design** 외부 디자인

The exterior wall protects the house from all outside elements.

---

06 북극은 지구의 북쪽 끝 부근 지역이다. 07 홍수와 지진 같은 자연재해는 여기서 흔한 일이다. 08 지구와 태양 사이의 거리는 얼마인가요? 09 이러한 화재가 환경에 피해를 입히고 있다. / 회사는 직원들을 위한 안전한 환경을 제공해야 한다. 10 외벽은 모든 외부 요소로부터 집을 보호한다.

11 □ **external**
[ikstə́:rnəl]

ⓐ 외부의   **external temperature** 외부 온도

We all united in facing external danger to the country.

12 □ **freezing**
[frí:ziŋ]

ⓥ freeze 얼리다

ⓐ 몹시 추운   **freezing weather** 몹시 추운 날씨

They pulled her body from the freezing water.

13 □ **iceberg**
[áisbə:rg]

ⓝ 빙산   **the tip of an iceberg** 빙산의 일각

Only about 10% of an iceberg is visible on the surface.

14 □ **inland**
[ínlənd]

ⓝ 내륙   **an inland sea** 내해(內海)

In Europe the inland waterway is very important for the transport of goods.

15 □ **mist**
[mist]

ⓐ misty 안개 자욱한, 희미한

ⓝ (fog보다 옅은) 안개   **sea mist** 바다 안개

Children were still wandering about in the mist and rain.

16 □ **moisture**
[mɔ́istʃər]

ⓐ moist 축축한

ⓝ 습기, 수분   **skin moisture** 피부의 수분

The dry wind draws the moisture from the soil.

---

11 우리 모두는 국가를 위협하는 외부 위험에 맞서 단결했다. 12 그들은 찬물에서 그녀를 끌어당겼다. 13 빙산의 약 10% 정도만이 표면 위로 보인다. 14 유럽에서는 내륙수로가 상품 수송에 매우 중요하다. 15 학생들은 여전히 안개와 빗속에서 돌아다니고 있었다. 16 건조한 바람이 토양에서 습기를 끌어당긴다.

17 ☑ **wildlife**
[wáildlàif]

ⓝ 야생 동물   **wildlife habitats** 야생 동물의 서식지

Tourists can get much closer to the wildlife and the glaciers.

---

18 ☑ **pest**
[pest]

ⓝ pesticide 살충제

ⓝ 유해물, 해충   **pest control** 해충의 방제, 해충 박멸

A pest control expert requires some knowledge about pest's habits.

---

19 ☑ **phenomenon**
[finámənàn]

ⓐ phenomenal
경이적인, 자연 현상의

ⓝ 현상   **a natural phenomenon** 자연 현상

The folk music movement is a social and cultural phenomenon.

---

20 ☑ **rainstorm**
[réinstɔ̀ːrm]

ⓝ 폭풍우   **a heavy rainstorm** 심한 폭풍우

You can look at a whole rainstorm on a weather map.

---

21 ☑ **rubbish**
[rʌ́biʃ]

ⓝ 쓰레기   **household rubbish** 가정 쓰레기

Don't forget to put the rubbish out before you go to bed.

---

22 ☑ **seasonal**
[síːzənəl]

ⓐ 계절적인   **a seasonal wind** 계절풍

Seasonal rains have brought severe flooding.

---

17 관광객은 야생 동물과 빙하에 매우 가깝게 접근할 수 있다. 18 해충 박멸 전문가는 해충의 습성에 관한 지식이 약간 필요하다. 19 민속 음악 운동은 사회적, 문화적 현상이다. 20 여러분은 기상도 상에서 폭풍우의 전체 모습을 볼 수 있습니다. 21 잠자리에 들기 전에 쓰레기를 내 놓는 것을 잊지 마세요. 22 장마가 심한 홍수를 가져왔다.

23 snowfall
[snóufɔ̀ːl]

ⓝ 강설, 강설량   **the amount of snowfall** 강설량

My area has an average snowfall of 31 inches a year.

24 weatherman
[wéðərmæn]

ⓝ 기상캐스터

Weathermen warned that snow would return to most of the country.

25 sunburn
[sʌ́nbəːrn]

ⓐ sunburnt
(피부가) 햇볕에 탄

ⓝ 햇볕에 탐   **a painful sunburn** 따가울 정도로 햇볕에 태움

He suffered from sunburn in the Bahamas.

26 widespread
[wáidspréd]

ⓐ 널리 퍼진, 광범위한

    a widespread disease 널리 퍼진 질병

A huge typhoon caused widespread damage to a market.

27 wastewater
[wéistwɔ̀ːtər]

ⓝ 폐수   **domestic wastewater** 생활 폐수

Wastewater from our homes and workplaces is called sewage.

---

23 내가 사는 지역은 평균 강설량이 연간 31인치이다. 24 기상캐스터는 전국 대부분 지역에 다시 눈이 내릴 것이라고 알려주었다. 25 그는 바하마에서 햇볕에 타는 화상을 입었다. 26 규모가 큰 태풍이 시장에 광범위한 손해를 입혔다. 27 가정과 일터에서 나오는 폐수는 하수라고 부른다.

28 ☑ earthquake
[ə́ːrθkwèik]

ⓝ 지진   **an earthquake zone** 지진 지대

Nothing can do damage more than an earthquake.

29 ☑ reflect
[riflékt]

ⓝ reflection 반사, 반영, (물에 비친) 그림자

ⓥ 반사하다, 반영하다   **reflect light** 빛을 반사하다

The environmental issues were reflected in the new policy.

30 ☑ contaminate
[kəntǽmənèit]

ⓝ contamination 오염

ⓐ contaminated 오염된

ⓥ 오염시키다

Industrial wastes can contaminate drinking water sources.

---

28 어떤 것도 지진보다 더 큰 피해를 입힐 수는 없다. 29 새 정책에 환경 문제가 반영되었다. 30 산업 폐기물은 식수원을 오염시킬 수 있다.

🐱 Multi-Meaning Word

reflect

ⓥ 반사하다
reflect the light 빛을 반사하다

ⓥ 반영하다
His deeds **reflect** his thoughts.
그의 행동은 그의 생각을 반영한다.

ⓥ 반성하다, 숙고하다
reflect upon a problem
문제를 숙고하다

EXERCISE

A 다음 영어는 우리말로, 우리말은 영어로 쓰시오.

01 purify   _____

02 external   _____

03 distance   _____

04 rainstorm   _____

05 Arctic   _____

06 오염시키다   _____

07 습기, 수분   _____

08 환경, 주위   _____

09 몹시 추운   _____

10 현상   _____

B 다음 영어는 우리말로, 우리말은 영어로 쓰시오.

01 respiratory organs: _____

02 an inland sea: _____

03 domestic wastewater: _____

04 빙산의 일각: the tip of a(n) _____

05 외부 온도: _____ temperature

06 해충 박멸: _____ control

C 다음 빈칸에 들어갈 말을 고르시오. (필요하면 형태를 바꾸시오.)

| shortage | pollutants | sunburn | earthquake | mist |

01 The _____ caused a terrible traffic jam.
안개가 심한 교통 체증을 야기했다.

02 The officials are trying to solve the water _____.
정부 당국자들이 물 부족을 해결하려고 노력 중이다.

03 New regulations will reduce hazardous air _____.
새로운 규정은 해로운 공기 오염 물질을 감소시킬 것이다.

04 Sally got a(n) _____ while swimming at the beach.
Sally는 해변에서 수영하다가 햇볕에 탔다.

05 Several people were injured in the _____.
지진 때문에 여러 사람이 다쳤다.

Word Search

앞에서 배운 어휘를 기억하며 단어를 모두 찾아보세요.

D	N	L	G	E	F	I	L	D	L	I	W	R	P	L
X	C	L	E	S	N	O	W	F	A	L	L	O	O	A
S	S	U	N	B	U	R	N	Z	D	K	P	I	L	N
R	E	F	L	E	C	T	F	E	L	Y	O	R	L	R
X	Y	F	I	R	U	P	Y	N	Z	L	D	E	U	E
E	T	A	N	I	M	A	T	N	O	C	I	T	T	T
D	E	G	A	T	R	O	H	S	E	F	S	X	A	X
H	E	G	G	L	C	C	T	C	I	R	A	E	N	E
S	T	S	S	R	I	Y	N	K	N	E	S	M	T	V
I	F	E	E	T	E	A	N	O	L	E	T	M	F	H
B	G	P	C	R	T	B	V	B	A	Z	E	T	K	E
B	P	R	E	S	T	L	E	J	N	I	R	S	B	P
U	A	V	I	S	C	E	G	C	D	N	Q	I	R	B
R	L	D	G	S	T	Q	D	Z	I	G	T	M	R	E

contaminate	disaster	exterior	external
freezing	inland	mist	pest
pollutant	purify	reflect	rubbish
shortage	snowfall	sunburn	wildlife

Unit 18

Nature & Ecosystem

---

01 **coastal**
[kóustəl]

ⓝ coast 연안, 해안
ⓝ coastline 해안선

ⓐ 해안의　　　**a coastal region** 해안 지역, 연안 지역

Incheon is a coastal city near Seoul.

---

02 **evolve**
[ivάlv]

ⓝ evolution 진화

ⓥ 진화하다, 전개하다　**evolve into humans** 인류로 진화하다

Some people believe that humans evolved from apes.

---

03 **vary**
[véəri]

ⓐ various
다양한, 여러 가지의
ⓝ variety 다양성

ⓥ 다양하다, 변화하다

The lives of animals vary greatly depending on their environment.

---

04 **valley**
[vǽli]

ⓝ 계곡　　　**a mountain valley** 산골짜기

The army finally moved into the valley in late November.

---

05 **clay**
[klei]

ⓝ 점토, 진흙　　　**a clay pot** 흙으로 만든 단지

The red you see is the natural color of the clay.

---

01 인천은 서울 근교의 해안 도시이다. 02 어떤 사람들은 인류가 유인원으로부터 진화했다고 생각한다. 03 동물의 생활은 환경에 따라 매우 다양하다. 04 군대는 11월 하순에 마침내 계곡으로 이동했다. 05 당신이 보는 붉은색은 진흙의 자연 그대로의 색깔이다.

06 ☑ **continent**
[kántənənt]

ⓐ **continental** 대륙의

ⓝ 대륙, 육지　　　the continent of Asia 아시아 대륙

Australia is the smallest continent in the world.

07 ☑ **volcano**
[vɑlkéinou]

ⓝ 화산　　　an active[extinct] volcano 활[사]화산

An undersea volcano erupted and formed a small island.

08 ☑ **current**
[kə́:rənt]

ⓝ 물살, 흐름　　　a water current 물의 흐름

Strong currents can be very dangerous for swimmers.

09 ☑ **decompose**
[dì:kəmpóuz]

ⓝ **decomposer**
(세균 등의) 분해자

ⓥ 분해하다, 부패하다　　a decomposed body 부패한 몸체

A dead fish in the aquarium will decompose rapidly.

10 ☑ **downstream**
[dáunstrí:m]

ⓐⓓ 하류로　　　travel downstream 하류로 이동하다

His handkerchief has drifted at least three miles downstream.

11 ☑ **extinct**
[ikstíŋkt]

ⓝ **extinction** 멸종, 소화

ⓐ (불이) 꺼진, 멸종한　　an extinct species 멸종한 동물

The mountain contains fossils of many extinct species.

---

06 호주는 세상에서 가장 작은 대륙이다. 07 해저화산이 분출해서 작은 섬을 만들었다. 08 강한 물살은 수영하는 사람들에게 매우 위험할 수 있다. 09 수족관의 죽은 물고기는 빠르게 부패할 것이다. 10 그의 손수건은 적어도 하류로 3마일을 떠내려갔다. 11 산에는 멸종된 많은 종의 화석이 묻혀 있다.

12 fossil
[fásl]

ⓝ 화석

fossil fuel 화석연료

The first dinosaur fossils were found in Western Colorado.

13 glacier
[gléiʃər]

ⓝ 빙하

a melting glacier 녹는 빙하

A glacier is a large, slow-moving mass of ice.

14 gust
[gʌst]

ⓝ 돌풍, 강풍

a gust of wind 돌풍

A sudden gust of wind blew her hair back.

15 fertile
[fə́ːrtl / fə́ːrtail]

ⓝ fertility 비옥, 풍부
ⓥ fertilize 비옥하게 하다
ⓝ fertilizer 비료

ⓐ 비옥한

fertile land 비옥한 땅

We have 200 acres of very fertile farmland available.

16 mountainous
[máuntənəs]

ⓐ 산이 많은

a mountainous region 산악 지방

Black pines grow in the mountainous regions near the border.

17 mount
[maunt]

ⓥ 올라가다, 올라타다, 증가하다

mounting anger 커지는 분노

He mounted the stairs and looked around him slowly.

---

12 첫 공룡 화석은 서부 콜로라도에서 발견되었다. 13 빙하는 크고 천천히 움직이는 얼음 덩어리이다. 14 갑작스러운 돌풍이 그녀의 머리카락을 뒤로 날려버렸다. 15 우리는 사용 가능한 200에이커의 비옥한 농지를 갖고 있다. 16 검은 소나무는 국경 근처의 산악 지역에 자란다. 17 그는 계단을 올라가서 천천히 주변을 둘러보았다.

18 ☑ **muddy** [mʌ́di] **ⓝ mud** 진흙	**ⓐ** 진흙의	**a muddy road** 진흙탕길 Children went swimming in the muddy water of the lake.
19 ☑ **path** [pæθ]	**ⓝ** 길, 오솔길, 보도	**a mountain path** 산길 Follow the path along the river to another bridge.
20 ☑ **sandstorm** [sǽndstɔ̀ːrm]	**ⓝ** 모래 폭풍	**a yellow sandstorm** 황사 바람, 황사 현상 We were lost in a desert sandstorm in the darkness yesterday.
21 ☑ **shore** [ʃɔːr]	**ⓝ** (호수, 하천의) 물가	**a sandy shore** 모래강변 The lifeboats with 23 survivors reached the shore safely.
22 ☑ **stream** [striːm]	**ⓝ** 개울, 흐름	**an endless stream** 끊이지 않고 흐르는 시냇물 Water in rivers and streams may run rapidly or form pools.
23 ☑ **sundown** [sʌ́ndàun] 	**ⓝ** 일몰	**from sunup to sundown** 해가 떠서 질 때까지 We traveled through the day and arrived just before sundown.

18 아이들은 호수의 진흙물에 수영하러 갔다. 19 다른 쪽 다리를 향해 강을 따라 난 길을 따라가시오. 20 우리는 어제 어둠 속 사막의 모래 폭풍 속에서 길을 잃었다. 21 23명의 생존자를 실은 구명보트는 안전하게 해안에 도착했다. 22 강물과 시냇물은 빠르게 흐르거나 물웅덩이를 만들 수도 있다. 23 우리는 온종일 여행을 하고 해가 지기 직전에 도착했다.

24 conservationist
[kɑ̀nsərːrvéiʃənist]

ⓥ conserve
보존하다, 보호하다

ⓐ conservative 보수적인

ⓝ 환경 보호론자

Many conservationists from all over the world fight to save the Earth.

---

25 origin
[ɔ́ːrədʒin]

ⓐ original 최초의, 본래의

ⓝ 기원, 유래, 혈통   **the Origin of Species** 종(種)의 기원

Some scientists are keenly interested in the origin of life.

---

26 deforestation
[diːfɔ̀ːristéiʃən]

ⓥ deforest 산림을 벌채하다

ⓝ 산림벌채

the deforestation of the tropics 열대 우림의 산림벌채

They maintained that the flood was the result of deforestation.

---

27 rocky
[ráki]

ⓝ rock 바위, 돌

ⓐ 바위투성이의   **a rocky road** 돌이 많은 길, 〈비유〉 인생의 괴로움

I'm on the rocky road heading down off the mountain slope.

---

28 wave
[weiv]

ⓐ wavy 물결치는

ⓝ 파도, 물결   **the ocean waves** 바다의 파도

We watched the waves breaking on the shore through the window.

---

24 전 세계의 환경 보호론자들이 지구를 지키기 위해 싸운다. 25 일부 과학자들은 생명의 기원에 많은 관심을 두고 있다. 26 그들은 홍수가 산림벌채의 결과라고 주장했다. 27 나는 산 경사면에서 아래로 내려가는 바윗길에 있어요. 28 우리는 창을 통해 파도가 해안에서 부서지는 모습을 지켜보았다.

29 ☑ ecological
[èkəládʒikəl]

ⓝ ecology 생태학

ⓐ 생태학의   **ecological pyramid** 생태학적 피라미드

We must be very careful not to upset the ecological balance.

30 ☑ foothill
[fúthìl]

ⓝ (작은) 언덕   **foothill area** 언덕 지역

The town I live in lies in the foothills of the Himalayas.

29 생태학적 균형을 깨뜨리지 않도록 조심해야 한다.   30 내가 사는 마을은 히말라야 산자락에 있다.

Multi-Meaning Word

current

ⓐ 통용되는
That word is no longer **current** in Korea.
그 단어는 더 이상 한국에서 쓰이지 않는다.

ⓐ 현재의, 지금의
the **current** economic situation 현재의 경제 상황

ⓝ 흐름
the strong **current** in the river 강의 강한 물살

ⓝ 경향, 추세
the **current** of the time 추세, 시대

EXERCISE

A 다음 영어는 우리말로, 우리말은 영어로 쓰시오.

01 continent _____

02 origin _____

03 foothill _____

04 fertile _____

05 ecological _____

06 하류로 _____

07 물가 _____

08 길, 오솔길, 보도 _____

09 환경 보호론자 _____

10 빙하 _____

B 다음 영어는 우리말로, 우리말은 영어로 쓰시오.

01 a muddy road: _____

02 a mountain valley: _____

03 the ocean waves: _____

04 활화산: an active _____

05 분해된 몸체: a(n) _____ body

06 멸종한 동물: a(n) _____ species

C 다음 빈칸에 들어갈 말을 고르시오. (필요하면 형태를 바꾸시오.)

wave	fossil	current	clay	gust

01 Tom stood watching the _____ from the seashore.
Tom은 바닷가에서 파도를 보며 서있었다.

02 The paper boat moved with the river _____.
종이배가 강물의 흐름을 따라 움직였다.

03 The forest fire spread widely by a _____ of wind.
강한 바람이 불자 산불이 크게 번졌다.

04 Our ancestors made house out of _____.
우리 선조들은 점토로 집을 지었다.

05 Most of the fuels we use are made from old _____.
우리가 사용하는 대부분의 연료는 오래된 화석으로 만든 것이다.

Word Search

앞에서 배운 어휘를 기억하며 단어를 모두 찾아보세요.

정답

```
P F W X U Q T G N M E C F E K
A U A X W N L W A L O O L U E
T N V I E A O E I X R N U E W
H P E R C D R T T G I T E M Z
D Z R I N T R C K M G I H G Z
S U E U S E Y A L C I N C R H
C R S J F Q P D O H N E P V P
E X T I N C T N Q P B N F D V
H F J Y I B A F Y W T T E A D
E K O B D C E V O L V E L V S
E R N S L D V P K P C L O P A
C Z O O S K U A Q F E T Y T A
G U V H B I N M R Y Y K C O R
N W P D S L L G L Y G U S T T
```

clay	continent	evolve	extinct
fossil	glacier	gust	origin
path	rocky	shore	stream
valley	vary	volcano	wave

Animal & Plant

---

01 ☑ **sow**
[sou]

ⓥ 씨를 뿌리다, 파종하다　　**sow the field** 밭에 씨를 뿌리다

Students are sowing the seeds of future success.

---

02 ☑ **germ**
[dʒəːrm]

ⓥ **germinate** 싹이 발아하다

ⓝ 세균, 싹, 배아　　**the germ of an idea** 어떤 사상의 싹틈

You must wash your hands often to be safe from germs.

---

03 ☑ **mouse**
[maus]

ⓝ 생쥐 / 〈복수형〉 mice

play cat and mouse with ~을 마음대로 다루다

When the cat's away, the mice will play.

---

04 ☑ **organism**
[ɔ́ːrɡənìzəm]

ⓐ **organic**
유기체의, 유기농의

ⓝ 유기체, 생물체　　**living organism** 살아있는 유기체

Our body, like all living things, is a living organism.

---

05 ☑ **reproduce**
[rìːprədjúːs]

ⓝ **reproduction**
재생, 재생산, 생식

ⓥ 번식하다　　**reproduce by seed** 종자에 의해 번식하다

All living things have the ability to reproduce.

---

01 학생들은 장차 미래의 성공을 위한 씨앗을 뿌리고 있다. 02 세균으로부터 안전하려면 손을 자주 씻어야 해. 03 〈속담〉 고양이가 없으면 생쥐들의 세상이다.(=호랑이 없는 굴에서는 여우가 왕이다.) 04 우리 몸은 다른 모든 생물과 마찬가지로 살아있는 유기체다. 05 모든 생물은 번식능력이 있다.

06 bunch
[bʌntʃ]

ⓝ 송이, 다발

a bunch of flowers 꽃 한 다발

Her daughter handed her a huge bunch of roses.

07 cattle
[kǽtl]

ⓝ 소

a herd of cattle 소 한 무리

Farmers think cattle are the most important of all livestock.

08 chain
[tʃein]

ⓥ enchain 사슬로 매다

ⓝ 사슬, 연쇄

food chain 먹이 사슬

The food chain shows how animals eat other animals to survive.

09 dinosaur
[dáinəsɔ̀ːr]

ⓝ 공룡

dinosaur bones 공룡 뼈

The visit to the American Museum of Natural History caused me to start studying dinosaurs.

10 flock
[flɑk]

ⓝ 집단

a flock of birds 새 떼

I kept seeing a flock of small birds flying back and forth.

11 leather
[léðər]

ⓝ 가죽, 가죽제품

a pair of leather gloves 가죽 장갑 한 켤레

We have raised ostriches for feathers, but now for leather and meat.

06 그녀의 딸이 그녀에게 커다란 장미꽃다발을 건네주었다. 07 농부들은 소가 모든 가축 중에서 가장 중요하다고 생각한다. 08 먹이 사슬은 동물들이 생존을 위해 어떻게 다른 동물을 잡아먹는지 보여준다. 09 미국 자연사 박물관에 방문한 것이 내가 공룡 연구를 시작한 계기였다. 10 나는 작은 새 한 무리가 이리저리 날아가는 것을 계속 보고 있었다.11 우리는 깃털을 얻으려고 타조를 길렀지만, 이제는 가죽과 고기를 얻기 위해 기른다.

12 ☑ **hay**
[hei]

ⓝ 건초   **a stack of hay** 건초 더미

Make hay while the sun shines.

---

13 ☑ **herd**
[həːrd]

ⓝ 무리   **a herd of cattle** 소 한 무리

Horses are running in a herd in a very large pasture.

---

14 ☑ **lawn**
[lɔːn]

ⓝ 잔디   **a lawn mower** 잔디 깎는 기계

My poor husband has spent all morning mowing the lawn.

---

15 ☑ **log**
[lɔ(ː)g]

ⓝ 통나무, (제재용의) 원목   **a log bridge** 통나무 다리

Everybody has to cross a log bridge above a waterfall.

---

16 ☑ **mammal**
[mǽməl]

ⓝ 포유류   **land mammals** 육지 포유류

Recently, small mammals have become a popular pet all over the world.

---

17 ☑ **marine**
[məríːn]

ⓐ 바다의   **marine life** 해양 생물

Marine animals include sea lions, marine iguanas, and so on.

---

12 〈속담〉 해가 났을 때 건초를 말려라.(=기회가 왔을 때 잡아라.) 13 말들이 매우 넓은 초지 위에서 무리지어 달리고 있다. 14 우리 불쌍한 남편은 잔디를 깎느라 아침 내내 시간을 보냈다. 15 모든 사람은 폭포 위에 있는 통나무 다리를 건너야 한다. 16 최근에 작은 포유동물들이 전 세계에서 인기 있는 애완동물이 되었다. 17 해양 동물에는 바다사자와 바다 이구아나 등이 있다.

18 **moss**
[mɔ(:)s]

ⓐ **mossy** 이끼 낀

ⓝ 이끼   **moss green** 이끼색, 황록색

❧ A rolling stone gathers no moss.

❧ The garden path is covered over with moss.

19 **organ**
[ɔ́:rgən]

ⓐ **organic** 기관의, 생물의

ⓝ (생물의) 기관   **reproductive organs** 생식기

                             organ transplant 장기 이식

The lungs are linked to each of the internal organs.

20 **plantation**
[plæntéiʃən]

ⓝ 대규모 농장   **a tea plantation** 차 재배지

The resort was supposed to be built on a coffee plantation in Java.

21 **ripe**
[raip]

ⓥ **ripen** 익(히)다, 원숙해지다

ⓐ (과일, 곡물 등이) 익은

               ripe[unripe] apples 익은[덜 익은] 사과

How can you tell if a mango is ripe enough to eat?

22 **roar**
[rɔ:r]

ⓥⓝ (맹수가) 포효하다, 고함치다; (맹수의) 포효

              roar with laughter 폭소하다

                  a lion's roar 사자의 포효

❧ Suddenly the teacher roared my name across the classroom.

❧ While I was on the truck, I heard a lion's roar.

18 〈속담〉 구르는 돌이 이끼가 끼지 않는다. / 정원 길은 이끼로 뒤덮여 있다. 19 폐는 내장과 각각 연결되어 있다. 20 휴양지는 자바 섬에 있는 커피 농장에 건설하기로 되어 있었다. 21 망고가 먹을 만큼 충분히 익었는지 어떻게 구분하니? 22 갑자기 선생님이 교실 건너편에서 내 이름을 고함쳐 불렀다. / 트럭에 있는데 사자의 포효를 들었다.

23 **trunk**
[trʌŋk]

◍ (나무)줄기

a tree trunk 나무줄기

This pandanus has a single trunk with many branches.

24 **weed**
[wiːd]

◍ 잡초

weed killer 잡초 제거제

I planted pumpkins and pulled weeds out of the garden.

25 **worm**
[wəːrm]

◍ 벌레 (지렁이, 구더기, 회충류 등)

earthworm 지렁이

silkworm 누에

These worms grow to an average length of about 1 meter.

26 **snail**
[sneil]

◍ 달팽이

a snail's pace (달팽이처럼) 느릿느릿한 속도

I feel like a snail with a shell over the shoulder all the time.

27 **thorn**
[θɔːrn]

a **thorny** 가시가 많은

◍ (식물의) 가시

a rose thorn 장미 가시

The thorn trees around the camp gave some shelter from the wind.

---

23 이 판다누스 나무는 큰 줄기 하나에 가지가 많이 달려 있다. 24 나는 호박을 심고 정원의 잡초를 뽑았다. 25 이러한 벌레들은 평균 약 1미터 길이까지 자란다. 26 나는 내내 어깨 위에 집을 얹어놓은 달팽이 같다는 느낌이 들었다. 27 야영장 근처의 가시나무는 어느 정도 바람을 피하는 피난처였다.

28 trap
[træp]

ⓥ entrap
덫으로 잡다, 모험하다

ⓝ 덫, 올가미

a mouse trap 쥐덫

The good way to catch mice is to set a trap.

29 mosquito
[məskíːtou]

ⓝ 모기

a mosquito net 모기장

The sound of a mosquito is very hard to detect.

30 zoology
[zouάlədʒi]

ⓐ zoological 동물학의

ⓝ 동물학

an expert in zoology 동물학 전문가

He is an undergraduate studying zoology.

28 쥐를 잡는 좋은 방법은 덫을 놓는 것이다. 29 모기 소리는 감지하기 어렵다. 30 그는 동물학을 공부하는 대학생이다.

Multi-Meaning Word

trunk

ⓝ (나무의) 줄기
a tree **trunk** 나무줄기

ⓝ 여행 가방
open the **trunk** 여행 가방을 열다

ⓝ (코끼리의) 코
an elephant's powerful **trunk** 코끼리의 강력한 코

ⓝ 〈복수형으로〉 남자용 운동 팬츠
swimming **trunks** 수영 팬츠

EXERCISE

A 다음 영어는 우리말로, 우리말은 영어로 쓰시오.

01 reproduce _____   06 송이, 다발   _____

02 cattle _____   07 유기체, 생물체   _____

03 plantation _____   08 통나무   _____

04 hay _____   09 이끼   _____

05 sow _____   10 공룡   _____

B 다음 영어는 우리말로, 우리말은 영어로 쓰시오.

01 ripe apple: _____

02 a rose thorn: _____

03 a lion's roar: _____

04 모기장: a(n) _____ net

05 잔디 깎는 기계: a(n) _____ mower

06 먹이 사슬: food _____

C 다음 빈칸에 들어갈 말을 고르시오. (필요하면 형태를 바꾸시오.)

mammal	germ	weed	trap	marine

01 There are many wonderful _____ animals underwater.
물속에는 신비로운 해양 동물이 많이 있다.

02 My father tried to get rid of the _____ in the garden.
아버지께서는 정원의 잡초들을 제거하려고 하셨다.

03 Most diseases occur by tiny _____.
대부분의 질병은 조그마한 세균을 통해 발생한다.

04 _____, like us, are warm-blooded animals.
포유류는 우리처럼 온혈 동물이다.

05 It is illegal to set _____ in certain areas.
특정 구역에 덫을 설치하는 것은 불법이다.

Word Search

앞에서 배운 어휘를 기억하며 단어를 모두 찾아보세요.

Unit 19 Animal & Plant

```
Z D T Y Y E L B B K H N A D U
C A T T L E Z I N U H E W N B
W O R M U Y A U A A N D R A V
N I A H C E R E Y N E C W D L
B R A O R T V P T E S V H O X
P G X C H O M I W R E I J J S
Y K O T R Y O R D N A Y Q N E
L R G G E W S B I X D P A L H
R E A M G R S M Q R K L O R F
A N A I R F X X F E Q G N J L
U L B T A E E R Q S D Z H D O
D J H E H F G A W A C B W Z C
T Y X W A E L T J O V V C E K
C Z C D T S R T V U K R Z M Y
```

bunch	cattle	chain	flock
germ	hay	herd	leather
log	moss	organ	ripe
roar	trap	weed	worm

Unit 20 Science & Technology

---

01 ☑ **accurate**
[ǽkjərit]

- ⓝ accuracy 정확, 정밀도
- ⓐ inaccurate 부정확한

ⓐ 정확한   **to be accurate** 정확히 말해서

Our data must be accurate for the experiment.

---

02 ☑ **astronomer**
[əstránəmər]

- ⓝ astronomy 천문학

ⓝ 천문학자

My mother used to be an astronomer.

---

03 ☑ **circulate**
[sə́:rkjəlèit]

- ⓝ circuit (컴퓨터) 회로,
  (자동차 경주용) 경주로
- ⓝ circulation 순환

ⓥ 순환하다, 돌다

The Earth circulates around the sun once a year.

---

04 ☑ **electricity**
[ilèktrísəti]

- ⓐ electric 전기의

ⓝ 전기   **frictional electricity** 마찰 전기

Electricity is vital to our everyday lives.

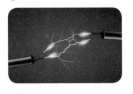

---

05 ☑ **invent**
[invént]

- ⓝ invention 발명, 발명품
- ⓝ inventor 발명가

ⓥ 발명하다, 고안하다

Thomas Edison invented the light bulb in 1879.

---

01 실험을 위해 자료가 정확해야 한다. 02 어머니는 예전에 천문학자셨다. 03 지구는 태양 주위를 일 년에 한 번 돈다.
04 전기는 우리 일상생활에 매우 중요하다. 05 토머스 에디슨은 1879년에 백열전구를 발명했다.

06 scientific
[sàiəntífik]

ⓝ science 과학
ⓝ scientist 과학자

ⓐ 과학적인　　　　　　**a scientific fact** 과학적 사실

Several scientific methods have been developed throughout history.

---

07 universe
[júːnəvə̀ːrs]

ⓐ universal
　　우주의, 보편적인

ⓝ 우주, 만물

The origin of the universe is an issue of importance in science.

---

08 astronaut
[ǽstrənɔ̀ːt]

ⓝ 우주 비행사　　　　**astronaut training** 우주 비행사 훈련

The astronauts sent a transmission from outer space.

---

09 atmosphere
[ǽtməsfìər]

ⓝ 대기, 분위기　　**enter the atmosphere** 대기권에 진입하다

There are a wide variety of gases in the atmosphere.

---

10 revolve
[riválv]

ⓝ revolution 회전, 혁명

ⓥ 회전하다, 자전하다　　　　**a revolving door** 회전문

The moon revolves around the Earth, which revolves around the sun.

---

11 delete
[dilíːt]

ⓝ deletion 삭제

ⓥ 삭제하다　　　　　　　**delete a file** 파일을 삭제하다

Make sure you don't delete any valuable data.

---

06 역사적으로 다양한 과학적 방법들이 개발되었다. 07 우주의 기원은 과학계에서 중요한 쟁점이다. 08 우주 비행사들이 우주 공간에서 교신을 보냈다. 09 대기권에는 다양한 기체가 있다. 10 달은 지구 주위를 공전하고, 지구는 태양 주위를 공전한다. 11 중요한 자료를 삭제하지 않도록 해라.

12 engineering
☑ [èndʒəníəriŋ]

ⓝ engineer 기사, 엔지니어

ⓝ 공학, 기술　　computer engineering 컴퓨터공학

I want to learn mechanical engineering, so I fix things.

13 function
☑ [fʌ́ŋkʃən]

ⓐ functional 기능의

ⓝ 기능, 직무 ⓥ 작용하다　　function as ~로서의 기능을 하다

⇨ One of the functions of art is to create beauty.

⇨ Did you check if the machines function correctly?

14 galaxy
☑ [gǽləksi]

ⓝ 은하, 은하계　　a far-away Galaxy 멀리 떨어진 은하계

This SF movie is about a war in a far away galaxy.

15 gravity
☑ [grǽvəti]

ⓝ 중력, 지구인력, 중대함　　center of gravity 무게 중심

The gravity on the moon is much weaker than on the Earth.

16 lunar
☑ [lú:nər]

ⓐ 달의　　the lunar[solar] calendar 음[양]력

The news said that there is a lunar eclipse tonight.

17 machinery
☑ [məʃí:nəri]

ⓝ machine 기계

ⓝ 기계류, 기계장치　　heavy machinery 중장비

I am not familiar with handling complex machinery.

---

12 나는 기계공학을 배워서 물건을 고치고 싶다. 13 예술의 기능 중 하나는 미를 창조하는 것이다. / 기계들이 제대로 작동하는지 확인해봤니? 14 이 SF 영화는 머나먼 은하계에서 벌어지는 전쟁에 관한 것이다. 15 달의 중력은 지구의 중력보다 훨씬 더 약하다. 16 뉴스에서 오늘 밤 월식이 있을 거라고 했다. 17 나는 복잡한 기계를 다루는 데 익숙하지 않다.

18 orbit
[ɔ́ːrbit]

ⓐ orbital 궤도의

ⓝ 궤도 ⓥ 궤도를 그리며 돌다 **a satellite orbit** 인공위성 궤도

➡ We succeeded in sending the satellite into orbit.

➡ The satellite orbits the Earth every 24 hours.

19 planet
[plǽnət]

ⓐ planetary 행성의

ⓝ 행성 **a minor planet** 소행성

There are 8 planets in the solar system.

20 satellite
[sǽtəlàit]

ⓝ (인공)위성 **a weather satellite** 기상 위성

The world's first satellite was sent into orbit in 1957.

21 shift
[ʃift]

ⓐ shifting 이동하는, 변하는

ⓥ 이동하다, 전환하다 **shift gears** (자동차) 기어를 전환하다

The aircraft suddenly shifted its course eastward.

22 shuttle
[ʃʌ́tl]

ⓝ 우주 왕복선 ⓥ 왕복하다 **a space shuttle** 우주왕복선

➡ Everybody praised the space shuttle's safe arrival.

➡ Donna shuttles on weekdays between San Jose and San Francisco for her job.

23 solar
[sóulər]

ⓐ 태양의 **solar energy** 태양 에너지

The Earth is the third closest planet to the sun in the solar system.

---

18 우리는 인공위성을 궤도에 올리는 데 성공했다. / 그 인공위성은 24시간마다 지구 주위를 궤도를 그리며 돈다. 19 태양계에는 8개의 행성이 있다. 20 세계 최초의 인공위성은 1957년에 궤도로 보내졌다. 21 항공기가 갑자기 동쪽으로 항로를 변경했다. 22 모두가 우주왕복선의 무사귀환을 축하했다. / Donna는 일 때문에 평일에 새너제이와 샌프란시스코 사이를 왕복한다. 23 지구는 태양계에서 세 번째로 태양과 거리가 가까운 행성이다.

24 ☑ **source** [sɔːrs]	ⓝ 원천, 출처	**energy source** 에너지원
	The sun is the most important energy source.	

25 ☑ **space** [speis] ⓐ **spacious** 넓은 	ⓝ 공간, 우주	**outer space** 우주 공간
	My dream is to travel in outer space someday.	

26 ☑ **sphere** [sfiər]	ⓝ 구(球), 범위	**sphere of activity** 활동범위
	In the past, nobody believed that the Earth was a sphere.	

27 ☑ **sunspot** [sʌ́nspὰt]	ⓝ 흑점	**a sunspot activity** 태양 흑점활동
	Scientists are researching the effects of sunspot activities.	

28 ☑ **weightlessness** [weitlésnis] ⓐ **weightless** 무중력 (상태)의	ⓝ 무중력	**a state of weightlessness** 무중력 상태
	I always wanted to experience a state of weightlessness.	

24 태양은 가장 중요한 에너지원이다. 25 내 꿈은 언젠가 우주공간을 여행하는 것이다. 26 과거에는 누구도 지구가 둥글다고 믿지 않았다. 27 과학자들은 흑점 활동의 영향에 대해 연구하고 있다. 28 나는 항상 무중력 상태를 체험해보고 싶었다.

29 telescope
[téləskòup]

n 망원경　　**an astronomical telescope** 천체 망원경

I bought a new telescope to watch shooting stars.

30 vacuum
[vǽkjuəm]

n 진공　　**a vacuum cleaner** 진공청소기

A state of vacuum means that there is no air.

---

29 나는 유성을 보기 위해서 새 망원경을 샀다. 30 진공 상태는 공기가 없다는 뜻이다.

Multi-Meaning Word

shift

v 이동하다
shift about 자리를 여러 차례 옮기다

v 변경하다
shift the direction 방향을 변경하다

n 교체, 교대
a night **shift** 야간 근무

EXERCISE

A 다음 영어는 우리말로, 우리말은 영어로 쓰시오.

01 invent _____   06 구, 범위 _____

02 circulate _____   07 대기, 분위기 _____

03 lunar _____   08 무중력 _____

04 space _____   09 궤도 _____

05 satellite _____   10 회전하다, 자전하다 _____

B 다음 영어는 우리말로, 우리말은 영어로 쓰시오.

01 frictional electricity: _____

02 the lunar calendar: _____

03 an astronomical telescope: _____

04 진공청소기: a(n) _____ cleaner

05 우주 왕복선: a space _____

06 우주 비행사 훈련: _____ training

C 다음 빈칸에 들어갈 말을 고르시오. (필요하면 형태를 바꾸시오.)

| machinery | function | engineering | universe | planet |

01 We are mere dust compared to the entire _____.
전 우주에 비하면 우리는 하나의 티끌에 불과하다.

02 Someday, mankind might colonize a different _____.
언젠가 인류는 다른 행성을 개척할 수도 있다.

03 One of the _____ of eyelids is to protect eyes from drying.
눈꺼풀의 기능 중 하나는 눈이 건조해지는 것을 막는 것이다.

04 The professor's lab had all sorts of _____.
교수님의 연구실에는 온갖 기계가 있었다.

05 Computer _____ has greatly changed our lives.
컴퓨터 공학은 우리의 삶을 크게 변화시켰다.

Word Search

앞에서 배운 어휘를 기억하며 단어를 모두 찾아보세요.

정답

A	A	T	E	F	D	Q	E	E	C	S	Y	Q	Q	E
Y	C	B	N	E	H	V	R	S	I	O	K	E	P	E
S	E	C	L	E	L	I	S	R	R	U	Z	N	E	V
P	O	E	U	O	V	H	A	E	C	R	K	H	C	U
M	T	L	V	R	I	N	V	V	U	C	U	J	A	W
E	Q	E	A	F	A	S	I	I	L	E	W	G	P	B
N	R	B	T	R	A	T	G	N	A	G	D	A	S	Z
E	L	T	T	U	H	S	E	U	T	R	D	L	F	K
N	O	I	T	C	N	U	F	T	E	A	L	A	U	H
P	L	A	N	E	T	O	A	M	O	V	C	X	O	K
E	R	E	H	P	S	A	A	A	R	I	W	Y	V	S
V	A	C	U	U	M	P	J	W	J	T	O	R	R	D
S	U	N	S	P	O	T	Y	Y	R	Y	P	H	Z	X
P	T	L	Z	L	U	N	A	R	T	I	B	R	O	U

accurate	circulate	delete	galaxy
gravity	lunar	orbit	planet
shift	shuttle	solar	source
space	sphere	sunspot	vacuum

Unit 21

Biology, Chemistry & Physics

---

01 ☑ **atom**
[ǽtəm]

ⓐ atomic 원자의

ⓝ 원자　　　　　**an atom of nitrogen** 질소 원자

A molecule is formed when at least two atoms combine chemically.

---

02 ☑ **consist**
[kənsíst]

ⓐ consistent
일치하는, 일관된

ⓥ 구성되다, 일치하다　　　　**consist of** ~로 구성되다

The body of an insect consists of three parts.

---

03 ☑ **emit**
[imít]

ⓝ emission 방출, 발산

ⓥ 발산하다, 방출하다　　　**emit radiation** 방사능을 방출하다

Fire emits heat and light.

---

04 ☑ **material**
[mətíəriəl]

ⓐ nonmaterial
비물질적인, 영적인

ⓐ 물질적인 ⓝ 재료, 원료　　　**raw material** 원료

❖ I think family values and spirituality become weaker as the material civilization progresses.

❖ Airplanes are made of special material.

---

05 ☑ **mixture**
[míkstʃər]

ⓥ mix 섞다, 혼합하다

ⓝ 혼합, 혼합물　　　　**without mixture** 순수한

An alloy is a mixture of several metals.

---

01 분자는 적어도 두 개의 원자가 화학적으로 결합할 때 형성된다. 02 곤충의 몸은 세 부분으로 구성되어 있다. 03 불은 열과 빛을 발산한다. 04 나는 물질문명이 성장함에 따라, 가족의 가치와 정신이 점점 약해진다고 생각한다. / 비행기는 특수한 물질로 만들어진다. 05 합금은 여러 금속을 혼합한 것이다.

06 microscope
[máikrouskòup]

ⓐ microscopic
매우 작은, 현미경의

ⓝ 현미경　　　　a binocular microscope 쌍안 현미경

Each sample was examined through a microscope.

07 biology
[baiálədʒi]

ⓐ biologic 생물학의

ⓝ 생물학　　　　a biology class 생물학 수업

I learned the structure of the human body in biology class.

08 chemistry
[kémistri]

ⓐⓝ chemical
화학의; 화학제품

ⓝ 화학　　　　a chemistry teacher 화학 선생님

The chemistry teacher told us to be careful in the experiment.

09 combine
[kəmbáin]

ⓝ combination 조합, 배합

ⓥ 결합시키다, 배합하다　　　combine with ~와 결합시키다

We did an experiment by combining the two elements.

10 comprise
[kəmpráiz]

ⓥ 구성되다, 포함하다　　　be comprised of ~으로 구성되다

The United States comprises 50 states.

11 contain
[kəntéin]

ⓝ content 내용물, 내용

ⓥ 내포하다, 포함하다　　　contain caffeine 카페인을 함유하다

This toy contains a chemical that can be very dangerous.

---

06 각 표본은 현미경으로 검사했다. 07 나는 생물학 시간에 인체 구조에 대해 배웠다. 08 화학 선생님께서 실험할 때 조심하라고 말씀하셨다. 09 우리는 두 원소를 결합하여 실험을 했다. 10 미국은 50개의 주로 구성되어 있다. 11 이 장난감에는 매우 위험할 수 있는 화학 물질이 들어 있다.

12 dispose
[dispóuz]

ⓝ disposal 처분, 처리

ⓥ 처리하다, 배치하다　　　　　　**dispose of** ~을 처분하다

The scientist asked his assistant to dispose of the waste products.

13 element
[éləmənt]

ⓐ elemental 요소의

ⓐ elementary
초보의, 기본이 되는

ⓝ 요소, 성분　　　　　　**a vital element** 주요 요소

Vegetables are an important element in diet.

14 experiment
[ikspérəmənt]

ⓐ experimental 실험적인

ⓝ 실험　　　　　**conduct an experiment** 실험하다

We plan to continue the experiment until we succeed.

15 factor
[fǽktər]

ⓝ 요인, 요소　　　　　**crucial factor** 중요한 요인
an internal[external] factor 내부[외부] 요인

It is difficult to control the several factors of the experiment.

16 filter
[fíltər]

ⓝ 여과기 **ⓥ** (여과기로) 거르다

a dust filter 먼지 필터, 먼지 여과기

➡ You can gather salt by pouring salt water through a filter.

➡ To prevent flu, wash your hands thoroughly and drink filtered or boiled water.

---

12 과학자가 조수에게 폐기물을 버려달라고 부탁했다. 13 채소는 식이요법의 중요한 요소이다. 14 우리는 성공할 때까지 실험을 계속할 계획이다. 15 실험의 여러 요인을 통제하는 일이 쉽지 않다. 16 여과기에 소금물을 부으면 소금을 모을 수 있다. / 독감을 예방하려면 손을 철저히 씻고, 여과하거나 끓인 물을 마셔라.

17 flash
[flæʃ]

ⓝ 섬광, 불빛 **ⓥ** 번쩍이다　　**a flash of lightning** 번갯불

❖ I saw a sudden flash of light from the dark outside.

❖ I saw a flashing light across the cornfield.

18 fluid
[flúːid]

ⓝ 유동체, 액체　　**body fluid** 체액

The patient is not allowed to have solid food, only fluids.

19 impact
[ímpækt]

ⓝ 영향(력)　　**environmental impact** 환경의 영향

The impact of this new technology is hard to define.

20 laboratory
[lǽbərətɔ̀ːri]

ⓝ 실험실　　**laboratory mice** 실험용 쥐

There was a huge explosion at the chemical laboratory.

21 liquid
[líkwid]

ⓝ 액체 **ⓐ** 액체의　　**liquid soap** 액체 비누

❖ A substance takes the shape as a solid, gas or liquid.

❖ I prefer liquid detergent to powder detergent.

---

17 나는 어둑어둑한 밖에서 갑자기 한 줄기 빛을 보았다. / 옥수수밭 건너편에서 반짝거리는 불빛을 보았다. 18 그 환자는 고형 음식은 먹도록 허용이 안 되고 유동식만 된다. 19 이 신기술의 영향은 정의하기가 어렵다. 20 화학 실험실에서 큰 폭발이 일어났다. 21 물질은 고체, 기체, 또는 액체의 형태를 띤다. / 나는 가루 세제보다 액체 세제를 더 좋아한다.

22
☑ **melt**
[melt]

ⓥ 녹다, 녹이다　　　　　　　　**a melting point** 녹는점

Salt can be used to soften water and to melt snow.

23
☑ **mineral**
[mínərəl]

ⓝ 무기질　　　　　　　　**mineral water** 광천수

The water of this hot spring contains several minerals.

24
☑ **nuclear**
[njúːkliər]

ⓐ 핵의　　　　　　　**a nuclear power plant** 핵발전소

Energy production can be increased through nuclear power plants.

25
☑ **physical**
[fízikəl]

ⓝ physics 물리학

ⓐ 물질적인, 물리의, 자연의

　　　　　　　　physical properties 물리적 성격

Everything we experience is governed by physical laws.

26
☑ **oxygen**
[áksidʒən]

ⓝ 산소　　　　　　　　**an oxygen tank** 산소통, 산소탱크

Life could not have existed without oxygen on the Earth.

27
☑ **particle**
[páːrtikl]

ⓝ 입자, 알갱이　　　　　　**a dust particle** 먼지 입자

All substances consist of millions of different particles.

---

22 소금은 물을 부드럽게 하고 눈을 녹이는 데 사용될 수 있다. 23 이 온천물은 몇 가지 무기질 성분을 함유한다. 24 핵발
전소를 통해 에너지 생산을 증가시킬 수 있다. 25 우리가 경험하는 모든 것은 물리적 법칙에 의해 지배된다. 26 지구에 산
소가 없었다면 생명은 존재할 수 없었을 것이다. 27 모든 물질은 몇 백만 개의 다른 입자들로 구성된다.

28 ☑ **proportion**
[prəpɔ́:rʃən]

ⓝ 비율　　　　　　　　　**in proportion to** ~에 비례하여

The bird's eggs are very small in proportion to its size.

29 ☑ **solid**
[sɑ́lid]

ⓐ 고체의, 견고한　　　　**solid steel** 견고한 강철

When water freezes, it changes to its solid shape: ice.

30 ☑ **thermometer**
[θərmɑ́mitər]

ⓝ 온도계　　　　**a Celsius thermometer** 섭씨온도계

Several thermometers have been developed throughout history.

28 그 새의 알은 체구와 비교하면 매우 작다. 29 물이 얼면 고체 상태인 얼음으로 변한다. 30 역사를 통틀어 몇 가지 온도계들이 개발되었다.

Multi-Meaning Word

physical　　**ⓐ** 육체의
physical checkup 신체검사
ⓐ 물질의
the **physical** world 물질계
ⓐ 물리학(상)의
a **physical** experiment 물리 실험

EXERCISE

A 다음 영어는 우리말로, 우리말은 영어로 쓰시오.

01 proportion _____

02 laboratory _____

03 flash _____

04 impact _____

05 solid _____

06 물질적인, 물리의 _____

07 처리하다 _____

08 구성되다 _____

09 생물학 _____

10 발산하다 _____

B 다음 영어는 우리말로, 우리말은 영어로 쓰시오.

01 a nuclear power plant: _____

02 an atom of nitrogen: _____

03 body fluid: _____

04 산소통: a(n) _____ tank

05 섭씨온도계: a Celsius _____

06 광천수: _____ water

C 다음 빈칸에 들어갈 말을 고르시오. (필요하면 형태를 바꾸시오.)

| melt | combine | experiment | dispose | filter |

01 Be careful when you _____ of unneeded chemicals.
불필요한 화학 물질을 폐기할 때는 조심해.

02 We did several _____ to test the new battery.
우리는 새로운 배터리를 시험하기 위해 몇 가지의 시험을 했다.

03 Scientists _____ different chemicals to make new material.
과학자들은 여러 화학 물질을 결합하여 새로운 물질을 만든다.

04 Most substances _____ at a certain temperature.
대부분의 물질은 특정 온도에서 녹는다.

05 This device will _____ the dirt from water.
이 장치는 물에서 흙을 여과시킬 것이다.

Word Search

앞에서 배운 어휘를 기억하며 단어를 모두 찾아보세요.

N	E	R	Z	C	O	R	V	D	N	L	T	G	C	E
S	O	L	I	D	I	E	R	U	T	X	I	M	L	N
P	H	N	W	Y	F	A	V	B	F	L	C	C	O	F
L	A	I	R	E	T	A	M	T	I	D	I	I	I	Z
N	R	E	P	N	A	F	P	Q	L	T	Z	L	V	A
U	O	M	Y	Y	L	C	U	C	R	E	T	D	T	H
C	T	I	M	A	O	I	N	A	O	E	M	V	T	C
L	C	T	S	N	D	S	P	K	R	M	T	R	O	L
E	A	H	S	E	S	O	P	S	I	D	B	N	D	I
A	F	I	C	F	L	U	I	D	F	H	T	I	M	I
R	S	B	I	O	L	O	G	Y	K	A	X	P	N	N
T	O	X	Y	G	E	N	W	F	I	F	A	R	A	E
S	O	W	I	X	T	J	E	N	W	C	M	O	T	A
U	X	Q	H	F	Q	V	B	K	T	W	X	O	X	N

atom	biology	consist	contain
emit	factor	filter	flash
fluid	impact	material	melt
mixture	nuclear	oxygen	solid

Unit 22 Geography & Maps

---

01 globe
[gloub]

ⓐ global 전 세계의

ⓝ 지구, 구, 지구본　　　**around the globe** 전 세계에

His latest album is a huge hit all over the globe.

---

02 location
[loukéiʃən]

ⓥ locate 위치를 찾아내다,
위치를 ~에 정하다

ⓝ 위치　　　**a close location** 인접한 위치

Jack, help me find our location on the map.

---

03 resource
[ríːsɔːrs]

ⓐ resourceful
자원이 풍부한

ⓝ 자원　　　**natural resource** 천연자원
　　　human resource 인적자원

People are preparing for the time when natural resources begin to run out.

---

04 ash
[æʃ]

ⓝ 재, 화산재　　　**burn to ashes** 타서 재가 되다

The volcano ashes spread down to the village.

---

05 basis
[béisis]

ⓝ 기초, 토대　　　**on a regular basis** 정기적으로

The building has a very firm basis.

---

01 그의 새 앨범은 전 세계에서 크게 히트했다. 02 Jack, 지도에서 우리의 위치를 찾는 것을 좀 도와줘. 03 사람들은 천연자원이 부족해지기 시작할 때를 대비하고 있다. 04 화산재가 마을까지 퍼졌다. 05 건물은 매우 튼튼한 토대를 가지고 있다.

06 **breadth**
[bredθ]

ⓐ broad 폭이 넓은

ⓝ 나비, 폭   **the breadth of the river** 강의 폭

The land surveyor measured the breadth of the farm.

---

07 **channel**
[tʃǽnl]

ⓝ 해협   **the English Channel** 영국 해협

She tried to swim across the English Channel.

---

08 **coal**
[koul]

ⓝ 석탄   **a coal mine** 탄광

Coal used to be the most important type of fuel.

---

09 **copper**
[kápər]

ⓝ 구리   **copper wire** 구리선

This area is abundant in copper and gold.

---

10 **elevation**
[èləvéiʃən]

ⓥ elevate 올리다, 높이다

ⓝ 고도   **to an elevation of** ~의 높이까지

The elevation of this area is around 1,000 feet.

---

11 **geological**
[dʒìːəládʒikəl]

ⓝ geology 지질학

ⓐ 지질상의   **geological survey** 지질조사

This research will help explain the geological composition.

---

06 측량기사가 농장의 폭을 쟀다. 07 그녀는 영국 해협을 수영해서 횡단하려고 했다. 08 석탄은 한 때 가장 중요한 연료였다. 09 이 지역은 구리와 금 매장량이 풍부하다. 10 이 지역의 고도는 약 1,000피트이다. 11 이 조사는 지질학적 구성을 설명하는 데 도움을 줄 것이다.

12 **geometrical**
[dʒìːəmétrikəl]

ⓝ **geometry** 기하학

ⓐ 기하학적인   **a geometrical figure** 기하학적 도형

Scientists studied the geometrical structure of the pyramid.

---

13 **geography**
[dʒiːágrəfi]

ⓐ **geographic**
지리적인, 지리학의

ⓝ 지리, 지형, 지리학   **human geography** 인문 지리학

✤ This section contains information about Korean geography.

✤ My younger sister is busy doing her geography homework at this moment.

---

14 **gravel**
[grǽvəl]

ⓝ 자갈   **a gravel road** 자갈길

The bottom of the river was covered with gravel.

---

15 **horizon**
[həráizən]

ⓐ **horizontal**
수평의, 가로의

ⓝ 수평선, 지평선   **above the horizon** 수평선 위에

It's hard to see the land-horizon in a big city because there are a lot of tall buildings.

---

16 **iron**
[áiərn]

ⓝ 철   **the Iron Age** 철기시대
muscles of iron 무쇠 같은 근육

The iron and steel industry contributed to the Industrial Revolution.

---

12 과학자들은 피라미드의 기하학적 구조를 연구했다. 13 이 부분은 한국 지리에 관한 정보를 담고 있다. / 내 여동생은 지금 지리학 숙제를 하느라 바쁘다. 14 강바닥은 자갈로 뒤덮여 있었다. 15 대도시에는 큰 건물들이 많기 때문에 지평선을 보기가 어렵다. 16 철강 산업은 산업혁명에 기여했다.

17 ☑ **lava** [lávə]	**ⓝ** 용암	**a stream of lava** 용암류
		Lava bursts out of the volcano with an explosion.
18 ☑ **lead** [léd]	**ⓝ** 납, 흑연	**a lead pencil** 연필
		Lead is a harmful substance to the human body.
19 ☑ **magnet** [mǽgnit] ⓐ **magnetic** 자성이 있는	**ⓝ** 자석	**a horseshoe magnet** 말굽자석 **a natural[an artificial] magnet** 천연[인공]자석
		Whenever I visit foreign countries, I buy some fridge magnets for my family and friends.
20 ☑ **metal** [métl] ⓐ **metallic** 금속의, 금속성의	**ⓝ** 금속	**heavy metal** 중금속 **a metal detector** 금속 탐지기
		The shepherd made a metal fence to protect his sheep.
21 ☑ **peninsula** [pənínʃələ] ⓐ **peninsular** 반도의, 반도 모양의	**ⓝ** 반도	**the Korean Peninsula** 한반도
		The Korean Peninsula has been divided for over 50 years.

17 용암은 폭발과 함께 화산에서 분출된다. 18 납은 인체에 유해한 물질이다. 19 나는 외국을 방문할 때마다 가족과 친구들에게 줄 냉장고 자석을 조금 산다. 20 양치기는 양을 보호하려고 금속 울타리를 만들었다. 21 한반도는 50년 넘게 분단되어 있다.

22 petroleum
[pətróuliəm]

ⓝ 석유　　　　　　　　　　**a petroleum engine** 석유 엔진

The consumption of petroleum in Korea has increased greatly.

23 phase
[feiz]

ⓝ (변화, 발달의) 단계, 국면　　　**an early phase** 초기 단계

Much geographic change happened here in several phases.

24 refine
[rifáin]

ⓝ refinery 정제소, 정련소

ⓥ 다듬다, 정제하다　　　　　**refined salt** 정제염, 가는 소금

We need to refine minerals in order to use them.

25 remote
[rimóut]

ⓐ 먼, 먼 곳의　　　　　　　**a remote controller** 리모컨

I have wanted to study the wildlife of a remote island since I was a kid.

26 substance
[sʌ́bstəns]

ⓐ substantial 실질적인

ⓝ 물질, 본질, 실체　　　　　**a toxic substance** 독성 물질

We can determine the age of rocks by their substance.

27 territory
[térətɔ̀ːri]

ⓐ territorial 영토의

ⓝ 영토　　　　　　　　　　**Korean territory** 한국 영토

The plane was flying over enemy territory.

22 한국의 석유 소비는 크게 증가했다. 23 여기서 많은 지리학적 변화가 여러 단계에 걸쳐 일어났다. 24 광물을 사용하기 위해서는 정련해야 한다. 25 나는 어렸을 때부터 머나먼 섬의 야생 동물을 연구하고 싶어 했다. 26 우리는 돌의 구성 물질을 통해 연대를 파악할 수 있다. 27 비행기가 적국 영토 위로 날아가고 있었다.

28 steep
[sti:p]

ⓐ 가파른   **a steep slope** 가파른 경사

There was a steep drop in the oil price for a short while.

29 scope
[skoup]

ⓝ 범위   **the scope of science** 과학의 영역

The detailed report will vary in length and scope.

30 range
[reindʒ]

ⓝ 범위, 종류 ⓥ 범위를 정하다, 변화하다

short range 근거리, 좁은 폭

❧ I couldn't decide what to buy because there was a wide range of T-shirt designs.

❧ Tickets range in price from 40,000 won to 60,000 won.

---

28 잠시 동안 유가가 가파르게 감소했다.   29 세부적인 보고서는 그 길이와 범위가 다양할 것이다.   30 다양한 종류의 티셔츠 디자인이 있었기 때문에 나는 무엇을 살지 정할 수 없었다. / 티켓 가격은 4만원에서 6만원까지다.

Multi-Meaning Word

channel

ⓝ 수로
a river **channel** 강의 수로

ⓝ 경로, 루트
an information **channel** 정보 경로

ⓝ (방송) 채널
a cable TV **channel** 케이블 텔레비전 채널

EXERCISE

A 다음 영어는 우리말로, 우리말은 영어로 쓰시오.

01 elevation _____ 06 구리 _____

02 peninsula _____ 07 납, 흑연 _____

03 scope _____ 08 자갈 _____

04 petroleum _____ 09 지리, 지형 _____

05 magnet _____ 10 기하학적인 _____

B 다음 영어는 우리말로, 우리말은 영어로 쓰시오.

01 the English Channel: _____

02 burn to ashes: _____

03 around the globe: _____

04 정제염: _____ salt

05 독성 물질: a toxic _____

06 가파른 경사: a(n) _____ slope

C 다음 빈칸에 들어갈 말을 고르시오. (필요하면 형태를 바꾸시오.)

resource	iron	coal	gravel	remote

01 Our car drove over a _____ road.
우리 차는 자갈길 위를 달렸다.

02 _____ used to be a very important energy source.
석탄은 과거에 매우 중요한 에너지원이었다.

03 This area is abundant with _____.
이 지역은 철 자원이 풍부하다.

04 We must keep in mind that natural _____ are not infinite.
천연자원이 무한정 있는 것이 아니라는 것을 반드시 기억해야 한다.

05 They are researching plants from a _____ island.
그들은 멀리 떨어진 섬의 식물을 연구하고 있다.

Word Search

앞에서 배운 어휘를 기억하며 단어를 모두 찾아보세요.

정답

```
H  L  R  B  Q  D  X  P  N  Z  Y  G  S  S  M
G  T  E  E  F  I  B  E  O  B  T  D  C  A  E
R  A  D  V  M  O  C  E  I  Y  J  O  G  N  E
P  Z  O  A  A  O  T  T  T  V  P  N  I  I  B
K  W  Z  U  E  R  T  S  A  E  E  F  U  Q  O
E  G  N  A  R  R  G  E  C  T  E  Z  V  P  L
N  O  I  T  C  C  B  I  O  R  D  A  E  L  G
E  O  C  A  T  H  O  N  L  A  O  Q  J  P  Z
E  N  R  U  S  N  A  P  K  M  K  R  O  S  Y
O  Q  M  I  U  H  W  N  P  P  L  A  O  C  S
E  O  N  A  V  C  Q  J  N  E  H  M  V  I  K
D  D  C  K  V  J  F  D  V  E  R  A  S  L  D
L  A  T  E  M  A  D  S  J  U  L  A  S  C  H
M  X  K  R  R  U  L  P  Q  M  B  N  E  E  W
```

ash	basis	coal	copper
globe	iron	lava	lead
location	magnet	metal	phase
range	remote	scope	steep

Number & Shape

---

01 ☑ **cube**
[kju:b]

ⓐ cubic 세제곱의

ⓝ 정육면체, 세제곱   **1 cube meter** 1세제곱미터

Honey, do we have any sugar cubes for our coffee?

---

02 ☑ **divide**
[diváid]

ⓝ division
분할, 칸막이, 분류

ⓥ 나누다, 분할하다

How many pieces do we have to divide the pie into?

---

03 ☑ **equation**
[i(:)kwéiʃən]

ⓥ equate 같게 하다
ⓝ equator
(지구의) 적도, 주야 평분선

ⓝ 방정식

I tried to set up an equation to solve the problem.

---

04 ☑ **width**
[widθ]

ⓐ wide 넓은

ⓝ 폭, 넓이

The width of the river is too great to swim across.

---

05 ☑ **acre**
[éikər]

ⓝ 에이커 (면적의 단위), 토지   **timbered acre** 삼림지

One acre of land is roughly the same as 4,000m² of land.

---

01 여보, 커피에 넣을 각설탕 있어? 02 파이를 몇 조각으로 나눠야 하지? 03 문제를 풀려고 방정식을 세우려고 했어.
04 강의 폭이 너무 커서 수영해서 건널 수 없다. 05 1에이커의 땅은 4,000제곱미터와 거의 같다.

06 ☑ **calculation**
[kælkjəléiʃən]

ⓥ calculate 계산하다

ⓝ 계산(하기), 계산법 **a precise calculation** 정확한 계산

Be careful and check your calculations again.

---

07 ☑ **circular**
[sə́:rkjələr]

ⓐ 원형의 **a circular stair** 나선식 계단

I liked the circular shape of the new building.

---

08 ☑ **curve**
[kə:rv]

ⓝ 곡선, 굽음 **ⓥ** 구부리다 **a curve ball** (야구의) 변화구

✦ Lombard Street in San Francisco is famous for one block which has eight sharp curves.

✦ We can mathematically calculate the length of a curved road.

---

09 ☑ **diagram**
[dáiəgræm]

ⓝ 도형, 도표, 그림 **water cycle diagram** 물의 순환 도표

Problems can seem clearer through diagrams.

---

10 ☑ **diameter**
[daiǽmitər]

ⓝ semidiameter 반지름

ⓝ 지름 **diameter of the Earth** 지구의 지름

There was a big hole on the ground with a diameter of one meter.

---

11 ☑ **figure**
[fígjər]

ⓝ 숫자, 모양 **round in figure** 모양이 둥근

Inflation in Japan is 3%, while the German figure is over 4%.

---

06 신중을 기하고 계산을 다시 확인하도록 해라. 07 나는 새 건물의 둥근 형태가 마음에 들었다. 08 샌프란시스코의 롬바르드가는 8개의 급격한 커브가 있는 한 블록으로 유명하다. / 우리는 곡선 도로의 길이를 수학적으로 계산할 수 있다. 09 도표를 이용하면 문제가 보다 더 명확해 보일 수 있다. 10 땅에는 지름이 1m인 큰 구멍이 있었다. 11 일본의 인플레이션은 3%인 반면, 독일의 수치는 4%가 넘는다.

12 **formula**
[fɔ́:rmjələ]

ⓝ 공식

a chemical formula 화학 공식

One of the most famous formulas is probably $E=mc^2$.

13 **graph**
[græf]

ⓝ 그래프, 도식, 도표

a bar graph 막대그래프

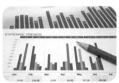

This graph shows the increased rate of production.

14 **lengthen**
[léŋkθən]

ⓥ 길게 하다, 늘이다

a lengthened stay 장기 체류

ⓝ length 길이

Shadows began to lengthen as the sun sank in the sky.

15 **majority**
[mədʒɔ́(:)rəti]

ⓝ 대부분, 과반수

a majority decision 과반수의 결정

A majority of people would think math is complicated.

16 **mathematics**
[mæ̀θəmǽtiks]

ⓝ 수학

pure mathematics 순수 수학

I wish to major in mathematics when I go to college.

17 **maximum**
[mǽksəməm]

ⓐ 최대의

maximum[minimum] speed 최대[최저] 속력

I wish to raise the maximum capacity of my server.

---

12 가장 유명한 공식 중 하나는 $E=mc^2$일 것이다. 13 이 그래프는 증가한 생산율을 보여준다. 14 그림자는 해가 지면서 길어지기 시작했다. 15 대부분의 사람들은 수학이 복잡하다고 생각할 것이다. 16 나는 대학에 가면 수학을 전공으로 하고 싶다. 17 내 서버의 최대 용량을 증가시키고 싶다.

18 multiply
[mʌ́ltəplài]

ⓐ multiple 복합의, 다수의

ⓥ 곱하다, 늘리다, 번식하다

multiply five by two 5에 2를 곱하다

❧ Students will learn to multiply in the second grade.

❧ Drinking too much alcohol multiplies the risk of high blood pressure and other health problems.

19 odd
[ad]

ⓐ 홀수의

an odd[even] number 홀[짝]수

An odd number is a number that cannot be divided by two.

20 parallel
[pǽrəlèl]

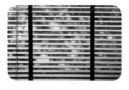

ⓐ 평행하는

a parallel line 평행선
parallel bars 평행봉

The two opposite sides of a square are always parallel.

21 pattern
[pǽtərn]

ⓝ 형태, 형식, 패턴

a floral pattern 꽃무늬

❧ Many mathematicians work to find certain patterns in numbers.

❧ I bought a tablecloth with polka dot patterns yesterday.

22 portion
[pɔ́:rʃən]

ⓝ 일부, 부문

a small portion 작은 일부분

The people found a way to divide the land into equal portions.

---

18 학생들은 2학년 때 곱하기를 배울 것이다. / 술을 너무 많이 마시는 것은 고혈압과 다른 건강 문제의 위험을 늘린다.
19 홀수는 2로 나뉘지 않는 숫자이다. 20 정사각형에서 마주보는 두 변은 항상 평행이다. 21 많은 수학자들은 숫자의 특정한 패턴을 발견하기 위해 노력한다. / 나는 어제 물방울무늬 식탁보를 샀다. 22 사람들은 땅을 같은 분량으로 나눌 방법을 찾아냈다.

23 □ principle
[prínsəpl]

ⓝ 원리, 원칙   **basic principles** 기본 원리

Every detail of mathematics is based on simple principles.

24 □ rectangle
[réktæŋgl]

ⓐ rectangular 직사각형의

ⓝ 직사각형   **a rectangle shape** 직사각형 모양

Unlike a square, the sides of a rectangle differ in length.

25 □ square
[skwɛər]

ⓐ 사각형의 **ⓝ** 사각형   **a square tile** 정사각형 타일

❖ It is not easy to see a perfect square in real life.

❖ I'd like to buy this triangular clock, not that square one.

26 □ statistics
[stətístiks]

ⓝ 통계, 통계학   **official statistics** 공식 통계

❖ They used the computer program to calculate the statistics.

❖ Statistics is my least favorite branch of mathematics.

27 □ straight
[streit]

ⓥ straighten 똑바르게 하다

ⓐ 곧은, 일직선의   **straight talk** 직언

Try to draw straight lines when you draw the triangle.

---

23 수학의 모든 세부사항은 간단한 원리를 기반으로 한다. 24 정사각형과는 달리, 직사각형은 네 변의 길이가 같지 않다. 25 실제 세계에서 완벽한 정사각형을 보기란 쉽지 않다. / 나는 저 사각형 시계 말고 이 삼각형 시계를 사고 싶어. 26 그들은 통계를 내기 위해 컴퓨터 프로그램을 사용했다. / 통계학은 내가 수학에서 가장 좋아하지 않는 부문이다. 27 삼각형을 그릴 때 직선을 긋도록 해라.

28 ☑ subtract
[səbtrǽkt]

ⓝ subtraction 뺄셈, 빼기

ⓥ 빼다　　　　　　　**add or subtract** 추가하거나 빼다

If you subtract 2 from 10, you are left with 8.

29 ☑ point
[pɔint]

ⓝ 뾰족한 끝, 점

the sharp point of a spear 창의 날카로운 끝

Place the sharp point of a compass at A and draw a circle.

30 ☑ triple
[trípəl]

ⓥ 세 배로 하다 **ⓐ** 삼중의　　　**a triple digit** 3자릿수 숫자

* We need to triple our efforts to meet the deadline.
* Let me have this triple-layered chocolate cake.

---

28 10에서 2를 빼면 8이 남는다. 29 컴퍼스의 뾰족한 끝을 A에 놓고 원을 그려라. 30 마감일을 맞추려면 일을 3배로 많이 해야 한다. / 이 3단 초콜릿 케이크 주세요.

Multi-Meaning Word

point

ⓝ 뾰족한 끝
the pencil **point** 연필 끝

ⓝ 점
a meeting **point** 만나는 지점

ⓝ 요점, 요지
have a **point** 일리가 있다

ⓝ 점수
score a **point** 득점하다

ⓥ 가리키다
point at a **vase** 꽃병을 가리키다

EXERCISE

A 다음 영어는 우리말로, 우리말은 영어로 쓰시오.

01 divide _____   06 그래프, 도식 _____

02 diagram _____   07 수학 _____

03 width _____   08 계산 _____

04 figure _____   09 직사각형 _____

05 majority _____   10 형태, 형식 _____

B 다음 영어는 우리말로, 우리말은 영어로 쓰시오.

01 a square tile: _____

02 straight talk: _____

03 a circular stair: _____

04 지구의 지름: _____ of the Earth

05 홀수: a(n) _____ number

06 최대 속력: _____ speed

C 다음 빈칸에 들어갈 말을 고르시오. (필요하면 형태를 바꾸시오.)

curve	formula	principle	equation	point

01 You can use this _____ to calculate the width of a square.
이 공식을 이용하면 사각형의 가로를 계산할 수 있다.

02 A triangle is a shape with three _____.
삼각형은 꼭짓점이 세 개 있는 도형이다.

03 Mathematics is based on simple _____.
수학은 간단한 원리를 근간으로 하고 있다.

04 Scientists develop _____ to find the principles of nature.
과학자들은 자연의 법칙을 발견하기 위해 방정식을 개발한다.

05 How can I calculate the length of this _____?
이 곡선의 길이를 어떻게 계산할 수 있습니까?

Word Search

앞에서 배운 어휘를 기억하며 단어를 모두 찾아보세요.

정답

M	O	C	N	K	H	O	M	I	N	H	E	R	S	E
I	A	S	Z	P	L	A	H	R	T	D	P	A	T	R
E	S	X	A	F	J	I	E	D	I	O	G	L	R	A
E	Y	R	I	O	Z	T	I	V	I	O	T	U	A	U
C	G	L	R	M	T	W	I	N	Z	D	B	C	I	Q
H	U	I	P	A	U	D	T	H	J	D	H	R	G	S
U	T	R	P	I	D	M	T	K	Q	K	Z	I	H	Y
Y	Q	S	V	E	T	T	R	I	P	L	E	C	T	H
H	E	E	R	E	K	L	F	O	R	M	U	L	A	E
N	O	I	T	R	O	P	U	J	D	J	C	A	R	P
X	J	K	P	Z	I	C	X	M	G	U	C	U	C	E
W	E	Q	U	A	T	I	O	N	B	R	G	B	U	B
U	T	L	I	N	G	E	N	E	E	I	X	E	K	F
A	S	M	C	E	E	O	R	L	F	Q	N	X	K	T

acre	circular	cube	curve
divide	equation	figure	formula
majority	maximum	odd	portion
square	straight	triple	width

Unit 24 Disease & Treatment

---

01 ☑ **fitness**
[fítnis]

ⓐ fit 알맞은, 건강한

ⓝ 적당, 타당성, 건강 **a fitness center** 헬스클럽, 피트니스 센터

Exercise is important for our physical fitness.

---

02 ☑ **immune**
[imjúːn]

ⓝ immunity 면역

ⓐ 면역의 **immune system** 면역체계

This shot will make us immune to the flu virus.

---

03 ☑ **infection**
[infékʃən]

ⓥ infect 감염시키다
ⓐ infectious
전염하는, 전염성의

ⓝ 감염

Apply this bandage on the wound to avoid infection.

---

04 ☑ **injection**
[indʒékʃən]

ⓥ inject 주입하다, 주사하다

ⓝ 주사 **a fuel injection system** 연료 주입 시스템

The medicine must be given by injection.

---

05 ☑ **paralysis**
[pərǽləsis]

ⓥ paralyze 마비시키다

ⓝ 마비 **paralysis of the body** 몸의 마비

The patient suffered from paralysis because of the disease.

---

01 운동은 신체 건강에 매우 중요하다. 02 이 주사는 독감 바이러스에 대한 면역성을 만들어 줄 것이다. 03 감염을 피하려면 이 반창고를 상처에 붙여라. 04 그 약물은 주사로 투여되어야 한다. 05 환자는 질병으로 인한 마비로 고통 받았다.

06 poisonous
[pɔ́izənəs]

ⓐ 유독한

ⓝ poison 독, 독물, 독약

a poisonous snake 독사

You must be careful not to eat poisonous mushrooms.

07 surgery
[sə́:rdʒəri]

ⓝ 수술

ⓝ surgeon 외과의사

plastic surgery 성형 수술

He's currently recovering from surgery on his right knee.

08 chronic
[kránik]

ⓐ 만성적인

a chronic disease 만성병
chronic fatigue syndrome 만성 피로 증후군

Dr. Hayes said that my symptoms seemed to be from chronic fatigue.

09 diabetes
[dàiəbí:tis]

ⓝ 당뇨병

have diabetes 당뇨병을 앓다

My father has been suffering from diabetes and high blood pressure for over 7 years.

10 dose
[dous]

ⓝ 1회분 ⓥ 투약하다

effective dose 유효량

❧ A single dose is enough to help you fall asleep.

❧ My mother dosed me up with aspirin before I went to bed.

06 독버섯을 먹지 않도록 조심해야 한다. 07 그는 현재 오른쪽 무릎 수술에서 회복 중이다. 08 Hayes 박사는 내 증상이 만성피로 때문인 것 같다고 말했다. 09 아버지는 7년 넘게 당뇨와 고혈압을 앓고 계신다. 10 1회분만 섭취해도 잠드는 데 도움이 될 것이다. / 어머니는 내가 자러 가기 전에 아스피린을 주셨다.

11 ☑ **drugstore**
[drʌ́gstɔ̀ːr]

ⓝ 약국　　　　　　　　　a local drugstore 인근의 약국

I went to get some cough syrup at the drugstore.

12 ☑ **epidemic**
[èpədémik]

ⓐ 전염성의, 유행의 ⓝ 전염병　　a flu epidemic 유행성 독감

⇨ He couldn't attend school because of his epidemic disease.

⇨ At least fifty people died in the last three months because of a flu epidemic.

13 ☑ **fatigue**
[fətíːg]

ⓝ 피로　　　　　　　　physical fatigue 육체적 피로

He's suffering from physical and mental fatigue.

14 ☑ **kidney**
[kídni]

ⓝ 신장, 콩팥　　　　　a kidney transplant 신장 이식

I had to receive surgery for kidney disease.

15 ☑ **nerve**
[nəːrv]

ⓐ **nervous** 신경의, 신경질의

ⓝ 신경　　　　　　　　a nerve cell 신경 세포

We are able to sense objects through nerves.

16 ☑ **neurological**
[njùərəládʒikəl]

ⓝ **neurology** 신경학

ⓐ 신경의, 신경학상의　neurological disorder 신경계 질환

She had a problem in her neurological system.

---

11 나는 기침약을 사러 약국에 갔다. 12 그는 전염병 때문에 학교에 가지 못했다. / 지난 석 달간 적어도 50명의 사람들이 유행성 독감 때문에 죽었다. 13 그는 육체적, 정신적 피로로 고생하고 있다. 14 나는 신장병 때문에 수술을 받아야 했다. 15 우리는 신경을 통해 사물을 느낄 수 있다. 16 그녀는 신경계에 문제가 있었다.

17 **physician**
[fizíʃən]

ⓝ 내과 의사   **consult a physician** 의사의 진찰을 받다

I took my son to a physician to treat his flu.

18 **pill**
[pil]

ⓝ 환약, 알약   **sleeping pills** 수면제

The pharmacist recommends you take
two pills a day.

19 **protein**
[próutiːin]

ⓝ 단백질   **vegetable protein** 식물성 단백질

Chicken breast is high in protein and low in fat,
and is good for dieting.

20 **pulse**
[pʌls]

ⓝ 맥박, 고동 ⓥ 맥이 뛰다, 고동치다   **a weak pulse** 약한 맥박

➡ He quickly checked the woman's pulse after
she fainted.

➡ Luke felt the blood pulsing through his veins.

21 **scar**
[skɑːr]

ⓐ **scar-faced**
얼굴에 흉터가 있는

ⓝ 상처 자국, 흉터   **leave a scar** 흉터를 남기다

She started to wonder where the man got his
scar.

22 **skull**
[skʌl]

ⓝ 두개골   **a human skull** 사람 두개골

Our skull is the last line of defense for our
brain.

---

17 나는 아들의 독감을 치료하기 위해 내과 의사에게 데려갔다. 18 약사는 하루에 두 알을 먹을 것을 권한다. 19 닭가
슴살은 고단백질과 저지방이며, 다이어트에 좋다. 20 그는 여자가 기절한 후 신속하게 그녀의 맥박을 확인했다. / Luke
는 피가 혈관을 따라 고동쳐 흐르는 것을 느꼈다. 21 그녀는 남자의 흉터가 어떻게 해서 생겼는지 궁금해 하기 시작했다.
22 두개골은 두뇌의 마지막 보호수단이다.

23 ☑ **sneeze**
[sniːz]

ⓥ 재채기하다   **coughing and sneezing** 기침과 재채기

Americans say, "Bless you!" when somebody sneezes.

24 ☑ **stroke**
[strouk]

ⓝ 뇌졸중, 발작   **have a stroke** 뇌졸중으로 쓰러지다

The woman called an ambulance when her husband had a stroke.

25 ☑ **syndrome**
[síndroum]

ⓝ 증상, 증후군   **Down's syndrome** 다운증후군

AIDS stands for acquired immune deficiency syndrome.

26 ☑ **therapy**
[θérəpi]

ⓝ therapist 치료사

ⓝ 치료, 요법   **aroma therapy** 향기요법, 아로마테라피

My sister once received therapy for her depression.

27 ☑ **tissue**
[tíʃuː]

ⓝ 직물, 조직   **muscular tissue** 근육조직

She went to the hospital to get treatment for her damaged tissues.

28 ☑ **vaccine**
[væksi(ː)n]

ⓝ 백신   **anti-virus vaccine** 항균 백신

The medical center offered free vaccines to elders.

---

23 미국인들은 누가 재채기를 하면 "신의 축복이 있기를!"이라고 한다. 24 남편이 뇌졸중으로 쓰러졌을 때 여자는 앰뷸런스를 불렀다. 25 에이즈는 후천성 면역 결핍증이라는 뜻이다. 26 우리 누나는 우울증 때문에 치료를 받은 적이 있다. 27 그녀는 손상된 조직을 치료하기 위해 병원에 갔다. 28 의료센터가 노인들에게 무료 백신을 제공했다.

29 ☑ transplant
[trænsplǽnt]

ⓥ 이식하다 **ⓝ** 이식(된 기관)   **a heart transplant** 심장 이식

❋ Your body may reject the transplanted kidney.

❋ His only hope of survival was to receive a heart transplant.

ⓝ transplantation
이식(수술)

30 ☑ prescribe
[priskráib]

ⓥ 처방하다   **prescribe drugs** 약을 처방하다

This medicine shouldn't be prescribed to the elderly.

ⓝ prescription
처방, 처방전

---

29 당신의 몸은 이식된 신장을 거부할 수도 있습니다. / 그가 살 수 있는 유일한 희망은 심장 이식을 받는 것이었다.
30 이 약은 노인들에게 처방되면 안 된다.

Multi-Meaning Word

tissue
　　　ⓝ 얇은 화장지
　　　a box of **tissues** 화장지 한 통

　　　ⓝ 직물, 얇은 천
　　　a blouse of a delicate **tissue** 부드러운 직물로 만든 블라우스

　　　ⓝ (세포) 조직
　　　muscle **tissue** 근육 조직

EXERCISE

Unit 24

A 다음 영어는 우리말로, 우리말은 영어로 쓰시오.

01 drugstore	_____	06 마비	_____
02 physician	_____	07 신장	_____
03 diabetes	_____	08 맥박	_____
04 infection	_____	09 처방하다	_____
05 surgery	_____	10 유독한	_____

B 다음 영어는 우리말로, 우리말은 영어로 쓰시오.

01 a heart transplant: _____

02 vegetable protein: _____

03 neurological disorder: _____

04 면역체계: _____ system

05 만성병: a(n) _____ disease

06 유행성 독감: a flu _____

C 다음 빈칸에 들어갈 말을 고르시오. (필요하면 형태를 바꾸시오.)

fatigue	fitness	injection	pill	therapy

01 Chronic _____ is one of the symptoms of this disease.
만성 피로는 이 질병의 증상 중 하나이다.

02 My father carries _____ for his heart disease.
아버지는 심장병 알약을 가지고 다니신다.

03 The clinic provides a special _____ for back pains.
클리닉에서는 허리 통증을 위한 특별 치료법을 제공한다.

04 I exercise to maintain good physical _____.
나는 좋은 건강상태를 유지하기 위해 운동을 한다.

05 I got better after I got a(n) _____ at the hospital.
병원에서 주사를 맞은 후 병이 나았다.

Word Search

앞에서 배운 어휘를 기억하며 단어를 모두 찾아보세요.

정답

E	O	F	N	S	V	S	Y	L	V	P	N	E	E	D
V	X	R	O	M	E	I	I	X	Z	I	S	U	N	Y
R	N	X	I	Q	I	T	E	S	E	T	W	S	I	P
E	L	L	T	J	B	W	E	T	Y	O	H	S	C	A
N	T	R	C	Q	M	A	O	B	N	L	O	I	C	R
P	B	O	E	H	H	R	Z	F	A	C	A	T	A	E
S	U	Z	F	W	P	L	Z	O	U	I	Z	R	V	H
C	U	M	N	S	S	E	N	T	I	F	D	F	A	T
L	I	R	I	E	N	U	M	M	I	C	P	A	E	P
P	L	N	G	P	V	Y	E	N	D	I	K	T	K	E
I	T	U	O	E	S	N	E	E	Z	E	P	I	O	S
L	X	K	K	R	R	P	N	B	F	S	V	G	R	L
L	O	Z	A	S	H	Y	R	A	C	S	O	U	T	U
O	N	Z	F	H	N	C	R	H	T	H	E	E	S	P

diabetes	fatigue	fitness	immune
infection	kidney	nerve	pill
protein	pulse	scar	skull
sneeze	surgery	therapy	vaccine

Word Mapping

앞에서 배운 어휘를 기억하며 빈칸을 채워 보세요.

정답

_____ 현상

_____ 습기, 수분

_____ 호흡의

_____ 오염시키다

_____ 비옥한

_____ 진화하다, 전개하다

_____ 포유류

_____ 익은

Environment & Climate
환경과 기후

Nature & Ecosystem
자연과 생태

Nature and Science
자연과 과학

Science
과학

Geography & Number
지리와 숫자

_____ 발명하다

_____ 중력

_____ 발산하다, 방출하다

_____ 산소

_____ 영토

_____ 위치

_____ 나누다, 분할하다

_____ 세 배로 하다

Chapter
05

Politics and Economics

Unit 25 Law & Crime

---

01 ☑ **accuse**
[əkjúːz]

ⓥ 고발하다, 고소하다　　　　　　　　**the accused** 피고

accuse A of B A를 B의 죄목으로 고소하다

Are you accusing her of stealing money from the church?

---

02 ☑ **demonstrate**
[démənstrèit]

ⓝ **demonstration**
증명, 시범, 시위

ⓥ 증명하다, 시위하다

Jack had to demonstrate his innocence to the police.

---

03 ☑ **detective**
[ditéktiv]

ⓥ **detect** 발견하다, 탐지하다

ⓝ 탐정, 형사　　　　　　　　**a private detective** 사립 탐정

The detectives were at the crime scene.

---

04 ☑ **guilt**
[gilt]

ⓐ **guilty** 유죄의

ⓝ 죄, 유죄　　　　　　　　**feeling of guilt** 죄책감, 죄의식

He has no feeling of guilt about committing crimes.

---

05 ☑ **imprison**
[impríz∂n]

ⓝ **imprisonment** 투옥

ⓥ 감옥에 넣다　　　　　　　　**imprison a criminal** 범죄자를 투옥하다

Thirty years ago, the old man had been imprisoned for theft.

---

01 그녀가 교회에서 돈을 훔친 것을 고소할 거니?　02 Jack은 경찰에게 자신의 무죄를 증명해야 했다.　03 형사들이 범죄현장에 있었다.　04 그는 범죄를 저지른 것에 대한 죄의식이 없다.　05 노인은 30년 전에 절도혐의로 투옥되었다.

06 innocent
[ínəsnt]

ⓝ innocence 결백, 무죄

ⓐ 무죄의, 결백한   **innocent as a lamb** 죄가 없는

I'm so glad that Helen proved to be innocent.

07 arrest
[ərést]

ⓥ 체포하다, 검거하다 ⓝ 체포, 검거

     under arrest 체포되어, 구금 중인

❖ The police caught the criminal and arrested her.

❖ She couldn't go to New York because she was under house arrest.

08 burglar
[bə́:rglər]

ⓝ 강도, 빈집털이   **burglar alarm** 도난경보

The thief accidentally set off the burglar alarm.

09 case
[keis]

ⓝ 사건, 사례   **solve a case** 사건을 해결하다

He was imprisoned after the court case was over.

10 clue
[kluː]

ⓝ 단서   **leave a clue** 단서를 남기다

The inspector found an important clue at the crime scene.

11 defense
[diféns]

ⓝ defendant 피고

ⓝ 방어, 변론, 변호   **national defense** 국방

His actions were accepted as self-defense.

---

06 Helen이 결백하다는 것을 증명할 수 있어서 참 다행이다. 07 경찰이 범인을 잡아 체포했다. / 그녀는 가택연금 상태였기 때문에 뉴욕에 갈 수 없었다. 08 도둑이 실수로 도난경보기를 작동시켰다. 09 그는 법적 소송이 끝나고 수감되었다. 10 형사가 범죄현장에서 중요한 단서를 발견했다. 11 그의 행동은 자기방어로 받아들여졌다.

12 sentence
[séntəns]

Ⓥ 판결을 내리다, 형을 선고하다 Ⓝ 판결, 선고

reduce a sentence 감형하다
be sentenced to death 사형 선고를 받다

⟐ Wesley was sentenced to three years in prison on tax evasion.

⟐ The court passed life sentence on the murderer.

13 disorder
[disɔ́:rdər]

Ⓐ disorderly 무질서한

Ⓝ 무질서, 고장, 장애　　**public disorder** 공공질서 파괴 행동

The officials tried their best to prevent social disorder.

14 enforce
[enfɔ́:rs]

Ⓝ enforcement 시행

Ⓥ (법률을) 실시하다, 집행하다　　**enforce a law** 법을 집행하다

The new law is planned to be enforced in two years.

15 fine
[fain]

Ⓝ 벌금 Ⓥ 벌금을 물리다　　**a parking fine** 주차 위반 벌금

⟐ Seth was ordered to pay a $100 fine for violating a traffic regulation.

⟐ The woman was fined for driving above the speed limit.

16 investigation
[invèstəgéiʃən]

Ⓥ investigate 수사하다

Ⓝ 수사, 조사　　**criminal investigation** 범죄 수사

They found another related organization during the investigation.

12 Wesley는 탈세에 대해 3년형의 선고를 받았다. / 법정은 살인범에게 종신형을 선고했다. 13 관료들이 사회적 혼란을 막기 위해 온 힘을 다했다. 14 새로운 법이 2년 후에 시행될 계획이다. 15 Seth는 교통 법규를 어겨서 벌금 100달러를 내라고 명령받았다. / 여자는 제한속도를 어기고 운전해서 벌금을 물었다. 16 그들은 수사 중에 연루된 다른 조직을 발견했다.

17 jail
[dʒeil]

ⓝ 감옥 **ⓥ** 투옥하다   **break out of jail** 탈옥하다

❖ Fred was sent to jail for theft.

❖ Harold has been jailed for three years after being found guilty for taking bribes.

18 jury
[dʒúəri]

ⓝ 배심원   **jury duty** 배심원으로서의 의무

The jury found the man guilty.

19 justice
[dʒʌstis]

ⓝ 정의, 사법   **the Minister of Justice** 법무부 장관

I wish to be a policeman and fight for social justice.

20 kidnap
[kídnæp]

ⓝ kidnapping 납치

ⓥ 납치하다   **kidnap a child** 아이를 유괴하다

A witness saw the woman kidnap the little boy.

21 lawful
[lɔ́ːfəl]

ⓐ 합법의   **the lawful owner** 법적 소유자

They argued that the contract was lawful and effective.

22 lawsuit
[lɔ́ːsùːt]

ⓝ 소송

     lawsuit against the government 정부에 대한 소송

We can win the lawsuit against the tobacco company.

---

17 Fred는 도둑질해서 감옥에 갔다. / Harold는 뇌물 수수로 유죄가 인정되어 3년째 수감 중이다. 18 배심원은 남자가 유죄라는 결정을 내렸다. 19 나는 경찰관이 되어 사회 정의를 위해 싸우고 싶다. 20 증인은 여자가 남자 아이를 유괴하는 장면을 목격했다. 21 그들은 계약서가 합법적이었고 효력이 있다고 주장했다. 22 우리는 담배회사와의 소송에서 이길 수 있다.

23 legal
[líɡəl]

ⓝ legality 합법, 적법
ⓥ legalize 합법화하다

ⓐ 합법적인

a legal adviser 법률 고문

It's not legal in America to drink if you are under 21.

---

24 penalty
[pénəlti]

ⓐ penal 형벌의, 처벌해야 할

ⓝ 벌

the death penalty 사형

Some people think the death penalty cannot be justified.

---

25 prisoner
[príznər]

ⓝ 죄수, 포로

prisoners of war 전쟁 포로들

The army attacked the enemy camp to free all the prisoners.

---

26 unfair
[ʌ̀nfέər]

ⓝ unfairness 불공평

ⓐ 불공평한

an unfair trade 불공정 거래

I will not allow such unfair conduct in this state.

---

27 sue
[suː]

ⓥ 고소하다

sue for ~에 대해 소송을 걸다

This document can prevent the company from suing you.

---

23 미국에서는 21세 미만이 술을 마시는 것이 불법이다. 24 어떤 사람들은 사형이 정당화될 수 없다고 생각한다. 25 군대는 모든 포로를 구하기 위해 적지를 공격했다. 26 나는 이 주에서 이렇게 불공평한 행위는 허용하지 않겠다. 27 이 문서는 회사가 당신에게 소송을 거는 것을 막을 수 있습니다.

28 **victim**
[víktim]
v victimize 희생시키다

n 희생자, 피해자　　　　　**a victim of murder** 피살자

The victim of the accident died on the scene.

29 **violate**
[váiəlèit]
n violation 위반

v 위반하다　　　　　**violate the law** 법을 위반하다

He tried not to violate any law that was being enforced.

30 **witness**
[wítnis]

n 목격자, 증인 **v** 목격하다

a key witness 해결의 열쇠를 제공하는 증인

❖ In court, the witness said that the victim was a woman.

❖ I was the only one who witnessed yesterday's accident.

28 사고 피해자는 현장에서 사망했다. 29 그는 시행 중인 법률에 어긋나지 않기 위해 노력했다. 30 목격자는 법정에서 희생자가 여자라고 말했다. / 나는 어제의 사건을 목격한 유일한 사람이었다.

Multi-Meaning Word

fine

a 화창한
fine weather 화창한 날씨

a (낱알이) 고운
fine sand 고운 모래

a 가는, 늘씬한
a fine thread 가는 실

n 벌금
pay a fine 벌금을 내다

EXERCISE

A 다음 영어는 우리말로, 우리말은 영어로 쓰시오.

01 guilt _____

02 case _____

03 kidnap _____

04 clue _____

05 victim _____

06 위반하다 _____

07 실시하다, 집행하다 _____

08 수사, 조사 _____

09 목격자, 증인 _____

10 무질서, 고장 _____

B 다음 영어는 우리말로, 우리말은 영어로 쓰시오.

01 under arrest: _____

02 imprison a criminal: _____

03 jury duty: _____

04 전쟁 포로들: _____ of war

05 사립 탐정: a private _____

06 법률 고문: a(n) _____ adviser

C 다음 빈칸에 들어갈 말을 고르시오. (필요하면 형태를 바꾸시오.)

| defense | jail | sue | fine | justice |

01 The man was sentenced to _____ for stealing.
남자는 절도혐의로 징역형에 처해졌다.

02 The customer will _____ the dry cleaner's for losing his suit.
그 손님은 세탁소가 자신의 정장을 잃어버린 것에 대해 소송을 제기할 것이다.

03 The police brought the criminals to _____ .
경찰은 범인을 재판하여 처벌받도록 했다.

04 The lawyer prepared her _____ thoroughly.
변호사는 변론을 철저하게 준비했다.

05 I had to pay a _____ of 50,000 won.
나는 벌금으로 50,000원을 내야 했다.

Word Search

앞에서 배운 어휘를 기억하며 단어를 모두 찾아보세요.

정답

V	C	C	Y	R	A	I	G	A	K	R	E	V	E	A
T	C	R	S	A	P	T	W	H	I	C	N	I	U	L
X	U	D	F	L	O	A	S	A	R	C	J	C	S	N
J	U	I	R	G	X	V	F	O	Z	L	M	T	V	N
S	F	S	M	R	F	N	F	C	J	F	I	I	E	V
A	P	E	J	U	U	N	E	E	T	H	A	M	C	K
Z	I	U	A	B	E	Y	T	L	A	N	E	P	I	I
E	S	N	E	F	E	D	E	T	Q	S	X	L	T	D
L	H	C	N	H	G	R	A	T	S	N	I	I	S	N
A	O	B	A	U	C	C	L	V	A	E	P	A	U	A
W	H	X	I	S	C	V	A	T	Z	L	R	J	J	P
F	T	L	K	U	E	B	G	K	M	R	O	R	A	H
U	T	U	S	B	V	B	E	C	L	U	E	I	A	D
L	I	E	O	P	T	D	L	N	F	I	N	E	V	X

accuse	burglar	case	clue
defense	enforce	fine	guilt
jail	jury	kidnap	lawful
legal	penalty	sue	victim

Unit 26 Administration & Organization

---

01 administer
[ædmínəstər]
ⓝ administration
관리, 행정

ⓥ 관리하다, 집행하다　　**administer justice** 법을 집행하다

My job is to administer workers in the factory.

---

02 collective
[kəléktiv]
ⓥ collect 모으다, 수집하다

ⓐ 집단적인　　　　　　**a collective action** 집단행동

It's not easy to make a collective decision.

---

03 conference
[kánfərəns]
ⓥ confer 수여하다, 회의하다

ⓝ 회의　　　　　　　**a press conference** 기자 회견

The government held a conference about the issue.

---

04 cooperative
[kouápərèitiv]
ⓥ cooperate 협력하다
ⓝ cooperation 협조

ⓐ 협조적인　　　　**cooperative relations** 협력적인 관계

Our company is preparing a cooperative project with the government.

---

05 declare
[diklέər]
ⓝ declaration 선언

ⓥ 선언하다

　　　　declare for[against] ~에 찬성을[반대를] 선언하다

The United States declared war against Germany in April of 1917.

---

01 내 일은 공장에서 직원들을 관리하는 것이다. 02 공동의 결정을 내리기는 쉽지 않다. 03 이 사안에 대해 정부가 회의를 했다. 04 우리 회사는 정부와 협력 사업을 준비하고 있다. 05 미국은 1917년 4월 독일과의 전쟁을 선언했다.

06 prohibit
[prouhíbit]

n prohibition 금기

v 금지하다　　**prohibit A from B** A가 B하는 것을 금지하다

It is prohibited in most countries to sell alcohol to teenagers.

07 agency
[éidʒənsi]

n (정부) 기관, 대리점　　**a public agency** 공공기관

Government agencies are trying to solve this problem.

08 ban
[bæn]

v 금지하다 **n** 금지　　**place A under a ban** A를 금지하다

❋ In 1979, female singers were banned from performing publicly.

❋ The selling of drugs is under a ban in Korea.

09 bureau
[bjúərou]

n (관청의) 국, 과

Federal Bureau of Investigation 미국 연방 수사국(FBI)

A bureau of information was organized in the public library.

10 civil
[sívəl]

a 시민의, 문명의　　**civil rights** 시민권, 인권

My father retired from his job as a civil servant at 61.

11 democracy
[dimάkrəsi]

a democratic 민주적인

n 민주주의　　**liberal democracy** 자유 민주주의

Voting is the flower of democracy.

---

06 대부분의 나라에서 미성년자에게 술을 파는 것이 금지되어 있다. 07 정부 기관들이 이 문제를 풀기 위해 노력하고 있다. 08 1979년에는 여성 가수들이 공개적으로 공연하는 것이 금지되었다. / 마약 판매는 한국에서 금지되어 있다. 09 공공 도서관에 안내소가 세워졌다. 10 아버지는 61세에 공무원직에서 퇴직하셨다. 11 투표는 민주주의의 꽃이다.

12 duty
[djúːti]

ⓐ dutiful 의무를 다하는

ⓝ 의무, 임무, 관세   **a duty-free item** 면세품

✤ It is our duty to preserve our cultural heritage.

✤ The duty on cigarettes has been increased in the first half of the year.

13 executive
[igzékjətiv]

ⓥ execute
실행하다, 집행하다

ⓐ 집행력이 있는, 행정의 **ⓝ** 간부, 관리직

       an executive committee 실행 위원회

✤ In any case, the governor has executive power.

✤ James has been a marketing executive at NBC since 2000.

14 government
[gʌ́vər(n)mənt]

ⓥ govern 통치하다

ⓝ 정부, 정치   **government officials** 정부 관리

The government officials rejected the farmers' view.

15 local
[lóukəl]

ⓐ 지방의   **a local community** 지역사회

The local doctor was called for in the middle of the night.

16 observance
[əbzə́ːrvəns]

ⓥ observe
준수하다, 관찰하다

ⓝ 준수, 의식

       the observance of human rights 인권 준수

They insisted on the strict observance of Islamic law.

---

12 우리의 문화유산을 보존하는 것은 우리의 의무다. / 상반기에 담뱃세가 인상되었다. 13 주지사는 어떤 경우든 집행권을 갖고 있다. / James는 2000년부터 NBC의 마케팅 이사이다. 14 정부 관리들은 농민들의 견해를 거절했다. 15 지방 의사는 한밤중에 부름을 받았다. 16 그들은 이슬람법의 엄격한 준수를 주장했다.

17 welfare
[wélfɛər]

ⓝ 복지

child welfare 아동복지

Our organization is concerned with the welfare of elders.

18 officer
[ɔ́(:)fisər]

ⓝ 장교, 공무원, 관리

chief executive officer 최고 경영 책임자 〈CEO〉

The officers rode in a jeep while the soldiers marched.

19 organization
[ɔ̀:rgənəzéiʃən]

ⓥ organize 조직하다

ⓝ 조직, 기구

international organization 국제기구

I'm prepared to work at international organizations such as the UN.

20 policy
[páləsi]

ⓐ politic 정책적인, 현명한

ⓝ 정책, 방침

an economic policy 경제 정책

Leaving work unfinished is against our company policy.

21 Congress
[káŋgris]

ⓝ 미국 의회

a member of Congress 국회의원

The equality bill was passed by the United States Congress.

22 preparation
[prèpəréiʃən]

ⓥ prepare 준비하다

ⓝ 준비, 예비

advance preparation 사전 대비

The preparations for the election campaign went well.

---

17 우리 단체는 노인 복지에 관심이 있다. 18 병사들이 행군하는 동안 장교들은 지프차를 탔다. 19 나는 UN 같은 국제기구에서 일할 준비가 됐다. 20 일을 미완성인 채로 놔두는 것은 우리 회사 방침에 어긋난다. 21 평등법은 미국 의회를 통과했다. 22 선거활동 준비는 순조로웠다.

23 ambassador
[æmbǽsədər]

ⓝ ambassadorship
대사 자격, 대사 신분

ⓝ 대사, 대표, 사절

the American ambassador to Korea 주한 미국 대사

In the next month, the two countries are to exchange ambassadors.

---

24 proclaim
[proukléim]

ⓝ proclamation
선언, 포고

ⓥ 공포하다, 선언하다   proclaim a strike 파업을 선언하다

The king proclaimed that the war was over.

---

25 province
[právins]

ⓝ 시골, 주(州), 도(道)   population by provinces 도별 인구

The prince owned a small province near the capital.

---

26 public
[pʌ́blik]

ⓝ publicity
널리 알려짐, 선전

ⓐ 일반 국민의, 공공의 **ⓝ** 대중, 국민   public opinion 여론

public school 공립학교

✹ You can borrow books for free at the public library.

✹ The Museum of Modern Art in San Francisco is now open to the public.

---

27 regional
[ríːdʒənəl]

ⓝ region 지역

ⓐ 지역적인   a regional accent 지역 사투리

This program can only be seen on the regional broadcast.

---

23 다음 달에 두 나라는 대사를 교환할 예정이다. 24 왕은 전쟁이 끝났음을 선언했다. 25 왕자는 수도 근처의 작은 주를 소유했다. 26 공공 도서관에서 책을 무료로 빌릴 수 있다. / 샌프란시스코에 있는 현대미술관은 이제 대중에게 개방되었다. 27 이 프로그램은 지역 방송에서만 볼 수 있다.

---

28 ☑ **regulation**
[règjəléiʃən]

ⓥ **regulate**
규정하다, 조절하다

ⓝ 규정, 규칙　　**rules and regulation** 규약, 규례

The government loosened the regulations on international trade.

---

29 ☑ **restriction**
[ristríkʃən]

ⓥ **restrict** 제한하다

ⓝ 제한, 제약, 구속　　**parking restrictions** 주차 제한 규정

There are too many restrictions in this company.

---

30 ☑ **council**
[káunsəl]

ⓝ 회의, 지방 의회　　**the Council of Europe** 유럽 회의

Amy is running for city council in the fall elections.

---

28 정부는 국제 무역에 대한 규정들을 완화했다. 29 이 회사는 제약이 너무 많다. 30 Amy는 가을 선거에서 시의회에 출마할 예정이다.

Multi-Meaning Word

public

ⓐ 공중의
public welfare 공공복지

ⓐ 공개의
a **public** debate 공개 토론회

ⓐ 공적인, 공무의
a **public** official[officer] 공무원, 관리

ⓝ 공중, 국민
the general **public** 일반 대중

EXERCISE

A 다음 영어는 우리말로, 우리말은 영어로 쓰시오.

01 declare _____   06 관리하다 _____

02 ambassador _____   07 정책, 방침 _____

03 preparation _____   08 제한, 제약, 구속 _____

04 proclaim _____   09 금지(하다) _____

05 regional _____   10 의무, 관세 _____

B 다음 영어는 우리말로, 우리말은 영어로 쓰시오.

01 a collective action: _____

02 a public agency: _____

03 liberal democracy: _____

04 기자 회견: a press _____

05 (미국) 국회의원: a member of _____

06 여론: _____ opinion

C 다음 빈칸에 들어갈 말을 고르시오. (필요하면 형태를 바꾸시오.)

| cooperative | civil | organization | executive | welfare |

01 This policy is to elevate the level of people's _____.
이 정책은 복지 수준을 향상시키기 위한 것이다.

02 Our forefathers fought for their _____ rights.
우리 선조들은 그들의 인권을 위해 싸웠다.

03 We are a non-government _____.
우리는 비정부단체이다.

04 The people were _____ to the officials.
사람들은 정부 관계자들에게 협조적이었다.

05 I have to prepare a report for the _____.
나는 간부들을 위한 보고서를 준비해야 한다.

⌕ Word Search

앞에서 배운 어휘를 기억하며 단어를 모두 찾아보세요.

정답

P	C	R	Q	H	C	C	C	K	A	E	D	H	Q	P
H	R	E	E	I	L	O	I	D	F	X	E	R	A	R
R	F	O	L	C	N	T	M	V	W	E	C	Q	M	O
X	E	B	V	G	I	I	B	E	U	C	L	S	O	H
W	U	S	R	I	N	F	L	A	H	U	A	F	N	I
P	G	E	T	I	N	F	F	X	N	T	R	I	I	B
K	S	V	S	R	A	C	C	O	T	I	E	X	A	I
S	G	T	O	R	I	V	E	O	A	V	F	H	G	T
G	E	L	E	I	B	C	T	Q	U	E	V	P	E	J
R	B	U	R	E	A	U	T	L	T	N	B	P	N	C
P	R	O	C	L	A	I	M	I	X	G	C	B	C	O
L	A	N	O	I	G	E	R	E	O	B	J	I	Y	W
Y	C	I	L	O	P	Y	T	U	D	N	T	X	L	C
L	O	C	A	L	L	I	V	I	C	C	D	W	E	G

agency   ban   bureau   civil

congress   council   declare   duty

executive local   policy   proclaim

prohibit   province   public   welfare

Unit 27

Nation & Politics

---

01 ☑ **colony**
[káləni]

ⓐ colonial 식민의

ⓝ 식민지　　　　**a British colony** 영국의 식민지

Stronger nations had made weaker nations their colonies in the past.

---

02 ☑ **diplomatic**
[dìpləmǽtik]

ⓝ diplomat 외교관

ⓐ 외교의

Trade will start again after diplomatic issues are resolved.

---

03 ☑ **relation**
[riléiʃən]

ⓥ relate 관계시키다

ⓝ 관계　　　　**have relation to** ~와 관계가 있다

The employer is trying to improve the relations with the workers.

---

04 ☑ **barrier**
[bǽriər]

ⓝ 장벽, 장애　　　　**a trade barrier** 무역 장벽

The police installed a barrier on the road to catch the car thief.

---

05 ☑ **representative**
[rèprizéntətiv]

ⓥ represent
대표하다, 표시하다

ⓝ representation
대표, 표시

ⓝ 대표자, 대행자　**a union representative** 노동조합 대표자

Japan has refused to send a representative to the talks in Geneva.

---

01 강한 나라들은 과거에 약한 나라들을 식민지로 만들었다.　02 외교적인 문제가 해결되면 무역이 다시 시작될 것이다.
03 고용주는 노동자들과의 관계를 개선하려고 노력한다.　04 경찰은 자동차 절도범을 잡으려고 도로에 장벽을 설치했다.
05 일본은 제네바 회담에 대표자를 보낼 것을 거부했다.

06 ☑ boundary
[báundəri]

ⓝ 경계   **the boundary between** ~사이의 경계

This river marks the boundary between his property and mine.

07 ☑ campaign
[kæmpéin]

ⓝ (조직적인) 운동, 선거 운동

the election campaign 선거 운동

The students started a campaign to help endangered animals.

08 ☑ candidate
[kǽndədèit]

ⓝ 후보자   **support a candidate** 후보자를 지지하다

People criticized the candidate for his lack of experience.

09 ☑ dominate
[dάmənèit]

ⓐ dominant
지배적인, 유력한

ⓥ 지배하다   **dominate the market** 시장을 지배하다

The Europeans dominated Africa during the 19th century.

10 ☑ embassy
[émbəsi]

ⓝ 대사관   **the Korean embassy** 한국 대사관

There are many protesters in front of the American embassy.

11 ☑ empire
[émpaiər]

ⓐ imperial 제국의

ⓝ 제국   **colonial empire** 식민 제국

The Roman Empire conquered many parts of Europe during its peak.

06 이 강은 그와 나의 소유지 경계를 표시한다. 07 학생들은 멸종 위기에 처한 동물을 돕기 위한 운동을 시작했다. 08 사람들은 그 후보자의 경험 부족을 비난했다. 09 유럽인들은 19세기에 아프리카를 지배했다. 10 미국 대사관 앞에 시위자가 많이 있다. 11 로마 제국은 전성기에 유럽의 많은 지역을 지배했다.

12 poll
[poul]

ⓝ 투표 (결과), 여론 조사

public opinion poll 여론 투표, 여론 조사

According to the polls, a huge majority of citizens oppose the bill.

---

13 formal
[fɔ́:rməl]

ⓐ 공식적인, 격식을 차리는　**a formal meeting** 공식 회의

The ambassadors exchanged formal greetings before the meeting.

---

14 globalization
[glòubəlizéiʃən]

ⓐ global 세계적인
ⓥ globalize 세계화하다

ⓝ 세계화　**the globalization trend** 세계화 추세

The influence of globalization can be seen everywhere.

---

15 immigrant
[ímigrənt]

ⓥ immigrate 이주하다

ⓝ 이민, 이주자　**an illegal immigrant** 불법 체류자

Harry's parents are immigrants from South Korea.

---

16 independence
[ìndipéndəns]

ⓐ independent 독립적인

ⓝ 독립　**political independence** 정치적 독립

Korea gained independence from Japan in 1945.

---

17 international
[ìntərnǽʃənəl]

ⓐ 국제상의, 국제적인　**international trade** 국제 무역

We called for an international agreement on climate change.

---

12 여론 조사에 따르면 시민 대다수는 그 법안에 반대한다. 13 대사들은 회의 전에 공식적인 인사를 나누었다. 14 모든 곳에서 세계화의 영향을 볼 수 있다. 15 Harry의 부모님은 대한민국에서 온 이민자이다. 16 한국은 1945년에 일본으로부터 독립을 쟁취했다. 17 우리는 기후 변화에 관한 국제 협약을 요구했다.

18 ☑ **mass** [mæs]	ⓝ 대중 ⓐ 대중의, 대량의 **mass society** 대중 사회 Mass production caused his business to go bankrupt.
19 ☑ **mutual** [mjúːtʃuəl] ⓝ mutuality 상호 관계	ⓐ 서로의, 상호의 **a mutual friend** 서로 공통의 친구 We have strong mutual feelings for each other.
20 ☑ **diplomacy** [diplóuməsi] ⓐ diplomatic 외교의	ⓝ 외교, 외교술 **international diplomacy** 국제 외교 People hope to end the conflict through diplomacy rather than force.
21 ☑ **party** [páːrti]	ⓝ 모임, 정당 **a third party** 제3자 Both of the political parties have the same views on the issue.
22 ☑ **patriot** [péitriət] ⓝ patriotism 애국심	ⓝ 애국자 **a patriotic movement** 애국 운동 He was praised as a self-sacrificing patriot.
23 ☑ **treaty** [tríːti]	ⓝ 조약 **sign a treaty** 조약을 체결하다 The two countries signed the peace treaty.

18 대량 생산 때문에 그의 사업은 파산했다. 19 우리는 서로에 대한 깊은 감정을 품고 있다. 20 사람들은 힘보다는 외교를 통해 분쟁을 끝내기를 바란다. 21 두 정당 모두 그 쟁점에 대해 같은 견해를 갖고 있다. 22 그는 자신을 희생하는 애국자로 추앙받았다. 23 두 나라는 평화 조약에 서명했다.

24
☑ **population**
[pὰpjəléiʃən]

ⓥ **populate** 거주시키다

ⓝ 인구, 주민

the working population 노동 인구

The population growth rate exploded after the war.

25
☑ **race**
[reis]

ⓝ **racism** 인종 차별

ⓝ 인종

the human race 인류

We must not discriminate against others because of their race or gender.

26
☑ **republic**
[ripʌ́blik]

ⓐ **republican** 공화국의

ⓝ 공화국

the Republic of Korea 대한민국

The Roman Republic eventually became an empire.

27
☑ **strategy**
[strǽtədʒi]

ⓐ **strategic**
전략상의, 전략의

ⓝ 전략

an economic strategy 경제 전략

We need a new strategy for increasing our sales in Europe.

28
☑ **politics**
[pálitiks]

ⓐ **political** 정치적인
ⓝ **politician** 정치인

ⓝ 정치

retire from politics 정치에서 은퇴하다

He made the decision to go into politics last year.

---

24 전쟁 후에 인구 증가율은 폭등했다. 25 우리는 인종이나 성별 때문에 다른 사람을 차별해서는 안 된다. 26 로마 공화국은 결국 제국이 됐다. 27 우리는 유럽에서 판매를 증가하기 위한 새로운 전략이 필요하다. 28 그는 작년에 정치에 입문하기로 했다.

---

29 □ union
[júːnjən]

ⓥ unite 결합하다

ⓝ 결합, 조합   **a labor union** 노동조합

Taxi drivers formed a union to protect their rights.

---

30 □ vote
[vout]

ⓝ 투표 ⓥ 투표하다   **a secret vote** 비밀 투표

❀ There will be a nationwide vote on the issue in two weeks.

❀ Villagers voted to preserve the forest behind their village.

---

29 택시 운전사들은 자신들의 권리를 지키기 위해 조합을 결성했다. 30 2주 후에 그 문제에 관한 전국적인 투표가 있을 것이다. / 마을 사람들은 마을 뒤에 있는 숲을 보존하기 위해 투표했다.

🐱 Multi-Meaning Word

race
    ⓝ 경주 ⓥ 경주하다
    a horse **race** 경마
    ⓝ 경쟁 ⓥ 경쟁하다
    an election **race** 선거 경쟁
    ⓝ 인종, 민족
    the Korean **race** 한민족
    ⓥ 질주하다
    race up to the flag 깃발까지 달려가다

EXERCISE

Unit 27

A 다음 영어는 우리말로, 우리말은 영어로 쓰시오.

01 colony _____   06 선거 운동 _____

02 candidate _____   07 공식적인 _____

03 barrier _____   08 이민, 이주자 _____

04 poll _____   09 서로의, 상호의 _____

05 relation _____   10 애국자 _____

B 다음 영어는 우리말로, 우리말은 영어로 쓰시오.

01 sign a treaty: _____

02 dominate the market: _____

03 international trade: _____

04 인종: the human _____

05 대한민국: the _____ of Korea

06 노동조합: a labor _____

C 다음 빈칸에 들어갈 말을 고르시오. (필요하면 형태를 바꾸시오.)

mass	politics	vote	party	strategy

01 Television is an important _____ media.
텔레비전은 중요한 대중 매체이다.

02 It is difficult to understand _____.
정치를 이해하는 것은 어려운 일이다.

03 Each candidate used a different _____.
후보자들은 각자 다른 전략을 사용했다.

04 Do you have a _____ you support?
너는 지지하는 정당이 있니?

05 You must think over thoroughly whom you will _____ for.
누구에게 투표할지 면밀히 생각해야 한다.

Word Search

앞에서 배운 어휘를 기억하며 단어를 모두 찾아보세요.

정답

```
W  M  J  U  N  R  Y  D  S  Y  C  U  R  S  P
S  R  U  O  X  S  C  I  T  S  I  D  E  C  P
P  V  I  T  S  C  E  P  R  B  S  D  H  I  T
K  N  E  A  U  C  W  L  A  C  F  I  X  T  R
U  S  B  L  A  A  S  O  T  Y  S  N  N  I  E
Y  M  K  R  G  O  L  M  E  P  N  U  O  L  A
E  C  X  J  H  M  R  A  G  A  Z  O  X  O  T
S  V  A  R  Q  E  D  T  Y  R  X  I  L  P  Y
S  O  Z  M  I  J  I  I  X  T  W  Y  D  O  C
A  T  Q  R  O  V  I  C  M  Y  Y  D  F  R  C
M  E  R  A  C  L  R  E  L  A  T  I  O  N  X
Z  A  L  E  A  W  P  C  A  M  P  A  I  G  N
B  F  O  R  M  A  L  I  P  A  T  R  I  O  T
E  T  A  N  I  M  O  D  D  L  L  O  P  Y  D
```

campaign	colony	diplomatic	formal
mass	mutual	party	patriot
politics	poll	race	relation
strategy	treaty	union	vote

Unit 28 War & Peace

---

01 ☑ **defend**
[difénd]

- **n** defense 방어, 방위, 수비
- **a** defensive 방어의

v 막다, 지키다, 변호하다

The soldiers spent all night defending the castle.

---

02 ☑ **explosion**
[iksplóuʒən]

- **v** explode
  폭발하다, 폭발시키다
- **a** explosive 폭발하기 쉬운

n 폭발, 폭파

We were all startled by the sudden explosion.

---

03 ☑ **invasion**
[invéiʒən]

- **v** invade 침입하다, 침략하다
- **n** invader 침략자

n 침입, 침략　　**an invasion of privacy** 사생활 침해

The small town was helpless against the invasion.

---

04 ☑ **resist**
[rizíst]

- **n** resistance 저항, 반대

v 저항하다

The elderly tried to resist the change in their culture.

---

05 ☑ **ally**
[ǽlai]

- **n** alliance 동맹

n 동맹국　　**make an ally** 동맹을 맺다

The allies gathered for a meeting about world peace.

---

01 병사들이 밤새 성을 지켰다.　02 우리는 모두 갑작스러운 폭발에 깜짝 놀랐다.　03 작은 마을은 침략에 속수무책이었다.
04 노인들은 그들의 문화에 생긴 변화에 저항하려 했다.　05 동맹국들이 세계평화에 대한 회의를 위해 모였다.

06 antisocial
[æ̀ntisóuʃəl]

ⓝ antisocialism
반사회주의

ⓝ antisocialist
반사회주의자

ⓐ 반사회적인　　**an antisocial behavior** 반사회적 행동

His neighbors are uncomfortable with his antisocial personality.

---

07 arms
[ɑːrms]

ⓝ 무장, 무기　　　　　　　**take up arms** 무장을 하다

The warriors all laid down their arms after freeing the slaves.

---

08 army
[ɑ́ːrmi]

ⓝ 군대　　　　　　　**the Salvation Army** 구세군

He decided to serve his country and joined the army.

---

09 attack

ⓥ 공격하다 ⓝ 공격　　**attack the enemy** 적을 공격하다
　　　　　　　　a sudden attack 갑작스러운 공격, 급습, 기습

✿ The politician attacked his opponent during the debate.

✿ Democracy is under attack in some societies.

---

10 battle
[bǽtl]

ⓝ battlefield 전쟁터

ⓝ 전투　　　　　　**engage in a battle** 전투를 벌이다

There were countless casualties during the battle.

---

11 ☑ **bomb** [bɑm]	ⓝ 폭탄	**an atomic bomb** 원자 폭탄
	The airplane dropped several bombs on the town.	

12 ☑ **combat** [kɑ́mbæt]	ⓝ 전투	**combat for freedom** 자유를 위한 전투
	He was a child when he heard his father had died in combat.	

13 ☑ **conflict**
[kɑ́nflikt]

ⓝ 투쟁, 갈등, 다툼 ⓥ 다투다, 충돌하다

a conflict of interest 이해 충돌

I think government actions conflict with the freedom of the press.

14 ☑ **conquer**
[kɑ́ŋkər]

ⓝ **conquest** 정복

ⓥ 정복하다

conquer the enemy 적을 정복하다

The tribe was conquered by some European settlers.

15 ☑ **enemy** [énəmi]	ⓝ 적	**an enemy of war** 전쟁의 적군
	Those two act as if they were enemies with each other.	

16 ☑ **navy** [néivi]	ⓝ 해군	**The Royal Navy** 영국 해군
	He served as an admiral in the Navy.	

11 비행기는 마을에 여러 개의 폭탄을 떨어뜨렸다. 12 아버지가 전사했다는 소식을 들었을 때 그는 어린 아이였다. 13 나는 정부의 행동이 언론의 자유와 충돌한다고 생각해. 14 그 부족은 몇몇 유럽의 정착민들에 의해 정복당했다. 15 저 둘은 마치 서로 적인 것처럼 행동한다. 16 그는 해군에서 사령관으로 복무했다.

17 **guard**
[gɑ:rd]
ⓝ guardian 보호자

ⓥ 지키다, 경계하다　　**guard the safe** 금고를 지키다

The police guarded the actress from the crowd.

---

18 **gun**
[gʌn]

ⓝ 총　　**fire a gun** 총을 쏘다

He always carried a gun when he worked as a policeman.

---

19 **fatal**
[féitl]
ⓝ fate 죽음, 운명

ⓐ 치명적인　　**a fatal wound** 치명적인 상처

Doctors couldn't find a cure for his fatal disease.

---

20 **oppress**
[əprés]
ⓝ oppression 압박, 억압
ⓐ oppressive 억압적인

ⓥ 압박하다, 억압하다
oppress the resistance 저항 세력을 압박하다

The dictator oppressed the citizens' freedom.

---

21 **military**
[mílitèri]

ⓐ 군대의, 군사의　　**a military uniform** 군복

We are prepared to use military force to stop the nuclear program.

---

22 **soldier**
[sóuldʒər]

ⓝ 병사, 군인　　**an enemy soldier** 적군 군인

He has served in the army as a soldier for thirty years.

---

17 경찰은 그 여배우를 군중으로부터 보호했다.　18 그는 경찰관이었을 때 늘 총을 가지고 다녔다.　19 의사들은 그의 불치병의 치료법을 찾지 못했다.　20 독재자는 시민의 자유를 억압했다.　21 우리는 핵 프로그램을 중단시키기 위해 군사력을 사용할 준비가 되어 있다.　22 그는 30년 동안 군인으로 복무했다.

²³ ☑ **retreat**
[riːtríːt]

ⓥ 후퇴하다 **ⓝ** 후퇴

be in full retreat 총 퇴각하다, 재빨리 후퇴하다

❧ The resistance retreated when the army arrived.

❧ The Japanese troops were in full retreat and the battle was over.

---

²⁴ ☑ **struggle**
[strʌ́gl]

ⓝ 투쟁, 싸움 **ⓥ** 격투하다, 분투하다

a struggle for human rights 인권을 위한 투쟁

❧ The Tibetan's struggle for freedom touched the hearts of people who cherish peace and justice.

❧ Women have struggled for equality throughout history.

---

²⁵ ☑ **surrender**
[səréndər]

ⓥ 항복하다, 포기하다

surrender to the invaders 침략자들에게 항복하다

Do not ever surrender to depressing thoughts.

---

²⁶ ☑ **target**
[táːrgit]

ⓝ 표적, 타깃   **an easy[soft] target** 맞추기 쉬운 표적

The airfield was an important target for the enemy.

---

²⁷ ☑ **triumph**
[tráiəmf]

ⓐ triumphant
승리한, 성공한

ⓝ 승리 **ⓥ** 승리하다

a hard-earned triumph 힘들게 얻은 승리

❧ It is going to be Tom's triumph over Jane in the upcoming election.

❧ Freedom will triumph in the end.

---

23 군대가 도착하자 저항군은 후퇴했다. / 일본 군대는 총 퇴각했고 전투는 끝났다. 24 티베트 사람들의 자유를 위한 투쟁은 평화와 정의를 소중히 여기는 사람들의 마음을 감동시켰다. / 여성들은 역사적으로 오랫동안 평등을 위해 싸워왔다. 25 우울한 생각에 절대로 항복하지 마라. 26 비행장은 적군의 중요한 표적이었다. 27 다가오는 선거에서 Tom이 Jane 에게 승리할 것이다. / 결국에는 자유가 승리할 것이다.

28 ☑ troop
[tru:p]

ⓝ 부대, 병력

reserve troops 예비 부대

The troops marched through the mountains all night.

29 ☑ veteran
[vétərən]

ⓝ 노장, 제대 군인

the veteran soldier 노병

My grandfather was a veteran in the Korean War.

30 ☑ weapon
[wépən]

ⓐ weaponed 무기를 지닌

ⓝ 무기

weapons of mass destruction 대량 살상 무기들

The army developed a new weapon to defeat the enemy.

---

28 부대는 밤새 산맥을 지나 행군했다. 29 우리 할아버지는 한국 전쟁 참전 용사셨다. 30 군대는 적을 섬멸하기 위해 새로운 무기를 개발했다.

Multi-Meaning Word

retreat

ⓥ 퇴각하다, 후퇴하다
retreat from the front 전선에서 퇴각하다

ⓥ 은퇴하다, 은둔하다
retreat from the world 세상으로부터 은둔하다

ⓥ (수를) 물리다
retreat a move 수를 물리다

ⓝ 후퇴, 퇴각
the sudden **retreat** 갑작스러운 퇴각

ⓝ 피난처, 피정
a mountain **retreat** 산장

EXERCISE

A 다음 영어는 우리말로, 우리말은 영어로 쓰시오.

01 attack _____

02 bomb _____

03 oppress _____

04 struggle _____

05 triumph _____

06 부대, 병력 _____

07 군대의, 군사의 _____

08 항복하다 _____

09 제대 군인, 노장 _____

10 정복하다 _____

B 다음 영어는 우리말로, 우리말은 영어로 쓰시오.

01 an invasion of privacy: _____

02 make an ally: _____

03 an antisocial behavior: _____

04 영국 해군: The Royal _____

05 대량 살상 무기들: _____ of mass destruction

06 이해 충돌: a(n) _____ of interest

C 다음 빈칸에 들어갈 말을 고르시오. (필요하면 형태를 바꾸시오.)

battle	weapon	soldier	enemy	target

01 The _____ returned home from war.
병사가 전장에서 집으로 돌아왔다.

02 The troops were stuck behind _____ lines.
부대가 적진 뒤에 갇혔다.

03 The general died during a great _____.
장군이 대전투에서 목숨을 잃었다.

04 The sniper aimed at the _____.
저격병이 표적을 조준했다.

05 Modern _____ can cause terrible results.
현대 무기들은 무시무시한 결과를 초래할 수 있다.

Word Search

앞에서 배운 어휘를 기억하며 단어를 모두 찾아보세요.

정답

T	D	C	J	L	X	D	O	X	N	I	W	N	I	K
A	K	C	N	H	O	H	C	O	N	F	L	I	C	T
E	D	E	L	G	G	U	R	T	S	T	A	G	W	O
R	E	E	V	E	K	E	N	T	S	U	F	U	L	P
T	A	E	F	H	L	O	N	I	E	A	V	A	L	P
E	D	R	U	E	I	T	S	E	T	G	G	R	R	R
R	H	G	M	S	N	E	T	A	M	P	R	D	N	E
A	Y	J	A	Y	R	D	L	A	H	Y	O	A	X	S
A	G	V	O	P	C	R	E	D	B	Y	Y	O	T	S
O	N	F	K	O	N	O	P	A	E	W	E	V	R	X
I	G	F	M	D	I	J	A	O	A	R	M	S	A	T
O	D	B	M	G	X	N	A	T	T	A	C	K	Q	N
D	A	Z	U	R	G	E	H	P	D	X	J	U	N	A
T	J	N	U	Q	L	B	M	T	A	V	Q	F	D	E

arms	army	attack	combat
conflict	defend	enemy	fatal
guard	gun	navy	oppress
resist	retreat	troop	weapon

Unit 29 World of Jobs

---

01 ☑ **apply**
[əplái]

- ⓝ application 신청서
- ⓝ applicant 응모자, 지원자

ⓥ 신청하다, 지원하다　　**apply for a job** 일자리에 지원하다

Peter applied to over ten companies.

---

02 ☑ **assistant**
[əsístənt]

- ⓥ assist 원조하다, 조력하다
- ⓝ assistance 원조, 조력

ⓝ 조수, 보조자

My new assistant is doing a wonderful job.

---

03 ☑ **competitor**
[kəmpétətər]

- ⓥ compete 경쟁하다
- ⓝ competition 경쟁

ⓝ 경쟁자　　**a strong competitor** 강력한 경쟁자

A new powerful competitor entered the market.

---

04 ☑ **promotion**
[prəmóuʃən]

- ⓥ promote
  진전시키다, 승진시키다

ⓝ 승진, 진척, 추진　　**get a promotion** 승진하다

I got a promotion for my success on the project.

---

05 ☑ **resign**
[rizáin]

- ⓝ resignation 사임, 사표
- ⓐ resigned 사임한, 단념한

ⓥ 사임하다, 사직하다

The former chief resigned last year and opened a restaurant.

---

01 Peter는 열 군데가 넘는 기업에 지원했다. 02 내 새 조수는 일을 정말 잘해. 03 시장에 새로운 강력한 경쟁자가 등장했다. 04 나는 프로젝트를 성공해서 승진되었다. 05 전임 부장은 작년에 사임하고 식당을 차렸다.

06 unemployed
[ʌ̀nimplɔ́id]

ⓝ unemployment
실업, 실직

ⓐ 일이 없는, 실직한

Many people are unemployed due to the economic situation.

07 advertiser
[ǽdvərtàizər]

ⓥ advertise
광고하다, 선전하다

ⓝ 광고주　　　**a major advertiser** 거대 광고주

I'm looking for an advertiser who can work with our product.

08 agriculture
[ǽgrikʌ̀ltʃər]

ⓝ 농업　　　**mechanized agriculture** 기계화 농업

I studied agriculture in college to develop my father's farm.

09 career
[kəríər]

ⓝ 경력, 이력

start one's career in ~ 분야에서 경력을 시작하다

She thought the project would be helpful for her career.

10 clerk
[kləːrk]

ⓝ 사무원　　　**a sales clerk** 판매원

I went to the bank to apply for the job as a clerk.

11 counselor
[káunsələr]

ⓥ counsel
충고하다, 권고하다

ⓝ 상담역, 카운슬러　　**a marriage counselor** 결혼 상담가

He has worked as a school counselor for many years.

---

06 많은 사람들이 경제적 상황 때문에 실직 상태이다. 07 나는 우리 제품을 맡을 수 있는 광고주를 찾고 있다. 08 나는 아버지의 농장을 발전시키기 위해 대학에서 농업을 공부했다. 09 그녀는 프로젝트가 자신의 경력에 도움이 될 거로 생각했다. 10 나는 은행원 자리에 지원하기 위해 은행에 찾아갔다. 11 그는 여러 해 동안 학교 상담원으로 근무했다.

12 ☑ **crew**
[kru:]

ⓝ 승무원, 동료

a ground crew 지상 근무원

I used to be the crew on a cruise ship.

---

13 ☑ **vocation**
[voukéiʃən]

ⓐ vocational 직업의

ⓝ 직업

a genuine vocation 천직

I'm taking a test for my future vocation.

---

14 ☑ **employ**
[emplɔ́i]

ⓝ employer 고용주, 사용자
ⓝ employment 고용

ⓥ 고용하다

He was employed as a food delivery driver at the time.

---

15 ☑ **headhunter**
[hédhʌ̀ntər]

ⓥ headhunt
고급 인력을 스카우트하다

ⓝ 인재 스카우트 전문가

a professional headhunter 전문 인재 스카우트 전문가

A headhunter offered me a better job.

---

16 ☑ **manager**
[mǽnidʒər]

ⓝ management 경영

ⓝ 경영자, 지점장, 지배인 **a business manager** 업무 관리자

I work as a manager at a fast-food restaurant.

---

17 ☑ **mechanic**
[məkǽnik]

ⓝ 기계공 **an automobile mechanic** 자동차 정비공

The mechanic knew what the problem was right away.

---

12 나는 한때 유람선 승무원이었다. 13 나는 미래의 직업을 위해 시험을 보기로 했다. 14 그는 그 당시 음식 배달 기사로 고용되었다. 15 인재 스카우트 전문가가 내게 더 좋은 일자리를 제안했다. 16 나는 패스트푸드점에서 지점장으로 일한다. 17 기계공은 문제가 무엇인지 바로 알았다.

18 ☑ **obtain**
[əbtéin]

ⓝ **obtainment** 성취, 획득

ⓥ 성취하다, 얻다　　**obtain approval** 허가를 얻다

I was able to obtain the position I wanted in the company.

---

19 ☑ **occupation**
[àkjəpéiʃən]

ⓥ **occupy** (장소, 일자리 등을) 차지하다

ⓝ 직업　　**blue-collar occupation** 육체노동 직업

You shouldn't judge others by their occupations.

---

20 ☑ **operator**
[ápərèitər]

ⓥ **operate** 조종하다, 운전하다

ⓝ 조작자, 교환원　　**a machine operator** 기계의 조작원

The police had to contact the train's operator quickly.

---

21 ☑ **partnership**
[pá:rtnərʃip]

ⓝ 동업관계　　**in partnership with** ~와 협력하여

Peter and I are in partnership with each other.

---

22 ☑ **personnel**
[pə̀:rsənél]

ⓝ 인사, 직원　　**a personnel manager** 인사 담당자

The company needed to hire more personnel.

---

23 ☑ **profession**
[prəféʃən]

ⓐⓝ **professional**
전문적인; 전문가

ⓝ 전문직　　**teaching profession** 교직

My dream is to serve in the legal profession.

---

18 나는 회사에서 내가 원하는 자리를 얻을 수 있었다.　19 다른 사람들을 그들의 직업으로 판단하면 안 된다.　20 경찰은 기차의 조작자와 급히 연락해야 했다.　21 Peter와 나는 서로 동업 관계이다.　22 회사는 더 많은 직원을 고용해야 했다. 23 내 꿈은 법조계에서 일하는 것이다.

24 ☑ **hire** [háiər]	**ⓥ** 고용하다	**hire workers** 직원을 고용하다
	It is a good thing that he was hired.	

25 ☑ **resume** [rézumèi]	**ⓝ** 이력서	**send one's resume** 이력서를 제출하다
	My resume has been turned down again.	

26 ☑ **retire** [ritáiər] **ⓝ retiree** 퇴직자	**ⓥ** 퇴직하다	**retire at 65** 65세에 퇴직하다
	Mr. Wilson was forced to retire early because of illness.	

27 ☑ **rival** [ráivəl] **ⓝ rivalry** 경쟁	**ⓝ** 경쟁자, 라이벌	**a business rival** 사업상의 경쟁자
	We need to work harder not to lose to our rival.	

28 ☑ **staff** [stæf]	**ⓝ** 직원	**senior staff** 고위급 간부, 상급 직원
	He tried to get along with the senior staff in his office.	

24 그가 고용되어서 다행이다. 25 내 이력서는 또 거절당했다. 26 Wilson 씨는 질병 때문에 일찍 퇴직할 수밖에 없었다.
27 우리의 경쟁자에게 지지 않도록 더욱 노력해야 한다. 28 그는 자기 사무실에 있는 상급 직원과 잘 지내려고 노력했다.

29 ☑ technician
[tekníʃən]

ⓝ 기술자　　**a television technician** 텔레비전 기술자

They called in the technician to fix the copying machine.

30 ☑ discipline
[dísəplin]

ⓝ 훈련, 규율 **ⓥ** 훈련하다, 벌하다

maintain discipline 규율을 유지하다

❖ It takes discipline to be the best at whatever you do.

❖ There are many ways of disciplining their children according to the cultures.

29 그들은 복사기를 고치기 위해 기술자를 불렀다.　30 네가 무슨 일을 하든지 최고가 되려면 훈련이 필요하다. / 문화에 따라 아이들을 벌하는 방법이 많다.

Multi-Meaning Word

staff

ⓝ 부원, 직원

an editorial staff 편집국 직원

ⓝ 막대기, 지팡이

a wooden staff 나무 지팡이

ⓥ 직원을 두다

staff up ~의 인원을 늘리다

EXERCISE

A 다음 영어는 우리말로, 우리말은 영어로 쓰시오.

01 resign _____   06 경력, 이력 _____

02 clerk _____   07 성취하다 _____

03 assistant _____   08 동업관계 _____

04 personnel _____   09 승무원, 동료 _____

05 promotion _____   10 경쟁자, 라이벌 _____

B 다음 영어는 우리말로, 우리말은 영어로 쓰시오.

01 apply for a job: _____

02 send one's resume: _____

03 maintain discipline: _____

04 고위급 간부: senior _____

05 직원을 고용하다: _____ workers

06 천직: a genuine _____

C 다음 빈칸에 들어갈 말을 고르시오. (필요하면 형태를 바꾸시오.)

| employ | mechanic | counselor | retire | profession |

01 Mary took up modeling as a(n) _____ .
    Mary는 직업으로 모델을 택했다.

02 I took my car to the _____ for repairs.
    나는 자동차를 수리하러 수리공에게 가져갔다.

03 My grandfather plans to _____ in 2 years.
    나의 할아버지는 2년 후에 퇴직할 계획이다.

04 She's known to be a good _____ .
    그녀는 유능한 상담가로 알려져 있다.

05 We need to _____ more people.
    우리는 더 많은 사람들을 고용해야 한다.

Word Search

앞에서 배운 어휘를 기억하며 단어를 모두 찾아보세요.

정답

R	T	R	A	Z	R	T	C	L	E	R	K	N	X	M
V	E	E	E	P	S	F	N	Q	X	D	K	G	U	E
Q	T	S	C	T	P	H	F	A	F	S	P	I	Y	C
J	G	Z	I	H	I	L	Y	D	T	A	V	S	D	H
K	V	B	P	T	N	R	Y	X	C	S	A	E	N	A
H	K	E	J	R	R	I	E	F	R	Q	I	R	H	N
R	I	V	A	L	O	E	C	G	E	L	N	S	Z	I
E	M	U	S	E	R	M	V	I	W	S	I	K	S	C
M	A	N	A	G	E	R	O	D	A	T	A	X	N	A
O	P	E	R	A	T	O	R	T	A	N	T	M	H	E
N	O	I	T	A	C	O	V	D	I	K	B	J	V	D
H	I	R	E	X	U	Y	T	J	N	O	O	R	C	A
A	G	R	I	C	U	L	T	U	R	E	N	Y	O	C
G	W	R	E	E	R	A	C	Y	O	L	P	M	E	B

agriculture   apply   career   clerk
crew   employ   hire   manager
mechanic   obtain   operator   promotion
resign   retire   rival   vocation

---

01 **consumption**
[kənsʌ́mpʃən]

v consume 소비하다
n consumer 소비자

n 소비   the consumption of fuel 연료 소비

Consumption and production are important factors in economy.

---

02 **financial**
[finǽnʃəl]

n finance 재정, 재무

a 재정상의   financial difficulties 재정적 어려움

Our company entered a financial crisis.

---

03 **account**
[əkáunt]

n 계산, 계정   a bank account 은행 계좌

He opened up a new savings account at a new bank.

---

04 **currency**
[kə́:rənsi]

n 통화, 화폐   a foreign currency 외국 화폐

A single currency in Europe provides a number of advantages.

---

05 **millionaire**
[mìljənέər]

n million 100만
n billionaire 억만장자

n 백만장자   become a millionaire 백만장자가 되다

He talks as if he already became a millionaire.

---

01 소비와 생산은 경제의 중요한 요소이다. 02 우리 회사는 재정적 위기에 봉착했다. 03 그는 새로운 은행에서 새 예금 계좌를 개설했다. 04 유럽의 단일 화폐는 많은 이점이 있다. 05 그는 이미 백만장자나 된 것처럼 말한다.

06 broke
[brouk]

ⓐ 무일푼의

go broke 파산하다

My friend Charles helped me out when I was broke.

07 cash
[kæʃ]

ⓝ 현금, 현찰

a cash machine 현금 지급기

Cash or charge?
결제는 현금으로 하시겠어요, 카드로 하시겠어요?

John, do you have any extra cash I can borrow?

08 check
[tʃek]

ⓝ 수표

pay by check 수표로 지불하다

She had to go to the bank to cash a check.

09 credit
[krédit]

ⓝ 신용

purchase on credit 신용 거래하다

The man called the credit card company to report a loss.

10 debt
[det]

ⓝ debtor 채무자

ⓝ 빚

pay off one's debt 빚을 갚다

Korea is strapped with a national debt of over 200 trillion won.

11 afford
[əfɔ́ːrd]

ⓐ affordable
~을 살 여유가 있는

ⓥ ~을 살 돈이 있다

afford the expense 비용을 감당할 수 있다

How can she afford to eat out every night?

06 내가 무일푼이 되었을 때 내 친구 Charles가 나를 도와주었다. 07 John, 내가 빌릴 수 있는 현찰 좀 가지고 있니? 08 그녀는 수표를 현금으로 바꾸기 위해 은행에 가야 했다. 09 남자는 분실 신고를 하려고 신용카드 회사에 전화를 걸었다. 10 한국의 국가 부채 규모가 200조 원을 넘어섰다. 11 그녀는 매일 밤 외식비를 어떻게 감당할 수 있을까?

12 **fee**
[fiː]

n 요금, 수수료　　　　　　　　**a registration fee** 등록비

The annual membership fee has been increased.

13 **fortune**
[fɔ́ːrtʃən]

n 재산, 부　　　　　　　　**make a fortune** 큰돈을 벌다

They spent a fortune buying their house by the lake.

14 **fund**
[fʌnd]

n 자금, 기금　　　**a fund manager** 펀드 매니저, 투자 담당자

The people raised a fund for the refugees.

15 **frugal**
[frúːgəl]

n frugality 절약, 검소

a 검소한, 소박한　　　　　　　**a frugal life** 검소한 생활

He was very frugal, and would often use a tea bag three times.

16 **insurance**
[inʃúərəns]

v insure 보험에 들다

n 보험　　　　　　　**life insurance** 생명 보험

Health insurance is not affordable to many Americans.

17 **interest**
[íntərist]

n 이익, 이해관계, 이자　　　**interest-free** 무이자의, 무이자로

The company is planning to increase their interest rate.

---

12 연회비가 증가했다. 13 그들은 호수 옆에 있는 집을 사기 위해 큰돈을 썼다. 14 사람들은 난민을 위한 기금을 모금했다. 15 그는 검소했고 종종 티백을 세 번 사용하기도 했다. 16 많은 미국인에게 의료 보험은 너무 비싸다. 17 회사는 그들의 이자율을 올리려고 계획하고 있다.

18 investment
[invéstmənt]

v invest 투자하다

n 투자   **overseas investment** 해외 투자, 대외 투자

Creed made his first investment when he was only 20.

---

19 loan
[loun]

n 대출, 대출금 **v** 빌려주다   **a mortgage loan** 담보 대출

❖ He had to get a loan to buy his own house because he didn't have enough money.

❖ A friend of mine offered to loan his boat to me.

---

20 payment
[péimənt]

v pay 지불하다

n 지불   **advanced payment** 가불, 전도금

He wasn't satisfied with the payment he was receiving.

---

21 penniless
[pénilis]

n penny 푼돈, 1센트

a 무일푼의   **a penniless trip** 무전여행

He became penniless shortly after he entered the casino.

---

22 possession
[pəzéʃən]

v possess 소유하다

n 재산   **right of possession** 소유권

This ring has been in my family's possession for a long time.

---

18 Creed는 겨우 스무 살 때 처음으로 투자했다. 19 그는 돈이 충분하지 않았기 때문에 집을 사기 위해 대출을 받아야 했다. / 내 친구는 나에게 그의 보트를 빌려주겠다고 했다. 20 그는 자신이 받는 월급에 만족하지 못했다. 21 그는 카지노에 들어간 지 얼마 후 무일푼이 되어버렸다. 22 이 반지는 오랫동안 우리 집안의 소유였다.

23 profitable
[práfitəbəl]

ⓥⓝ profit 이익이 되다; 이익
ⓝ profitability 수익성

ⓐ 유리한, 이득이 되는   **a profitable deal** 이익이 되는 거래

They concluded that the business was not profitable.

---

24 property
[prápərti]

ⓝ 재산   **private property** 사유 재산

The sign says this area is the property of the state.

---

25 rent
[rent]

ⓝ 지대, 집세 **ⓥ** 임차하다, 임대하다   **rent a car** 차를 빌리다

✤ My income is barely enough to pay the rent.

✤ Why don't we rent a car there?

---

26 savings
[séiviŋs]

ⓝ 저축   **a savings bank** 저축 은행

His savings finally were enough to move to a better home.

---

27 share
[ʃɛər]

ⓝ 몫, 주식   **a fair share** 공정한 몫

The investors were happy with their share of the pie.

---

28 sum
[sʌm]

ⓝ 합계, 총금액   **a flat sum** 일률적인 금액

After a few years, his savings became a large sum of money.

---

23 그들은 이 사업이 수익성이 없다고 결론지었다. 24 이 표지판에는 이 지역이 국가 소유라고 쓰여 있다. 25 내 소득은 집세를 간신히 낼 정도이다. / 그곳에서 차를 빌리는 것이 어때? 26 그가 저축한 돈은 드디어 더 나은 집으로 이사 가기에 충분했다. 27 투자가들은 자신의 몫에 만족했다. 28 그의 예금은 몇 년 후에 큰돈이 되어 있었다.

29 ☑ **wage**
[weidʒ]

ⓝ 임금, 급료

The workers demanded a wage **raise from the company.**

a minimum wage 최저 임금

---

30 ☑ **expense**
[ikspéns]

ⓥ **expend**
(돈, 시간 등을) 쓰다

ⓐ **expensive**
비용이 많이 드는

ⓝ 지출, 비용

His only monthly expenses **are food, gas, clothing, and utilities.**

school expenses 학비

---

29 근로자들이 회사에 임금 인상을 요구했다. 30 그의 유일한 월별 지출은 음식, 연료, 옷, 그리고 공공요금이다.

Multi-Meaning Word

check

ⓝ 점검 ⓥ 점검하다
a safety check 안전 점검

ⓝ 수표
a traveler's check 여행자 수표

ⓥ 확인하다
check upon ~을 확인하다

EXERCISE

A 다음 영어는 우리말로, 우리말은 영어로 쓰시오.

01 debt _____

02 loan _____

03 payment _____

04 share _____

05 wage _____

06 검소한, 소박한 _____

07 합계, 총금액 _____

08 임금, 급료 _____

09 소비 _____

10 통화, 화폐 _____

B 다음 영어는 우리말로, 우리말은 영어로 쓰시오.

01 purchase on credit: _____

02 a registration fee: _____

03 life insurance: _____

04 해외 투자: overseas _____

05 파산하다: go _____

06 은행 계좌: a bank _____

C 다음 빈칸에 들어갈 말을 고르시오. (필요하면 형태를 바꾸시오.)

| rent | cash | savings | afford | fortune |

01 I can finally _____ to buy the house.
드디어 집을 살 돈을 마련했다.

02 He spent all his _____ on a car.
그는 차를 사는 데에 저축한 것을 전부 썼다.

03 I don't think I can pay this month's _____.
이번 달 집세를 낼 수 없을 것 같아요.

04 Can I borrow some _____ from you?
너한테 현금 좀 빌릴 수 있니?

05 He made a(n) _____ by selling hotdogs.
그는 핫도그를 팔아서 큰 부를 축적했다.

 # Word Search

앞에서 배운 어휘를 기억하며 단어를 모두 찾아보세요.

정답

T	L	X	T	S	A	L	P	T	K	I	C	L	J	S
M	N	N	K	E	C	M	Q	B	K	R	O	B	G	D
Y	C	E	T	W	C	I	V	B	E	A	Z	N	J	T
O	T	A	R	U	O	I	R	D	N	O	I	B	D	E
K	X	R	O	F	U	Q	I	A	S	V	R	F	M	G
L	I	V	E	D	N	T	T	H	A	E	W	O	M	A
T	A	T	R	P	T	B	A	S	K	D	T	R	F	W
E	B	I	B	Z	O	R	J	O	T	X	S	T	P	J
K	F	E	C	N	E	R	R	I	N	T	E	U	C	O
F	E	E	D	N	H	B	P	D	E	Q	R	N	R	K
D	N	U	F	K	A	S	P	N	M	V	E	E	H	P
A	F	F	O	R	D	N	A	U	Y	J	T	S	V	U
(K	C	E	H	C)	C	Z	I	C	A	S	N	K	U	X
B	G	U	C	T	O	X	V	F	P	M	I	Z	Z	M

account	afford	cash	check
credit	debt	fee	fortune
fund	interest	loan	payment
rent	share	sum	wage

Unit 31 Business & Trade

---

01 ☑ **advance**
[ədvǽns]

ⓝ advancement
전진, 진보, 승진

ⓐ advanced
앞으로 나온, 진보한

ⓝ 진보, 발전 　　**advance in science** 과학의 발달

Great advances have been made in the field of medicine.

---

02 ☑ **commerce**
[kámə:rs]

ⓐ commercial
상업의, 영리적인

ⓝ 상업, 무역, 거래 　**electronic commerce** 전자 상거래

The government announced a plan to stimulate commerce.

---

03 ☑ **corporation**
[kɔ̀:rpəréiʃən]

ⓐ corporate 법인의

ⓝ 법인, 회사 　　**a public corporation** 공사(公社), 공기업

His small business grew into a large corporation.

---

04 ☑ **costly**
[kɔ́:stli]

ⓝⓥ cost 비용; (비용이) 들다

ⓐ 비용이 드는 　　**a costly mistake** 대가가 큰 실수

Hiring more employees would be too costly.

---

05 ☑ **opening**
[óupəniŋ]

ⓝ 열기, 개점 　　**an opening sale** 개점 세일

The hotel held a grand opening event.

---

01 의약 분야에서 큰 발전이 있었다. 02 정부는 무역을 촉진하기 위한 계획을 발표했다. 03 그의 작은 가게는 큰 기업으로 성장했다. 04 사원을 더 고용하는 것은 비용이 너무 많이 들 것이다. 05 호텔은 개관 행사를 열었다.

06 □ economical
[ì:kənámikəl]

ⓝ economy 경제, 절약

ⓐ 비용이 덜 드는, 경제적인

an economical car 경제적인 차

It would be more economical to turn off the machine when it's not in use.

---

07 □ efficient
[ifíʃənt]

ⓝ efficiency 능률, 효율

ⓐ 능률적인, 효율적인

a highly efficient machine 고성능 기계

Companies are always looking for a more efficient method.

---

08 □ fruitful
[frú:tfəl]

ⓐ fruitless 무익한

ⓐ 성과 있는 **a fruitful outcome** 성과 있는 결과

I am sure that your studies will be fruitful.

---

09 □ import
[impɔ́:rt]

ⓥ 수입하다 **imported[exported] goods** 수입[수출]품

A large portion of wine is imported from France and Chile.

---

10 □ industrial
[indʌ́striəl]

ⓝ industry 산업, 공업

ⓐ 산업의, 공업의 **an industrial accident** 산업 재해

There is a large industrial facility beyond that hill.

---

06 그 기계는 사용하지 않을 때는 끄는 것이 경제적이다. 07 기업들은 언제나 더 효율적인 방법을 찾는다. 08 너의 연구가 성과가 있을 거라고 확신한다. 09 상당수의 포도주는 프랑스와 칠레에서 수입된다. 10 저 언덕 너머에 큰 공업 시설이 있다.

11 worthless
[wə́:rθlis]

n a worth
가치; ~의 가치가 있는

ⓐ 가치 없는, 쓸모 없는　**a worthless contract** 무익한 계약

This jewel is really only a worthless piece of glass.

12 marketplace
[má:rkitplèis]

ⓝ 시장　　**the online marketplace** 온라인 시장

The artist sold his paintings at the marketplace.

13 means
[mi:nz]

ⓝ 수단, 재산　**live within one's means** 분수에 맞게 살다

He used all means possible to succeed.

14 merchandise
[mə́:rtʃəndàiz]

ⓝ merchandiser
상인, 판매자, 제조사

ⓝ 상품　**a wide selection of merchandise** 다양한 상품

This store is famous for cheap merchandise.

15 monitor
[mánitər]

ⓥ 감시하다, 관리하다

　　　monitor one's health 건강을 관리하다

The engineer monitors how fast the machine runs.

16 decrease
[dí:kri:s]

ⓥ 감소하다 **ⓝ** 감소　**decrease in number** 수가 감소하다

⚘ His wealth decreased over the years.

⚘ A rapid decrease in the birth rate is being observed in South Korea.

---

11 이 보석은 사실 가치가 없는 유리 조각일 뿐이야. 12 화가는 시장에서 자신의 그림을 팔았다. 13 그는 성공하기 위해 모든 수단을 동원했다. 14 이 가게는 저렴한 상품으로 유명하다. 15 기사는 기계가 얼마나 빨리 작동하는지 관리한다. 16 그의 재산은 시간이 흐르면서 감소했다. / 대한민국은 출생률의 급격한 감소를 보이고 있다.

---

17 ☑ **strike**
[straik]

ⓝ 파업   **a nationwide strike** 전국적인 파업

The factory was empty because of the strike.

---

18 ☑ **product**
[prɑ́dəkt]

ⓥ **produce** 생산하다
ⓝ **productivity** 생산력

ⓝ 생산품, 상품   **agricultural products** 농산품

I saw an advertisement for the new product.

---

19 ☑ **purchase**
[pə́ːrtʃəs]

ⓝ **purchaser** 구매자

ⓥ 사다, 구입하다 ⓝ 구입, 구입품

     proof of purchase 구입 증서

I would like to purchase two tickets.

---

20 ☑ **refund**
[ríːfʌnd]

ⓐ **refundable** 환불 가능한

ⓥ 환불하다 ⓝ 환불   **give a full refund** 전액 환불하다

Return your skirt within 7 days for a refund.

---

21 ☑ **retail**
[ríːteil]

ⓝ **retailer** 소매상인

ⓝ 소매 ⓐ 소매(상)의 ⓐⓓ 소매로

     wholesale and retail 도매와 소매

❉ These books are sold retail.

❉ They supply products to all of the retail stores in this town.

---

17 파업 때문에 공장은 텅 비어 있었다. 18 나는 신상품 광고를 보았다. 19 저는 표 두 장을 사고 싶습니다. / 현금으로 지불하시면 구입 가격이 더 저렴합니다. 20 환불하려면 치마를 7일 이내로 가져오세요. 21 이 책들은 소매로 판매한다. / 그들은 이 마을의 모든 소매점들에 상품을 공급한다.

22 ☑ **slump** [slʌmp]	① 불황, 폭락 **an economic slump** 경제 침체 Our company must overcome this slump.
23 ☑ **task** [tæsk]	① 일, 과업 **a specialized task** 전문적인 일 This task is your responsibility.
24 ☑ **tax-free** [tæksfriː]	ⓐ 세금 없는, 면세인 **a tax-free product** 면세 품목 All of these clothes are tax-free.
25 ☑ **trade** [treid] ① **trader** 무역업자, 상인	① 무역, 교역 **foreign trade** 국제 무역 **free trade** 자유 무역 The war stopped all trade between the two countries.
26 ☑ **trademark** [tréidmɑ̀ːrk]	① 상표 **a well-known trademark** 유명한 상표 **the Patent and Trademark Office** 특허청 This logo is a registered trademark.
27 ☑ **bankrupt** [bǽŋkrʌpt] ① **bankruptcy** 파산 	ⓐ 파산한 **go bankrupt** 파산하다 Many companies went bankrupt after interest rates rose.

22 우리 회사는 이 불황을 극복해야 한다. 23 이 일은 너의 책임이다. 24 이 옷들은 모두 면세이다. 25 전쟁은 두 나라의 교역을 모두 중단시켰다. 26 이 로고는 등록된 상표다. 27 많은 기업이 금리 상승 이후 파산했다.

28 **non-profit**
[nɑnprɑ́fit]

ⓐ 비영리의 **a non-profit organization** 비영리 단체

The purpose of the party's operations was non-profit.

29 **vend**
[vend]

ⓝ **vendor** 행상인

ⓥ (길에서) 팔다, 행상하다 **a vending machine** 자동판매기

I believe that street-vended foods are not good for your health.

30 **wholesaler**
[hóulsèilər]

ⓐ ⓐⓓ **wholesale**
도매의; 도매로

ⓝ 도매업자 **a grocery wholesaler** 식료품 도매업자

He called the wholesaler to make an order.

---

28 그 단체가 펼치는 활동의 목표는 비영리적이었다. 29 나는 길거리에서 파는 음식은 건강에 좋지 않다고 생각한다. 30 그는 주문하려고 도매업자에게 전화를 걸었다.

Multi-Meaning Word

trade

ⓝ 무역, 교역, 상업
foreign **trade** 국제 무역

ⓝ 물물 교환, 〈스포츠〉 트레이드
trade of baseball players 야구 선수를 트레이드하다

ⓝ 직업
the family **trade** 가족 사업

ⓥ 교환하다
trade goods for food 제품을 음식으로 교환하다

EXERCISE

A 다음 영어는 우리말로, 우리말은 영어로 쓰시오.

01 tax-free _____ 06 가치 없는 _____

02 bankrupt _____ 07 수입하다 _____

03 wholesaler _____ 08 환불(하다) _____

04 industrial _____ 09 감시하다, 관리하다 _____

05 advance _____ 10 비영리의 _____

B 다음 영어는 우리말로, 우리말은 영어로 쓰시오.

01 a nationwide strike: _____

02 an opening sale: _____

03 the online marketplace: _____

04 자동판매기: a(n) _____ machine

05 전자 상거래: electronic _____

06 경제 침체: an economic _____

C 다음 빈칸에 들어갈 말을 고르시오. (필요하면 형태를 바꾸시오.)

efficient	product	trademark	costly	fruitful

01 This method is more _____ than the others.
이 방법은 다른 방법에 비해 더 효율적이다.

02 One cannot use a different company's _____.
다른 회사의 상표를 사용할 수 없다.

03 Our business trip was quite _____.
출장이 제법 성과가 있었다.

04 The new _____ was released in the market.
신제품이 시장에 출시되었다.

05 Our CEO learned a very _____ lesson.
우리 CEO는 대가가 비싼 교훈을 얻었다.

Word Search

앞에서 배운 어휘를 기억하며 단어를 모두 찾아보세요.

정답

T	J	C	J	B	V	J	E	N	T	E	G	H	D	Z
R	N	N	Y	E	P	S	I	P	E	S	N	R	N	L
R	C	E	N	L	A	D	U	E	P	A	I	M	U	A
T	E	D	I	H	T	R	J	R	R	E	N	O	F	T
A	Y	T	C	C	K	S	O	S	C	R	E	N	E	J
S	S	R	A	N	I	D	O	L	O	C	P	I	R	P
K	U	F	A	I	U	F	U	C	M	E	O	T	S	M
P	T	B	X	C	L	F	F	E	M	D	G	O	T	U
Y	R	Y	T	P	T	A	Y	E	E	B	X	R	R	L
B	A	A	M	I	B	T	U	V	R	I	G	S	I	S
G	D	Q	U	S	N	A	E	M	C	X	K	P	K	U
G	E	R	B	T	G	B	F	P	E	Y	Q	X	E	R
K	F	I	M	P	O	R	T	A	D	V	A	N	C	E
H	V	O	H	K	T	H	T	G	N	A	Q	P	W	B

advance	commerce	decrease	fruitful
import	means	monitor	opening
product	refund	retail	slump
strike	task	trade	vend

Word Mapping

앞에서 배운 어휘를 기억하며 빈칸을 채워 보세요.

정답

_____ 형을 선고하다

_____ 정의, 사법

_____ 무죄의, 결백한

_____ (법을) 집행하다

_____ 민주주의

_____ 복지

_____ 시민의, 문명의

_____ 준수, 의식

Law & Crime
법과 범죄

Administration & Organization
행정과 제도

Politics and Economics
정치와 경제

Politics & War
정치와 전쟁

Jobs & Business
직업과 사업

_____ 대표자

_____ 외교, 외교술

_____ 침입, 침략

_____ 투쟁, 갈등

_____ 승진, 진척

_____ 인사, 직원

_____ 상업

_____ 경제적인

Chapter
06

Culture

Unit 32

Books & Reading

---

01 □ **correction**
[kərékʃən]

ⓐⓥ correct
올바른; 수정하다

ⓝ 수정   **spelling corrections** 철자 수정

It needs a few corrections before we send it to the printer.

---

02 □ **critic**
[krítik]

ⓥ criticize 비평하다
ⓝ criticism 비평, 비판

ⓝ 비평가

The critics praised his latest book.

---

03 □ **editor**
[édətər]

ⓥ edit 편집하다

ⓝ 편집자   **chief editor** 편집장

The editor told me to write my essay again.

---

04 □ **literature**
[lítərətʃər]

ⓝ 문학   **modern literature** 현대 문학

I always have passion for American literature.

---

05 □ **publisher**
[pʌ́bliʃər]

ⓥ publish
발표하다, 출판하다

ⓝ 출판업자, 출판사   **a leading publisher** 주요 출판사

Jack signed a contract with a major publisher.

---

01 우리가 인쇄기로 전송하기 전에 수정할 부분이 조금 있다. 02 비평가들이 그의 최근 책을 극찬했다. 03 편집자는 나에게 수필을 다시 쓰라고 했어. 04 나는 항상 미국 문학에 대한 열정이 있었어. 05 Jack은 큰 출판사와 계약했다.

06 article
[ɑ́ːrtikl]

ⓝ (신문, 잡지의) 기사, 논설　　**a magazine article** 잡지 기사

A newspaper article is a good source of up-to-date information.

07 biography
[baiɑ́grəfi]

ⓝ autobiography 자서전

ⓝ 전기(傳記)　　　　　　**a fictional biography** 전기 소설

In his biography, he refers to his dog as a "beautiful animal."

08 brochure
[brouʃúər]

ⓝ 소책자　　　　　　　**a travel brochure** 여행 책자

In this brochure we will present the most important subjects.

09 volume
[vɑ́ljuːm]

ⓝ 책, (책의) 권　　　　　　**a rare volume** 희귀본

A volume of Emily Dickinson's poetry was found in his pocket.

10 dictionary
[díkʃənèri]

ⓝ 사전

look up a word in a dictionary 사전에서 단어를 찾다

You can download our free online dictionary.

11 document
[dɑ́kjəmənt]

ⓐ documentary
문서의, 서류의

ⓝ 문서, 서류　　**an official document** 공식 문서

Unfortunately, the company lost several secret documents.

---

06 신문 기사는 최신 정보를 얻는 훌륭한 출처이다.　07 그의 전기에서 그는 자신의 개를 '아름다운 동물'로 지칭한다.
08 우리는 이 소책자에서 가장 중요한 주제를 제시할 것이다.　09 에밀리 디킨슨의 시집 한 권이 그의 주머니에서 발견되었다.　10 당신은 우리가 제공하는 무료 온라인 사전을 내려 받을 수 있다.　11 불행히도 회사는 몇 가지 비밀 서류를 잃어버렸다.

12 ☑ **edition**
[edíʃən]

🔘 (초판 · 재판의) 판   **a revised edition** 개정판

Since it's a limited edition, you won't be able to get it any more.

---

13 ☑ **encyclopedia**
[ensàikloupí:diə]

🔘 백과사전

     a walking encyclopedia 걸어 다니는 백과사전, 박식한 사람

He's a walking encyclopedia but doesn't know it.

---

14 ☑ **essay**
[ései]

🔘 수필, 평론   **a critical essay** 평론

The essay exam is the most common form of college writing.

---

15 ☑ **media**
[mí:diə]

🔘 medium 〈단수형〉 매체

🔘 〈복수형〉 매체   **mass media** 대중 매체

The main object of this study is to analyze the role of mass media.

---

16 ☑ **genre**
[ʒá:nrə]

🔘 유형, 양식, 장르   **literary genre** 문학 장르

The Internet has just created a new genre of literature.

---

17 ☑ **journal**
[dʒə́:rnəl]

🔘 정기 간행물, 잡지   **a medical journal** 의학 잡지

This monthly journal keeps you up to date on jobs.

---

12 그것은 한정판이므로 다시는 구할 수는 없을 것입니다. 13 그는 박식한 사람이지만, 그것을 알지 못한다. 14 에세이 시험은 대학 작문시험의 가장 일반적인 형태이다. 15 이 연구의 주된 목적은 대중 매체의 역할을 분석하는 것이다. 16 인 터넷이 문학의 새로운 장르를 창조해 냈다. 17 이 월간지는 여러분이 일자리에 관한 최신정보를 접하게 한다.

18 interpret
[intə́ːrprit]

ⓝ interpretation 해석
ⓝ interpreter 통역가

ⓥ 해석하다, 통역하다   **free interpretation** 무료 번역

I learned how to easily interpret the meaning of dreams.

---

19 headline
[hédlàin]

ⓝ 머리기사, 헤드라인

make the headlines 신문 머리기사를 장식하다
headline-grabbing news 머리기사를 장식하는 (중요한) 뉴스

I would like to see your name placed in a front-page headline.

---

20 magazine
[mǽgəzíːn]

ⓝ 잡지   **a sports magazine** 스포츠 잡지

He wants to make copies of a magazine article for his class.

---

21 manual
[mǽnjuəl]

ⓝ 소책자, 입문서, 설명서

an instruction manual 사용 설명서

Please read the manual carefully and completely before you use it.

---

22 fiction
[fíkʃən]

ⓐ fictional 꾸며낸, 허구의

ⓝ 소설, 허구   **a fiction writer** 소설 작가
nonfiction 논픽션

This is a science fiction novel published in 1965.

---

18 나는 꿈의 의미를 쉽게 해석하는 방법을 배웠다. 19 나는 네 이름이 첫 면의 머리기사에 등장하는 것을 보고 싶다.
20 그는 수업에 사용하기 위해 잡지 기사를 복사하고 싶어 한다. 21 사용하기 전에 설명서를 주의 깊게 그리고 완전히 읽어보세요. 22 이것은 1965년에 출판된 공상 과학 소설이다.

23 ☑ novel
[návəl]

ⓝ novelist 소설가

ⓝ 소설   **a science fiction novel** 공상 과학 소설

The movie was based on a novel written by a British writer.

---

24 ☑ topic
[tápik]

ⓐ topical 화제의

ⓝ 화제, 토픽   **an everyday topic** 일상적인 화제

Weight loss is a popular topic these days.

---

25 ☑ press
[pres]

ⓝ 인쇄기, 보도 기관, 신문   **a press conference** 기자회견

Where there is no freedom of the press, there is no freedom.

---

26 ☑ revise
[riváiz]

ⓝ revision 개정, 정정

ⓥ 개정하다, 정정하다   **revise a book** 책을 개정하다

We should review and revise the plan whenever appropriate.

---

27 ☑ spelling
[spéliŋ]

ⓥ spell 맞춤법에 따라 쓰다

ⓝ 철자법   **an incorrect spelling** 부정확한 철자법

This essay is full of spelling mistakes.

---

28 ☑ theme
[θi:m]

ⓝ 주제, 테마   **a central theme** 중심 테마

The theme of the book is the conflict between love and duty.

---

23 그 영화는 한 영국 작가가 쓴 소설을 토대로 만들었다. 24 체중 감량은 요즈음 널리 유행하는 화제이다. 25 언론의 자유가 없는 곳에는 자유가 없다. 26 우리는 적당한 때마다 계획을 검토하고 정정해야 한다. 27 이 에세이는 철자 오류가 가득하다. 28 그 책의 주제는 사랑과 의무 사이의 갈등이다.

29 translation
[trænsléiʃən]

v translate 번역하다
n translator 번역가

n 번역　　　　errors in translation 번역의 실수, 오역

I've read the English translation of the book, not the original.

30 copy
[kápi]

n 사본, 복사, (같은 책의) 권

sell a million copies 백만 권을 팔다

All copies of the magazine sold out within hours.

29 나는 그 책의 원본이 아니라 영어로 번역한 것을 읽었다. 30 그 잡지의 모든 부수가 몇 시간 만에 품절되었다.

Multi-Meaning Word

copy

v 베끼다, 복사하다
copy into a notebook 공책에 베끼다
n 사본, 부본(副本)
a copy of an original design
n (같은 책의) 권
two copies of the *Life* magazine 라이프지 두 권
n 광고문(안), 카피
ad copy 광고문

EXERCISE

A 다음 영어는 우리말로, 우리말은 영어로 쓰시오.

01 publisher _____

02 document _____

03 article _____

04 novel _____

05 theme _____

06 백과사전 _____

07 사전 _____

08 번역 _____

09 소설 _____

10 비평가 _____

B 다음 영어는 우리말로, 우리말은 영어로 쓰시오.

01 modern literature: _____

02 revise a book: _____

03 spelling corrections: _____

04 편집장: chief _____

05 대중 매체: mass _____

06 여행책자: a travel _____

C 다음 빈칸에 들어갈 말을 고르시오. (필요하면 형태를 바꾸시오.)

interpret	essay	headline	theme	manual

01 I need to read the _____ for my cell phone.
나는 휴대전화 설명서를 읽어야 한다.

02 I only had time to go through the newspaper _____.
신문 머리기사 볼 시간 밖에 없었다.

03 This _____ is about the author's childhood.
이 수필은 작가의 유년시절에 관한 것이다.

04 This book will help _____ the foreign text.
이 책은 외국어로 된 글을 해석하는 데 도움이 될 것이다.

05 What was the _____ of the book?
책의 주제가 무엇이었니?

Word Search

앞에서 배운 어휘를 기억하며 단어를 모두 찾아보세요.

정답

```
J O U R N A L W B T A N G C P
F N B C D C B I Z R R O E I R
W T K Y R R O D A A T I N P E
O R N I A G V F V N I T R O S
W D T E R S I T N S C I E T S
H I M A M C S M G L L D E P K
C E P L T U E E V A E E S S B
S H A I E D C Y B T T Z I F A
Y S O D I V P O W I T G V V N
D N G A L O O G D O A K E G H
B Z U Z C I D N N N B U R L T
R O T I D E N L A U N A M Y O
W O X A Y J N E Z O Y U L O B
J I R V A V T H E M E U W U Z
```

article	copy	critic	editor
essay	fiction	genre	headline
journal	manual	media	press
revise	theme	topic	translation

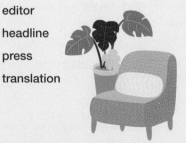

Unit 33 Conversation & Presentation

---

01 announce
[ənáuns]

- ⓝ announcer
  아나운서, 발표자
- ⓝ announcement
  알림, 공고

ⓥ 언급하다, 알리다

announce to the public 대중에게 알리다

Have they announced the winner yet?

---

02 anticipate
[æntísəpèit]

- ⓝ anticipation 예감, 예상

ⓥ 예상하다, 예견하다

anticipate a request 요청을 예상하다

We should anticipate the worst.

---

03 compare
[kəmpɛ́ər]

- ⓝ comparison 비교, 유사

ⓥ 비교하다

compare A to B A와 B를 비교하다

This product seems better compared to others.

---

04 conclusive
[kənklú:siv]

- ⓥ conclude 결정하다
- ⓝ conclusion 결정, 결론

ⓐ 결정적인, 결론적인   **a conclusive factor** 결정적인 요인

The police found conclusive evidence.

---

05 evident
[évidənt]

- ⓝ evidence 증거
- ⓐ self-evident 자명한

ⓐ 명백한   **an evident fact** 명백한 사실

Your argument is not evident.

---

01 수상자가 누군지 벌써 발표했어? 02 최악의 경우를 예상하는 게 좋겠다. 03 이 제품이 다른 제품에 비해 더 괜찮아 보여. 04 경찰이 결정적인 증거를 발견했다. 05 당신의 주장은 명백하지 않습니다.

06 predict
[pridíkt]

n prediction 예언, 예보

v 예언하다, 예상하다

predict the near future 가까운 미래를 예언하다

I predicted this would happen.

---

07 respond
[rispánd]

n response 응답, 대답

v 대답하다, 반응하다

respond to the question 질문에 대답하다

I'm waiting for Sally to respond.

---

08 suggestive
[səgdʒéstiv]

v suggest
암시하다, 제안하다

n suggestion 암시, 제안

a 암시적인

His looks were suggestive of bad news.

---

09 argue
[áːrgjuː]

n argument 논의

v 논하다, 주장하다

argue with a referee 심판과 언쟁을 벌이다

The couple was arguing about how to load the dishwasher.

---

10 assert
[əsə́ːrt]

n assertion 단언, 주장

v 단언하다, 주장하다

assert one's independence 독립을 주장하다

They may assert their rights to have access to their grandchildren.

---

06 나는 이런 일이 일어날 줄 예상했어. 07 나는 Sally가 대답하기를 기다리고 있어. 08 그의 표정이 나쁜 소식을 암시했다. 09 그 부부는 식기세척기를 어떻게 실을까에 대해 의논하는 중이었다. 10 그들은 손자들에게 접근할 권리를 주장할 수 있다.

11 characterize
[kǽriktəràiz]

- **n character** 특징, 성격
- **n characterization** 특징을 나타냄

v 특징짓다, 특성을 묘사하다

be characterized by ~의 특징이 있다

The city was characterized by a very warm and dry spring.

12 comment
[kάmənt]

- **n commentary** 논평, 주석

n 논평, 의견 **v** 논평하다, 의견을 말하다

comments on an article 기사에 대한 논평

❧ Are there any questions or comments about that report?

❧ Conan didn't want to comment on the issue.

13 confess
[kənfés]

- **n confession** 고백, 자백

v 고백하다 **confess publicly** 공개적으로 인정하다, 자백하다

She confessed that she didn't notice her uncle the first time.

14 consequence
[kάnsikwèns]

- **a consequent** 결과의
- **a consequential** 필연적인, 중요한

n 결과, 중대성 **tragic consequences** 비극적 결과

There will be serious consequences if inflation continues to rise.

15 consult
[kənsΛlt]

- **n consultant** 컨설턴트, 의논 상대

v 참고하다, 자문하다 **consult a doctor** 의사의 진찰을 받다

I can't believe you sold the car without consulting me.

---

11 그 도시는 매우 따뜻하고 건조한 봄 날씨가 특징이다. 12 그 보고서에 대해 질문이나 의견이 있습니까? / Conan은 그 문제에 대해 의견을 말하고 싶지 않았다. 13 그녀는 처음에는 그녀의 삼촌을 알아보지 못했다고 고백했다. 14 인플레이션이 계속 증가하면 심각한 결과가 발생할 것이다. 15 나와 상의 없이 네가 그 차를 팔았다니 믿을 수 없다.

16 depict
[dipíkt]

ⓝ depiction 묘사

ⓥ 묘사하다   **depict a situation** 상황을 묘사하다

Many history books depict him as a hero to the people.

17 debate
[dibéit]

ⓝ debater 토론 참가자

ⓝ 토론 **ⓥ** 토론하다   **open the debate** 토론을 시작하다

➡ It is important for Korea to adopt the debate culture.

➡ The city committee is debating the most appropriate location for a new city hall.

18 describe
[diskráib]

ⓝ description 묘사, 기술

ⓥ 묘사하다, 기술하다   **describe a scene** 장면을 묘사하다

He described himself as a great statesman.

19 dialect
[dáiəlèkt]

ⓝ 방언, 사투리   **a southern dialect** 남부 사투리

Some of the poems reflect the local dialect of that area.

20 discussion
[diskʌ́ʃən]

ⓥ discuss 논하다, 토론하다

ⓝ 토론   **a group discussion** 집단 토론

The matter became a subject of heated discussion.

21 expression
[ikspréʃən]

ⓥ express 표현하다

ⓝ 표현, 표정   **a happy expression** 행복한 표정

He is the man who took away our freedom of expression.

---

16 많은 역사책이 그를 국민적 영웅으로 묘사하고 있다. 17 한국이 토론 문화를 도입하는 것이 중요하다. / 시 위원회는 새로 짓는 시청의 가장 좋은 위치에 대해 토론하고 있다. 18 그는 자신을 위대한 정치인이라고 묘사했다. 19 몇몇 시는 그 지역의 방언을 반영한다. 20 그 문제는 열띤 토론의 주제가 되었다. 21 그는 우리에게서 표현의 자유를 앗아간 인물이다.

22 **gossip**
[gásip]

ⓝ 잡담, 가십   **idle gossip** 한가한 잡담

Have you ever spread gossip about me?

---

23 **notion**
[nóuʃən]

ⓝ 개념, 생각   **a common notion** 통념

He has the notion that life is a voyage.

---

24 **portray**
[pɔːrtréi]

ⓥ 묘사하다   **portray as a dictator** 독재자로 묘사하다

ⓝ portrait 초상, 초상화

Don't portray yourself as a drunk or an alcoholic.

---

25 **praise**
[preiz]

ⓥ 칭찬하다 **ⓝ** 칭찬

beyond all praise 아무리 칭찬해도 모자라는

Your honesty deserved to be praised.

---

26 **proposal**
[prəpóuzəl]

ⓝ 제안, 제의, 구혼   **make a proposal** 청혼하다

ⓥ propose
제안하다, 청혼하다

The proposal gained wide support all over the city.

---

27 **protest**
[prətést]

ⓥ 항의하다, 주장하다 **ⓝ** 항의   **a violent protest** 격렬한 항의

❧ Citizens protested to the mayor that taxes were too high.

❧ There was a protest march in front of the civic center.

---

22 당신이 나에 관한 험담을 퍼뜨렸나요? 23 그는 인생은 항해라는 생각을 하고 있다. 24 당신 자신을 술꾼이나 알코올 중독자로 묘사하지 마세요. 25 네 정직함은 칭찬받아 마땅했다. 26 그 제안은 도시 전체에서 큰 지지를 받았다. 27 시민들은 세금이 너무 높다고 시장에게 항의했다. / 시민 회관 앞에서 항의 행진이 있었다.

28 ☑ **refer** [rifə́ːr] **ⓝ reference** 문의, 참조	**ⓥ** 참고하다, 참조하다 **refer to a dictionary** 사전을 참고하다 Refer to the following section for further details.
29 ☑ **remark** [rimáːrk] **ⓐ remarkable** 주목할 만한	**ⓥ** 주목하다, 말하다 **ⓝ** 말, 의견　**a kind remark** 친절한 말 ✦ It would be rude to remark upon a person's appearance. ✦ I can't stand his offensive remarks any longer.
30 ☑ **correspond** [kɔ̀ːrəspánd] **ⓝ correspondence** 일치, 통신, 서신교환 	**ⓥ** 일치하다, 서신 왕래하다 **correspond with** ~와 서신 왕래하다 I wish to correspond with students from Britain or the US.

28 좀 더 상세한 내용은 다음의 부분을 참조하시오. 29 사람의 외모에 대해 말하는 것은 무례하다. / 나는 그의 모욕적인 말을 더는 못 참겠다. 30 나는 영국이나 미국 학생들과 편지를 주고받고 싶다.

🐱 Multi-Meaning Word

correspond　**ⓥ** 나타내다

The blue lines on the map **correspond** to sea.
지도의 파란 선은 바다를 나타낸다.

ⓥ 일치하다

His words and actions don't **correspond**.
그의 말과 행동은 일치하지 않는다.

ⓥ 서신 왕래하다

They started to **correspond** two years ago.
그들은 2년 전에 편지를 주고받기 시작했다.

EXERCISE

A 다음 영어는 우리말로, 우리말은 영어로 쓰시오.

01 refer _____ 06 비교하다 _____

02 expression _____ 07 알리다 _____

03 comment _____ 08 고백하다 _____

04 respond _____ 09 제안, 제의, 구혼 _____

05 predict _____ 10 묘사하다 _____

B 다음 영어는 우리말로, 우리말은 영어로 쓰시오.

01 idle gossip: _____

02 a southern dialect: _____

03 a conclusive factor: _____

04 통념: a common _____

05 격렬한 항의: a violent _____

06 상황을 묘사하다: _____ a situation

C 다음 빈칸에 들어갈 말을 고르시오. (필요하면 형태를 바꾸시오.)

discussion	praise	correspond	consult	respond

01 I _____ with Susan now and then.
나는 때때로 Susan과 편지를 주고받는다.

02 The critic _____ the new novel.
비평가가 새로운 소설을 극찬했다.

03 I need to _____ with Mr. Jackson about this issue.
나는 이 사안에 대해 Jackson 선생님에게 자문을 구해야 한다.

04 Sally never _____ to me.
Sally는 나에게 결코 대답해주지 않았다.

05 We were having a _____ about our plans.
우리의 계획에 대한 토론을 하고 있었다.

Word Search

앞에서 배운 어휘를 기억하며 단어를 모두 찾아보세요.

정답

V	S	R	M	C	G	T	J	A	K	Z	P	C	A	P
E	U	G	R	A	N	Z	D	R	S	O	H	N	Z	R
V	U	Q	Q	E	B	T	A	N	R	S	N	D	E	E
D	L	U	D	U	G	M	J	T	O	O	E	W	N	D
R	E	I	S	G	E	E	R	I	U	P	C	R	G	I
E	V	S	R	R	X	A	K	N	C	S	S	G	T	C
E	R	C	C	E	Y	T	C	E	O	S	P	E	O	T
X	P	A	O	R	F	E	R	T	M	E	R	O	R	G
C	X	T	P	N	I	E	F	A	M	F	A	P	E	W
J	A	T	X	M	S	B	R	B	E	N	I	E	B	N
Z	X	D	K	F	O	U	E	E	N	O	S	S	M	V
G	O	S	S	I	P	C	L	D	T	C	E	F	L	L
D	I	A	L	E	C	T	N	T	N	O	T	I	O	N
I	M	J	V	P	R	O	T	E	S	T	P	H	E	T

announce	argue	assert	comment
confess	consult	debate	describe
dialect	gossip	notion	portray
praise	predict	protest	refer

Unit 34 World of Art

---

01 ☑ **sculpture**
[skʌ́lptʃər]

ⓥ **sculpt** 조각하다

ⓝ 조각, 조각 작품

an exhibition of sculptures 조각품 전시회

There is an annual sand sculpture competition on the beach.

---

02 ☑ **compose**
[kəmpóuz]

ⓝ **composer** 작곡가
ⓝ **composition**
구성, 작곡, 작문

ⓥ 조립하다, 작곡하다

a song composed by Mozart 모차르트가 작곡한 곡

My father composes music for movies.

---

03 ☑ **director**
[diréktər]

ⓥ **direct** 지휘하다,
(영화 등을) 감독하다

ⓝ 지도자, 감독, 연출가 **an assistant director** 조감독

She worked as an art director for a famous filmmaker.

---

04 ☑ **perform**
[pərfɔ́ːrm]

ⓝ **performance**
실행, 공연, 연주

ⓥ 실행하다, 공연하다

Before every concert, she worries about how well she will perform.

---

01 매년 해변에서 모래 조각 대회가 있다. 02 아버지는 영화 음악을 작곡하신다. 03 그녀는 한 유명한 영화사에서 미술 감독으로 일했다. 04 매 공연 전에 그녀는 얼마나 공연을 잘 할까라는 걱정을 한다.

05 ☑ **fashion**
[fǽʃən]
ⓐ **fashionable** 최신 유행의

ⓝ 방식, 유행, 패션   **a fashion designer** 패션 디자이너

I try to keep up with the latest fashion.

---

06 ☑ **exhibit**
[igzíbit]
ⓝ **exhibition** 전시, 전시회

ⓥ 전시하다 ⓝ 전시품, 전람

✤ My favorite painting is being exhibited at the gallery.

✤ Do not touch the exhibits.

---

07 ☑ **applaud**
[əplɔ́ːd]
ⓝ **applause** 박수갈채

ⓥ 박수갈채하다   **applaud loudly** 크게 박수치다

The crowd applauded when she finally left the stage.

---

08 ☑ **beat**
[biːt]

ⓥ 두드리다 ⓝ 박자, 비트, 맥박   **drum beat** 드럼 리듬, 드럼 비트

✤ Colbert was too tired to beat the drum.

✤ They danced to the beat of the music.

---

09 ☑ **vocal**
[vóukəl]
ⓝ **voice** 목소리

ⓐ 목소리의   **vocal music** 성악

Some singers whisper low to people to protect the vocal cords.

---

10 ☑ **cartoon**
[kɑːrtúːn]

ⓝ 만화   **a cartoon character** 만화 등장인물

The cartoon shows a chimp that was shot by a police officer.

---

05 나는 최신 패션을 쫓으려고 노력한다. 06 내가 가장 좋아하는 그림이 화랑에서 전시 중이야. / 전시품에 손대지 마시오. 07 그녀가 마침내 무대를 떠날 때 군중은 손뼉을 쳤다. 08 Colbert는 너무 피곤해서 드럼을 칠 수 없었다. / 그들은 음악의 박자에 맞춰 춤을 추었다. 09 어떤 가수들은 목을 보호하기 위해 사람들에게 낮은 소리로 속삭인다. 10 그 만화는 경찰관이 쏜 총에 맞은 침팬지를 그리고 있다.

¹¹ **carve**
[kɑːrv]

ⓥ 새기다, 베다　　　　**carve meat** 고기를 썰다

Visitors to the temple used to carve their names into the tree.

¹² **chorus**
[kɔ́ːrəs]

ⓝ 합창, (노래의) 후렴　　　**sing in chorus** 합창하다

At dawn the small birds joined in the chorus.

¹³ **concert**
[kánsə(ː)rt]

ⓝ 음악회, 콘서트　　　　**a rock concert** 록 콘서트

We talked to the famous pianist before his concert.

¹⁴ **display**
[displei]

ⓝ 표시, 진열, 진열품 **ⓥ** 보이다, 전시하다 **art display** 예술 전시

❧ She walked by the store and the window display caught her eye.

❧ Andy is proud to display some of his paintings to us.

¹⁵ **script**
[skrípt]

ⓝ 원고, 대본　　　　　**a film script** 영화 대본

Both sisters directed the film and wrote all their own scripts.

¹⁶ **festival**
[féstəvəl]

ⓐ festive 축제의, 즐거운

ⓝ 잔치, 축제　　　　**a film festival** 영화제

Ramadan is one of the two festivals of Islam.

---

11 사원을 방문한 사람들은 나무에 그들의 이름을 새기곤 했다. 12 새벽에 작은 새들이 일제히 노래를 부르기 시작했다. 13 우리는 연주회 전에 그 유명한 피아니스트에게 말을 걸었다. 14 그녀는 가게 옆을 지나가다가 창가의 진열품에 시선을 뺏겼다. / Andy는 우리에게 그의 그림 몇 점을 자랑스럽게 보여주었다. 15 두 자매는 영화를 감독했으며 대본을 모두 자신들이 썼다. 16 라마단은 이슬람의 두 가지 축제 중 하나이다.

17 audience
[ɔ́ːdiəns]

🔵 청중, 관객 **studio audience** 방청객

The audience began cheering and never stopped.

18 statue
[stǽtʃuː]

🔵 상(像), 동상 **the Statue of Liberty** 자유의 여신상

The original of the statue stands in front of a church in Rome.

19 instrument
[ínstrəmənt]

🔴 instrumental 악기의

🔵 기구, 악기 **a musical instrument** 악기

The ability to play a musical instrument is useful, but not essential.

20 conduct
[kəndʌ́kt]

🟢 지휘하다, 행동하다, 안내하다

conduct an orchestra 오케스트라를 지휘하다

This is Allen's second opportunity to conduct a choir in Carnegie Hall.

21 auditorium
[ɔ̀ːditɔ́ːriəm]

🔵 방청석, 강당 **the school auditorium** 학교 강당

We gathered in an auditorium to see a grand opening ceremony.

22 parade
[pəréid]

🔵 행진, 퍼레이드 **a protest parade** 시위 행렬

Everyone has a chance to cheer for the team in a victory parade.

17 청중은 환호하기 시작했으며 멈추지 않았다. 18 그 동상의 진품은 로마의 한 교회 앞에 있다. 19 악기를 연주하는 능력은 유용하지만 필수적인 건 아니다. 20 이것은 Allen이 카네기홀에서 합창단을 지휘하는 두 번째 기회이다. 21 우리는 화려한 개막식을 보기 위해 강당에 모였다. 22 누구나 승리 축하 퍼레이드에서 그 팀을 응원할 수 있다.

23 recital
[risáitl]

v recite 암송하다

ⓝ 암송, 독주(회)　　　　　　　　　a piano recital 피아노 독주회

Everybody clapped at the piano recital because it was wonderful.

24 masterpiece
[mǽstərpìːs]

ⓝ 걸작, 명작　　　　　　　　　a jazz masterpiece 재즈의 걸작

The best way to share the masterpiece with people is putting it online.

25 portrait
[pɔ́ːrtrit]

v portray 그리다, 묘사하다

ⓝ 초상(화), 인물 사진　　　　　　　a family portrait 가족 초상화

She made a self-portrait which is now on display at the entrance.

26 perspective
[pəːrspéktiv]

ⓝ 관점, 시각, 원근법

from an artistic perspective 예술적인 관점에서

The novel was written from a child's perspective.

27 tempo
[témpou]

ⓝ (음악의) 빠르기, 박자

increase the tempo 빠르기를 올리다

They are proud of the slow tempo of their daily life.

---

23 피아노 독주회가 너무 훌륭했기 때문에 모두 박수갈채를 보냈다. 24 걸작품을 사람들과 공유하는 가장 좋은 방법은 인터넷에 올리는 것이다. 25 그녀는 현재 입구에 전시된 그 자화상을 그렸다. 26 그 소설은 어린아이의 관점에서 쓰여 졌다. 27 그들은 일상생활의 느린 속도를 자랑으로 여긴다.

28 ☑ **playwright**
[pléiràit]

ⓝ 각본가, 극작가　　　**a famous playwright** 유명한 극작가

He used to be a fairly well-known playwright at one time.

29 ☑ **reserve**
[rizə́:rv]

ⓝ **reservation** 예약

ⓥ 예약하다

Several theater seats are reserved for the disabled.

30 ☑ **tragedy**
[trǽdʒədi]

ⓐ **tragic** 비극적인

ⓝ 비극　　　**historical tragedies** 역사적 비극

What are the four great tragedies of Shakespeare?

---

28 그는 한때 꽤 유명한 극작가였다 29 극장 좌석 몇 개가 장애인을 위해 예약되어 있다. 30 셰익스피어의 4대 비극이 무엇이지?

Multi-Meaning Word

conduct

ⓥ 인도하다, 안내하다
conduct a guest to his room 손님을 방으로 안내하다

ⓥ 지휘하다
conduct an orchestra 악단을 지휘하다

ⓥ 〈열·전기〉 전도하다
a **conducting** wire 열을 전도하는 철사, 도선

ⓝ 행위, 행동
a prize for good **conduct** 선행상

EXERCISE

A 다음 영어는 우리말로, 우리말은 영어로 쓰시오.

01 applaud _____
02 chorus _____
03 instrument _____
04 perform _____
05 carve _____

06 작곡하다 _____
07 잔치, 축제 _____
08 빠르기, 박자 _____
09 예약하다 _____
10 전시하다, 전람 _____

B 다음 영어는 우리말로, 우리말은 영어로 쓰시오.

01 a film script: _____

02 a musical instrument: _____

03 a cartoon character: _____

04 성악: _____ music

05 조각품 전시회: an exhibition of _____

06 조감독: an assistant _____

C 다음 빈칸에 들어갈 말을 고르시오. (필요하면 형태를 바꾸시오.)

tragedy	recital	fashion	playwright	concert

01 I went to my sister's piano _____ yesterday.
어제 나는 여동생의 피아노 독주회에 다녀왔다.

02 John wants to be a _____.
John은 극작가가 되고 싶어 한다.

03 The movie ended with a _____.
영화는 비극으로 끝이 났다.

04 Let's go to a jazz _____ tonight.
오늘 밤에 재즈 공연 보러 가자.

05 He studied _____ designing abroad.
그는 외국에서 의상 디자인을 공부했다.

Word Search

앞에서 배운 어휘를 기억하며 단어를 모두 찾아보세요.

정답

T	A	S	E	M	Y	I	S	H	E	L	R	J	E	T
M	R	S	C	N	I	C	I	D	X	F	E	S	D	A
L	G	E	T	H	R	M	I	X	H	D	C	T	A	E
B	A	A	C	I	O	S	Z	E	I	I	I	A	R	B
R	P	V	P	N	P	R	S	D	B	R	T	T	A	A
N	O	T	I	L	O	O	U	T	I	E	A	U	P	M
Q	R	U	A	T	P	C	R	S	T	C	L	E	J	R
Q	T	Y	D	M	S	A	A	L	S	T	N	Q	E	O
R	R	C	O	X	G	E	A	E	Y	O	N	B	W	F
T	A	C	A	E	Q	C	F	H	U	R	G	S	Q	R
A	I	X	D	R	O	T	C	U	D	N	O	C	T	E
Q	T	Y	A	V	V	H	T	E	M	P	O	T	M	P
D	D	B	O	M	X	E	S	V	Y	Q	I	A	R	V
E	V	R	E	S	E	R	V	N	M	V	U	W	T	G

beat	carve	chorus	director
display	exhibit	parade	perform
portrait	recital	reserve	script
statue	tempo	tragedy	vocal

Unit 35 Time & Space

---

01 **lasting**
[lǽstiŋ]

ⓥ last 지속하다

ⓐ 영속하는, 오래가는 **a lasting relationship** 지속적인 관계

This novel has lasting value.

---

02 **partial**
[páːrʃəl]

ⓥ part 나누다
ⓐ impartial 공평한

ⓐ 일부분의, 편파적인 **a partial opening** 부분적인 개방

This is only a partial piece of the puzzle.

---

03 **prior**
[práiər]

ⓝ priority 앞, 우선

ⓐ 앞의, 전의, 사전의 **prior to** ~에 앞서

Do you remember our prior discussion?

---

04 **regular**
[régjələr]

ⓥ regulate
규정하다, 조절하다
ⓐⓓ regularly 규칙적으로

ⓐ 규칙적인, 정규의 **a regular meeting** 정기 집회

A regular diet is crucial to good health.

---

05 **urgent**
[ə́ːrdʒənt]

ⓝ urgency 긴급
ⓐⓓ urgently 긴급하게

ⓐ 긴급한, 절박한 **urgent need** 긴급한 필요

He returned with urgent news.

---

01 이 소설은 오래 지속될 가치를 가지고 있다. 02 이것은 퍼즐의 부분적인 조각에 불과하다. 03 우리가 이전에 한 토론을 기억하니? 04 규칙적인 식사는 건강에 필수적이다. 05 그는 긴급한 소식을 가지고 돌아왔다.

06 eternal
[itə́ːrnəl]

ⓝ eternity 영원

ⓐ 영원한 **eternal life** 영원한 삶

I promise that our love will be eternal.

07 finite
[fáinait]

ⓐ 한정된, 제한된 **a finite amount** 한정된 양

We should set a finite time for the project.

08 immediate
[imíːdiət]

ad immediately 즉시

ⓐ 인접한, 곧 일어나는, 즉각적인
an immediate reaction 즉각적인 반응

I wasn't able to find a restroom in the immediate area.

09 infinite
[ínfənit]

ⓝ infinity 무한대

ⓐ 무한한 **infinite space** 무한한 공간

She thought the amount of time for her homework was infinite.

10 irregular
[irégjələr]

ⓐ regular 규칙적인
ⓝ irregularity 불규칙

ⓐ 불규칙한 **an irregular surface** 불규칙한 표면

His visits to the doctor were irregular.

11 latest
[léitist]

ⓐ 최신의 **the latest fashion** 최신 패션

This computer is the latest model on the market.

---

06 우리 사랑이 영원하리라고 약속한다. 07 우리는 프로젝트를 위해 제한된 시간을 설정해야 한다. 08 인접한 지역에서 화장실을 찾을 수 없었다. 09 그녀는 숙제할 시간이 무한할 것이라고 생각했다. 10 그가 의사를 찾아가는 것은 불규칙했다. 11 이 컴퓨터는 시장에서 최신 모델이다.

12 **long-lasting**
[lɔːŋlǽstiŋ]

ⓐ 지속적인　　　　　a long-lasting war 오래 지속되는 전쟁

I hope our friendship will be long-lasting.

---

13 **medieval**
[mìːdiíːvəl]

ⓐ 중세의　　　　　a medieval castle 중세의 성

This artifact dates back to the medieval age.

---

14 **momentary**
[móuməntèri]

ⓝ moment 순간

ⓐ 순간적인　　　　　a momentary glance 순간적인 응시

We will make a momentary stop at this station.

---

15 **never-ending**
[névəréndiŋ]

ⓐ 끝나지 않는　　　　　a never-ending story 끝이 없는 이야기

Life is a never-ending pursuit of happiness.

---

16 **newborn**
[njúːbɔ́ːrn]

ⓐ 신생의　　　　　a newborn baby 신생아

The astronomer discovered a newborn star.

---

17 **occasional**
[əkéiʒənəl]

ⓝ occasion 특별한 경우

ⓐⓓ occasionally 때때로

ⓐ 때때로의, 임시의　an occasional visitor 가끔 오는 손님

The governor announced occasional rules.

---

12 나는 우리의 우정이 오래 지속되었으면 좋겠다. 13 이 유물은 중세 시대로 거슬러 올라간다. 14 우리는 이 역에서 잠시 정차하겠습니다. 15 인생은 끝나지 않는 행복의 추구다. 16 천문학자는 신성을 발견했다. 17 주지사는 임시 규정을 발표 했다.

---

18 **periodic**
[pìəriádik]

ⓝ period 기간, 주기

ⓐ 주기적인   **the periodic table** 주기율표

In the summer, rainfall is quite periodic.

---

19 **prehistoric**
[prì*h*istɔ́:rik]

ⓝ prehistory 선사 시대

ⓐ 유사 이전의, 선사의   **the prehistoric age** 선사 시대

The archaeologists found the site of a prehistoric village.

---

20 **previous**
[prí:viəs]

ⓐd previously 이전에, 미리

ⓐ 이전의, 앞선   **the previous chapter** 이전 장, 챕터

What did we learn in our previous class?

---

21 **prospective**
[prəspéktiv]

ⓝ prospect 전망, 가망

ⓐ 예기되는, 장래의

       prospective customers 잠재 고객, 장래 고객

The new commercial is targeting young prospective buyers.

---

22 **recent**
[rí:sənt]

ⓐd recently 요즈음, 최근에

ⓐ 최근의, 새로운   **a recent event** 최근의 사건

The Internet has grown at an incredible speed in recent times.

---

18 여름에는 비가 비교적 주기적으로 내린다. 19 고고학자들은 선사 시대의 마을 유적을 발견했다. 20 우리가 이전 수업 시간에 무엇을 배웠죠? 21 새 광고는 젊은 잠재 구매자를 대상으로 한다. 22 인터넷은 최근에 놀라운 속도로 발전했다.

23 **short-term**
[ʃɔːrttə̀ːrm]

ⓐ 단기의　　**short-term memory loss** 단기 기억 상실(증)

My short-term goal is to gain a medical license.

24 **temporary**
[témpərèri]

ⓐ 일시적인, 임시의　　**a temporary job** 임시직

My family considers this house only a temporary residence.

25 **vast**
[væst]

ⓐ 광대한, 거대한　　**a vast plain** 광대한 평원

The door led into a vast room.

🔊 **vastly** 광대하게

26 **coincide**
[kòuinsáid]

ⓥ (둘 이상의 일이) 일치하다, 동시에 일어나다
　　　　　　coincide in opinion 의견이 일치하다

ⓝ **coincidence** 동시 발생

His speech coincided with the release of his latest book.

27 **imminent**
[ímənənt]

ⓐ 절박한, 일촉즉발의　　**an imminent storm** 곧 닥칠 폭풍

Your studies are more imminent than anything right now.

ⓝ **imminence** 절박, 급박

28 **extensive**
[iksténsiv]

ⓐ 광범위한, 넓은

His farmland covers an extensive area.

ⓥ **extend** 뻗다
🔊 **extensively** 광범위하게

---

23 나의 단기 목표는 의사 면허증을 따는 것이다. 24 우리 가족은 이 집을 단지 일시적인 거주지로 여긴다. 25 이 문은 넓은 방으로 이어졌다. 26 그의 연설은 그의 최신작 발표와 같이 진행되었다. 27 지금은 다른 무엇보다도 너의 공부가 가장 급하다. 28 그의 농지는 광범위한 지역에 걸쳐 있다.

29 ☑ **due**
[dju:]

ⓐ 예정된　　　　　　　　　　　**be due to** ~할 예정이다

The members of the committee are due to be announced today.

30 ☑ **instant**
[ínstənt]

ad instantly 즉시

ⓐ 즉시의, 즉각적인 **ⓝ** 순간　　　**instant glue** 순간접착제

✤ The comment brought an instant response of laughter.

✤ Our lives can change in an instant.

---

29 위원회의 구성원은 오늘 발표될 예정이다. 30 그 논평은 즉각적인 웃음의 반응을 가져왔다. / 우리의 인생은 눈 깜짝할 사이에 바뀔 수도 있다.

🐱 **Multi-Meaning Word**

due

ⓐ 당연한
due punishment 당연한 벌

ⓐ 예정된
is due to+동사 ~할 예정이다

ⓐ ~ 때문에
be due to ~ 때문이다 (*due to=because of)

ⓐ 기한이 된
When is the rent due? 집세가 언제 만기인가?

EXERCISE

A 다음 영어는 우리말로, 우리말은 영어로 쓰시오.

01 medieval _____
02 periodic _____
03 temporary _____
04 imminent _____
05 momentary _____

06 규칙적인, 정규의 _____
07 무한한 _____
08 즉시의, 즉각적인 _____
09 광범위한, 넓은 _____
10 신생의 _____

B 다음 영어는 우리말로, 우리말은 영어로 쓰시오.

01 a vast plain: _____
02 the previous chapter: _____
03 a long-lasting war: _____
04 끝이 없는 이야기: a(n) _____ story
05 한정된 양: a(n) _____ amount
06 최근의 사건: a(n) _____ event

C 다음 빈칸에 들어갈 말을 고르시오. (필요하면 형태를 바꾸시오.)

latest	prior	irregular	due	urgent

01 What are you doing _____ to the meeting?
회의 시작하기 전에 무엇을 하니?

02 My shirt has a(n) _____ pattern on it.
내 셔츠에는 불규칙한 무늬가 있다.

03 Helen sent a(n) _____ message to her husband.
Helen은 남편에게 급한 메시지를 전달했다.

04 I try to keep up with the _____ trend.
나는 최신 트랜드를 유지하려고 해.

05 His new book is _____ to be published next year.
그의 새로운 책이 내년에 출판될 예정이다.

Word Search

앞에서 배운 어휘를 기억하며 단어를 모두 찾아보세요.

정답

```
P R N E L V J M D X M L S D G
A A R T S A L A V E I D E M P
R L O E U W N Q T T E U C E J
T U B R O E S O S N R U R W I
I G W N I V O A I G E I D N V
A E E A V I V C E S O C S T E
L R N L E S A N M D A T E L D
L W H A R N T V I Y A C R R I
F A C J P E I C W N R G C F C
I R S T Q T Q U T U O K E O N
N O Z T I X E T I N I F N I I
I I I X I E T S E T A L K N O
T R W K G N N R Z R W V A Y C
E P Y B C T G U D J V C S I Z
```

coincide	due	eternal	extensive
finite	infinite	instant	lasting
latest	medieval	newborn	partial
periodic	prior	urgent	vast

Word Mapping

앞에서 배운 어휘를 기억하며 빈칸을 채워 보세요.

정답

	편집자
	비평가
	소설, 허구
	수필, 평론

	비교하다
	대답하다, 반응하다
	토론, 토론하다
	항의하다, 주장하다

Books & Reading
책과 독서

Conversation & Presentation
대화와 표현

Culture
문화

World of Art
예술의 세계

Time & Space
시간과 공간

	조각
	감독
	전시하다
	청중, 관객

	규칙적인
	무한한
	주기적인
	일시적인, 임시의

Chapter
07

Various
Expressions

Expression of Movement

---

01 ☑ **accelerate**
[æksélərèit]

ⓝ acceleration 가속도

ⓥ ~의 속도를 늘리다, 가속하다

accelerate speed 속도를 높이다

Innovations accelerate the development of science.

---

02 ☑ **adopt**
[ədápt]

ⓝ adoption 채택, 입양

ⓥ 채택하다, 입양하다　　**adopt a baby** 아기를 입양하다

The executives decided to adopt the new technology.

---

03 ☑ **alternate**
[ɔ́ltərnèit]

ⓝ alternation 교대

ⓝ ⓐ alternative
　　대안, 양자택일;
　　대신의, 양자택일의

ⓥ 교체하다, 번갈아 하다

Cloudy days have alternated with rainy days for the last month.

---

04 ☑ **descend**
[disénd]

ⓝ descendant 자손

ⓥ 내려오다, 타락하다

descend from parents 부모로부터 내려오다

The building descended to ashes because of the fire.

---

05 ☑ **direct**
[dirékt]

ⓝ direction 지도, 방향

ⓥ 인도[안내]하다, 감독[지휘]하다

direct a play 연극을 연출하다

Could you direct me to the post office?

---

01 혁신은 과학 발전을 촉진한다. 02 임원진은 신기술을 채택하기로 했다. 03 지난 한 달 동안 흐린 날과 비 오는 날이 번갈아 왔다. 04 건물은 화재 때문에 잿더미로 전락했다. 05 우체국에 가는 길을 알려 주시겠어요?

06 ☑ **erase**
[iréis]

n eraser 지우개

v 지우다　　　　　　　**erase from** ~에서 (기록 등을) 지우다

Is there a way to recover files I erased by mistake?

---

07 ☑ **expand**
[ikspǽnd]

n expansion 확장

v 확장하다, 늘리다

　expand the size of the photo 사진의 크기를 늘리다

The books I read recently have expanded my thoughts greatly.

---

08 ☑ **separate**
[sépərèit / sépərət]

n separation 분리, 이별
ad separately
　　개별적으로, 따로따로

v 가르다, 분리하다 **a** 갈라진, 개별적인

❖ I feel bad for puppies to think they get separated from their mother.

❖ Each room has a separate bathroom.

---

09 ☑ **trace**
[treis]

a traceless 흔적이 없는

v 추적하다 **n** 흔적　　　　　**trace back** 역추적하다

❖ The police were able to trace the criminal's tracks.

❖ The cruise ship disappeared without a trace.

---

10 ☑ **collapse**
[kəlǽps]

v 붕괴하다 **n** 붕괴

❖ Many people needed to be rescued when the building collapsed.

❖ US Newspapers are now covering the recent economic collapse.

---

06 실수로 삭제한 파일을 다시 복구하는 방법이 있습니까? 07 최근에 내가 읽은 책들이 내 생각의 폭을 크게 넓혀주었다. 08 강아지들이 어미와 떨어지는 걸 생각하면 불쌍하다. / 모든 방에는 개별 화장실이 있습니다. 09 경찰은 범인의 흔적을 추적할 수 있었다. / 유람선은 흔적도 없이 사라졌다. 10 건물이 붕괴했을 때 많은 사람들이 구조되어야 했다. / 미국의 신문들은 최근의 경제 붕괴를 다루고 있다.

11 **sink**
[siŋk]
(sink - sank[sunk] - sunk)

ⓐ **sunken**
침몰한, 움푹 들어간

ⓥ 가라앉히다, 침몰하다 **sink to the bottom** 바닥에 가라앉다

The navy successfully sunk the enemy ship.

---

12 **dip**
[dip]

ⓥ 담그다   **dip into** ~에 담갔다 꺼내다, 적시다

I dipped my toes in the pool to see how cold it was.

---

13 **discard**
[diská:rd]

ⓥ 버리다   **discard one's faith** 신념을 버리다

The goal of this game is to be the first to discard all your cards.

---

14 **enclose**
[enklóuz]

ⓝ **enclosure** 둘러쌈, 동봉

ⓥ 에워싸다, 동봉하다   **enclose with** ~로 둘러싸다

The house is enclosed with a wooden fence.

---

15 **stick**
[stik]

ⓥ 찌르다, 고정하다, 달라붙다

stick to the point 요점에서 벗어나지 않다

It is absolutely necessary to stick a fork into the meat to turn it.

---

16 **explode**
[iksplóud]

ⓝ **explosion** 폭발
ⓐ **explosive**
폭발의, 폭발적인

ⓥ 폭발하다, 감정을 터뜨리다

explode a bomb 폭탄을 터뜨리다

He exploded in anger when he found out he was tricked.

---

11 해군이 성공적으로 적함을 침몰시켰다. 12 수영장 물이 얼마나 차가운지 보려고 발가락을 담갔다 꺼냈다. 13 이 게임의 목적은 여러분이 가진 카드를 가장 빨리 모두 버리는 것이다. 14 집은 나무 울타리로 둘러싸여 있다. 15 고기를 뒤집으려면 포크로 고기를 반드시 찔러야 한다. 16 그는 자신이 속았다는 사실을 알았을 때 분노로 폭발했다.

17 kneel
[ni:l]

ⓝ knee 무릎

ⓥ 무릎을 꿇다　　　　　**kneel down** 무릎을 꿇다

The people kneeled before the king as he entered the room.

18 leap
[li:p]

ⓥ 도약하다 **ⓝ** 도약, 뛰어오름　　**leap down** ~에서 뛰어 내리다

❀ That's one small step for a man, one giant leap for mankind.

❀ Look before you leap.

19 murder
[mə́ːrdər]

ⓝ murderer 살인자

ⓥ 살해하다 **ⓝ** 살해, 살인　　**a mass murder** 대량 학살

❀ She was accused of murdering two people.

❀ The man went to jail for an attempted murder.

20 pack
[pæk]

ⓝ packing 포장
ⓝ package 꾸러미, 소포

ⓥ 짐을 꾸리다, 싸다　　**pack one's bag** 가방을 싸다

I was late today because I needed more time to pack my bag.

21 pat
[pæt]

ⓥ 가볍게 두드리다, 쓰다듬다 **ⓝ** 톡톡 침, 쓰다듬기

pat a dog 강아지를 쓰다듬다

❀ My father patted me on the head.

❀ He gave me a pat on my back and told me not to worry.

---

17 사람들은 왕이 방에 들어오자 무릎을 꿇었다. 18 그것은 한 사람에게는 한 발짝에 불과하지만, 인류에겐 큰 도약이었다. / 〈속담〉 뛰기 전에 살펴봐라.(=돌다리도 두드려 보고 건너라.) 19 그녀는 두 명을 살해한 죄로 고소됐다. / 남자는 살인미수로 감옥에 갔다. 20 나는 가방 싸는 데 시간이 더 필요해서 오늘 늦었다. 21 아버지는 내 머리를 쓰다듬었다. / 그는 내 등을 두드리며 걱정하지 말라고 말했다.

22 pour
[pɔ:r]

ⓥ 쏟다, 따르다　　pour water in a barrel 통에 물을 붓다

❀ It never rains, but it pours.

❀ Pour the water into a pot and boil it.

23 proceed
[prousíːd]

ⓝ process 진행, 과정

ⓝ procedure 절차, 진행

ⓥ 속행하다, 앞으로 나아가다

proceed the meeting 회의를 속행하다

After a brief stop, I proceeded to go forward.

24 scatter
[skǽtər]

ⓐ scattered
뿔뿔이 흩어진, 산발적인

ⓥ 뿔뿔이 흩어지다　　scatter far and wide 넓게 흩어지다

I dropped my purse and my coins were scattered around.

25 swing
[swiŋ]

ⓥ 흔들다, 매달다 ⓝ 흔듦, 휘두름 a short swing 짧게 휘두르기

I was surprised when the door suddenly swung open.

26 unlock
[ʌnlák]

ⓐ unlocked 잠긴

ⓥ 자물쇠를 열다

unlock a door 열쇠로 문을 열다

unlock the secret 비밀을 밝히다

I had to call someone to unlock my door because I lost my keys.

27 shorten
[ʃɔ́:rtn]

ⓐ short 짧은

ⓥ 줄이다, 짧게 하다

shorten by ~만큼 줄이다

❀ Can you shorten these pants by another inch?

❀ Liz is a shortened name for Elizabeth.

22 〈속담〉 비는 언제나 한꺼번에 많이 내린다. (=엎친 데 덮친다.) / 물을 냄비에 붓고 끓이세요. 23 나는 잠시 멈추고 나서 계속 앞으로 나아갔다. 24 지갑을 떨어뜨리자 동전이 사방으로 흩어졌다. 25 문이 갑자기 휙 열리자 나는 깜짝 놀랐다. 26 열쇠를 잃어버려서 사람을 불러서 현관문을 열어야 했다. 27 이 바지를 1인치 더 줄여줄 수 있나요? / Liz는 Elizabeth 의 줄인 이름이다.

28 ☑ **tap** [tæp]	**v** 툭툭 치다	**tap dance** 탭 댄스(를 추다)
	Just tap me on the shoulder if you need any help.	

29 ☑ **chase** [tʃeis]	**v** 뒤쫓다	**chase after** ~을 뒤쫓다
	It's funny to see dogs start to chase their own tail.	

30 ☑ **measure** [méʒər] **n** measurement 측정, 치수 	**v** 재다	**measure for** ~의 치수를 재다 **measuring tape** 줄자
	I had the tailor measure me for my new suit.	

28 도움이 필요하면 그냥 내 어깨를 툭툭 치면 돼. 29 개가 자기 꼬리를 뒤쫓는 것을 보는 건 재미있다. 30 나는 새 정장을 맞추려고 재단사에게 내 치수를 재달라고 했다.

🐱 Multi-Meaning Word

stick

n 막대기, 지팡이
walk with a **stick** 지팡이를 짚고 걷다

v 찌르다
stick candles in a cake 케이크에 초를 꽂다

v 붙이다
stick a painting on the wall 그림을 벽에 붙이다

EXERCISE

A 다음 영어는 우리말로, 우리말은 영어로 쓰시오.

01 descend _____

02 sink _____

03 dip _____

04 shorten _____

05 tap _____

06 붕괴(하다) _____

07 도약, 도약하다 _____

08 앞으로 나아가다 _____

09 무릎을 꿇다 _____

10 쏟다, 따르다 _____

B 다음 영어는 우리말로, 우리말은 영어로 쓰시오.

01 discard one's faith: _____

02 adopt a baby: _____

03 explode a bomb: _____

04 짧게 휘두르기: a short _____

05 대량 학살: a mass _____

06 역추적하다: _____ back

C 다음 빈칸에 들어갈 말을 고르시오. (필요하면 형태를 바꾸시오.)

| scatter | expand | erase | chase | direct |

01 The chief _____ the workers.
감독관이 노동자들에게 지시를 내렸다.

02 We plan to _____ our business.
우리는 사업을 확장하려고 한다.

03 The mice _____ away from the cat.
쥐들이 고양이로부터 뿔뿔이 흩어져 도망쳤다.

04 He _____ his name from the list.
그는 명단에서 자기 이름을 지웠다.

05 The policeman _____ after the thief.
경찰관이 도둑을 뒤쫓았다.

Word Search

앞에서 배운 어휘를 기억하며 단어를 모두 찾아보세요.

L	M	K	B	C	U	E	A	I	T	F	S	H	D	S
U	E	F	N	N	H	D	S	R	N	T	K	N	K	I
E	Q	R	L	E	O	A	A	O	I	V	A	C	D	N
Q	X	O	A	P	E	C	S	C	L	P	I	G	I	K
P	C	P	T	S	E	L	K	E	X	C	N	N	R	L
K	A	T	L	X	E	Z	C	E	E	I	N	K	E	E
D	P	P	A	O	P	O	U	R	W	P	F	E	C	A
N	N	A	S	P	D	Q	K	S	P	I	A	G	T	P
E	X	C	C	O	Q	E	Y	O	Q	D	J	D	F	H
C	W	J	K	K	H	N	A	E	I	R	E	B	P	E
S	P	D	R	F	F	M	G	Z	P	N	R	D	D	D
E	H	C	V	N	I	X	Z	O	V	Z	P	M	W	L
D	P	R	G	P	K	R	D	N	B	O	C	D	F	O
H	I	L	T	F	K	C	I	D	W	A	T	L	I	T

adopt	chase	descend	dip
direct	erase	explode	leap
pack	pour	sink	stick
swing	tap	trace	unlock

Unit 37 Expression of Sense

---

01 □ **perceive**
[pərsíːv]

n perception 지각, 인식

v 감지하다

There are several ways to perceive the same fact.

---

02 □ **blink**
[bliŋk]

v 깜빡거리다, 못 본 체하다

before you can blink 매우 빨리

I'll have the job done even before you can blink.

---

03 □ **blush**
[blʌʃ]

v (얼굴을) 붉히다, 붉어지다   **blush for** ~ 때문에 얼굴을 붉히다

The girl turned her face to hide that she was blushing.

---

04 □ **clutch**
[klʌtʃ]

v 꽉 잡다   **clutch at a straw** 지푸라기라도 붙잡다

The soldier barely escaped from the enemy clutching him.

---

05 □ **confront**
[kənfrʌ́nt]

n confrontation
직면, 대면

v 직면하다, 대면하다   **confront a problem** 문제에 직면하다

We all have to confront our fears throughout our life.

---

01 같은 사실도 여러 가지 방식으로 인식할 수 있다. 02 눈 깜짝할 사이에 일을 끝내겠습니다. 03 소녀는 얼굴이 붉어진 것을 감추기 위해 얼굴을 돌렸다. 04 병사는 그를 붙잡은 적군으로부터 겨우 탈출했다. 05 우리 모두 평생 두려움과 대면 해야 한다.

06 grasp
[græsp]

ⓥ 붙잡다, 이해하다　　**difficult to grasp** 이해하기 어려운

Sometimes I feel I'm grasping at an illusion.

07 dislike
[disláik]

ⓥ 싫어하다 **ⓝ** 싫어함, 혐오　　**dislike for** ~에 대한 반감

- A carrot is practically the only food that I dislike.
- Charles smiled at me, and from that moment I have taken a dislike to him.

08 embrace
[embréis]

ⓥ 포옹하다 **ⓝ** 포옹　　**a loving embrace** 부드러운 포옹

- I am ready to embrace any opportunity that comes by.
- Rachel took a step backward to avoid his embrace and it hurt his mind.

09 yawn
[jɔːn]

ⓐ yawny 지루한

ⓥ 하품하다 **ⓝ** 하품　　**yawn loudly** 소리 내어 하품하다

- It is rude to yawn while you speak to someone.
- He was playing a computer game with a yawn.

10 glance
[glæns]

ⓥ 흘끗 보다 **ⓝ** 흘끗 봄　　**glance down** 흘끗 내려다보다

- Darrell glanced at us talking and kept doing his homework.
- I could tell it was going to be a big success at first glance.

---

06 가끔 나는 환상을 붙잡고 있다는 느낌이 들어. 07 당근은 실제로 내가 싫어하는 유일한 음식이다. / Charles는 나를 보며 웃었고 그 순간부터 그가 싫었다. 08 나는 지나가는 기회를 모두 잡을 준비가 되어 있다. / Rachel은 그의 포옹을 피하려고 뒤로 물러났고, 그것은 그의 마음을 상하게 했다. 09 대화할 때 하품하는 것은 무례하다. / 그는 하품하면서 컴퓨터 게임을 하고 있었다. 10 Darrell은 우리가 대화하는 것을 슬쩍 보고 계속 숙제를 했다. / 언뜻 봐도 크게 성공하리라고 예상할 수 있었다.

11 **sign**
[sain]

ⓝ signature 사인, 서명

ⓥ 신호하다, 서명하다　　　**sign up** 신청하다, 가입하다

He was quite content as he signed the contract.

---

12 **misunderstand**
[mìsʌndərstǽnd]

ⓝ misunderstanding
오해

ⓐ misunderstood
오해된

ⓥ 오해하다

I think I misunderstood what you said last night.

---

13 **overcome**
[òuvərkʌ́m]

ⓥ 이기다, 극복하다

overcome a temptation 유혹을 이기다

I failed to overcome fears and decided to quit.

---

14 **restrain**
[ri:stréin]

ⓝ restraint 억제, 구속

ⓥ 억제하다　　**restrain one's temper** 감정을 누르다

You do not have to restrain your emotions all the time.

---

15 **reveal**
[riví:l]

ⓝ revealment 폭로, 탄로

ⓥ 드러내다, 폭로하다

reveal one's weakness ~의 약점을 드러내다

Everyone was shocked when the criminal was revealed.

---

16 **rub**
[rʌb]

ⓥ 문지르다　　　**rub off** 문질러 없애다

The bear was rubbing his back against a big tree.

---

11 계약서에 서명하면서 그는 매우 흡족해했다. 12 네가 어젯밤 한 이야기를 내가 오해했던 것 같아. 13 나는 내 두려움을 극복하는 데 실패하고 포기하기로 했다. 14 언제나 감정을 억제할 필요는 없어. 15 범인이 밝혀졌을 때 모두 매우 놀랐다. 16 곰은 큰 나무에 등을 문지르고 있었다.

17 scan
[skæn]

ⓥ 훑어보다, 자세히 보다

scan A for B B를 찾으러 A를 훑어보다

Henry, scan the frequencies and tell me what you find.

18 sigh
[sai]

ⓥ 한숨 쉬다, 탄식하다 ⓝ 탄식 **sigh in relief** 안도의 한숨을 쉬다

❋ The director sighed in relief when the actor finally showed up.

❋ She breathed a sigh of relief when she heard the news.

19 glimpse
[glimps]

ⓥ 흘끗 보다 ⓝ 흘끗 봄 **a glimpse into** ~을 잠깐 들여다 봄

❋ I can't remember who they are because I just glimpsed at them once.

❋ I only had a brief glimpse of the report.

20 stabilize
[stéibəlàiz]

ⓐ stable 안정된, 고정된

ⓥ 안정시키다 **stabilize the structure** 구조를 안정시키다

The government is working hard to stabilize consumer prices.

21 stare
[stɛər]

ⓥ 빤히 쳐다보다, 응시하다 ⓝ 응시 **a cold stare** 냉담한 응시

❋ I don't feel comfortable when people stare at me.

❋ He gave me a blank stare for a while.

17 Henry, 주파수를 조사해보고 찾아낸 것을 알려줘. 18 배우가 마침내 도착하자 감독이 안도의 한숨을 쉬었다. / 그녀는 소식을 듣고 안도의 한숨을 쉬었다. 19 나는 그들을 흘끗 보았기 때문에 그들이 누구인지 기억나지 않는다. / 나는 보고서를 잠깐 보았을 뿐이었다. 20 정부는 소비자 물가를 안정시키려고 노력하고 있다. 21 나는 사람들이 나를 빤히 쳐다볼 때 불편하다. / 그는 잠시 나를 멍한 눈으로 바라보았다.

22 **swallow**
[swálou]

ⓥ 삼키다   **swallow a pill** 알약을 복용하다

I'll cut the steak for you to make it easier to swallow.

---

23 **weep**
[wi:p]

ⓐ weepy 눈물이 날 것 같은

ⓥ 울다   **weep tears** (비통한) 눈물을 흘리다

I wept for days after my grandmother passed away.

---

24 **worship**
[wə́:rʃip]

ⓥ 숭배하다 **ⓝ** 예배, 숭배   **worship a hero** 영웅을 숭배하다

Every religion has their own god or truth they worship.

---

25 **recall**
[rikɔ́:l]

ⓥ 상기하다, 회상하다   **try to recall** 기억을 더듬다

I don't recall seeing the customer shopping with a kid.

---

26 **sniff**
[snif]

ⓐ sniffy 거만한, 콧방귀 뀌는

ⓥ 코를 킁킁거리다, 냄새를 맡다

The dog sniffed, and then started to follow the scent.

---

27 **disgust**
[disgʌ́st]

ⓐ disgusting
구역질나는, 정말 싫은

ⓥ 메스껍게 하다, 구역질나게 하다

      be disgusted to hear ~을 들어서 메스껍다

I was disgusted to see the women acting like the men.

---

22 스테이크를 먹기 편하게 내가 대신 잘라줄게. 23 나는 할머니가 돌아가시고 며칠 동안 울었다. 24 모든 종교는 그들이 숭배하는 신이나 진리가 있다. 25 나는 그 손님이 아이와 쇼핑하는 것이 기억이 나지 않는다. 26 그 개는 코를 킁킁거리더니 냄새를 따라서 움직이기 시작했다. 27 나는 그 여자가 남자처럼 행동하는 것을 보고 구역질이 났다.

28 ☑ visualize
[vízuəlàiz]

ⓐ visual 시각의, 눈에 보이는

ⓝ visualization
보이게 함, 가시화

ⓥ (눈에) 보이게 하다

He closed his eyes, trying to visualize where he had put his bag.

29 ☑ stimulate
[stímjəlèit]

ⓝ stimulus 자극

ⓥ 자극하다　　　　stimulate appetite 식욕을 자극하다

These herbs seem to stimulate the release of digestive hormones.

30 ☑ exclaim
[ikskléim]

ⓝ exclamation 외침, 감탄

ⓥ 외치다, 큰 소리로 말하다

He exclaimed merrily and gave her a quick hug.

---

28 그는 눈을 감고 가방을 어디에 두었는지 떠올리려고 노력했다. 29 이런 허브는 소화를 돕는 호르몬이 나오도록 자극하는 것 같다. 30 그는 유쾌하게 소리치면서 재빨리 그녀를 포옹했다.

🐈 Multi-Meaning Word

swallow

ⓥ 삼키다
swallow food 음식을 삼키다

ⓥ 그대로 받아들이다
swallow the facts 사실을 그대로 받아들이다

ⓥ (말을) 취소하다
swallow one's words 했던 말을 취소하다

ⓝ 제비
a swallow's nest 제비집

EXERCISE

A 다음 영어는 우리말로, 우리말은 영어로 쓰시오.

01 glimpse _____

02 sign _____

03 weep _____

04 visualize _____

05 exclaim _____

06 (얼굴을) 붉히다 _____

07 하품(하다) _____

08 감지하다 _____

09 숭배(하다) _____

10 냄새를 맡다 _____

B 다음 영어는 우리말로, 우리말은 영어로 쓰시오.

01 overcome a temptation: _____

02 rub off: _____

03 a loving embrace: _____

04 식욕을 자극하다: _____ appetite

05 냉담한 응시: a cold _____

06 문제에 직면하다: _____ a problem

C 다음 빈칸에 들어갈 말을 고르시오. (필요하면 형태를 바꾸시오.)

reveal	grasp	sigh	restrain	disgust

01 He _____ in disappointment.
그는 실망하며 한숨을 쉬었다.

02 You need to learn how to _____ yourself.
너는 네 자신을 억제하는 법을 배워야 해.

03 I _____ the handle and pulled it.
나는 손잡이를 붙잡고 당겼다.

04 The smell of trash _____ me.
쓰레기 냄새가 역겨웠다.

05 His letters _____ a different side of his personality.
그의 편지는 그의 다른 성격을 드러내준다.

Word Search

앞에서 배운 어휘를 기억하며 단어를 모두 찾아보세요.

정답

R	E	J	P	X	E	B	A	N	G	H	G	N	U	H
E	E	R	T	E	V	X	W	Q	P	L	S	J	S	P
S	M	K	A	V	E	A	K	V	P	C	A	U	Y	X
T	E	I	I	T	Y	W	A	A	H	L	N	D	V
R	C	N	A	L	S	S	W	N	S	B	J	K	C	B
A	A	G	U	L	S	T	X	X	K	P	H	H	P	E
I	R	I	G	B	C	I	E	M	O	C	R	E	V	O
N	B	S	U	P	C	X	D	E	S	P	M	I	L	G
Z	M	R	W	L	R	D	E	Q	D	K	L	K	P	U
G	E	F	U	I	E	L	K	Z	X	Q	N	N	U	L
J	R	T	K	X	V	O	S	S	U	Y	G	I	G	W
S	C	A	G	O	E	H	C	I	T	D	F	N	L	N
H	U	O	S	Z	A	E	D	G	G	L	P	S	K	B
K	P	G	T	P	L	B	Z	G	I	H	Q	G	F	O

blink	blush	clutch	embrace
glance	glimpse	grasp	restrain
reveal	rub	scan	sigh
sign	stare	weep	yawn

01 ☑ **absorb**
[əbsɔ́ːrb]

ⓐ **absorbable** 흡수 가능한
ⓝ **absorption** 흡수, 열중

ⓥ 흡수하다, 몰두시키다

The sponge absorbed the water very quickly.

---

02 ☑ **adhere**
[ædhíər]

ⓝ **adherence** 고수
ⓐ **adherent** 접착한

ⓥ 고수하다, 접착하다　　　　　**adhere to** ~에 접착하다

Peter adhered to his argument for a long time.

---

03 ☑ **collaborate**
[kəlǽbərèit]

ⓝ **collaboration** 협력

ⓥ 협력하다

It is important to collaborate with your colleagues in this project.

---

04 ☑ **compel**
[kəmpél]

ⓝ **compulsion** 강제

ⓥ 강제로 시키다　　　**be compelled to do** 강제로 ~하다

I was compelled to work through the whole weekend.

---

05 ☑ **confine**
[kənfáin]

ⓝ **confinement** 제한

ⓥ 제한하다　　　　　　**be confined to** ~에 한정되다

Let's confine today's discussion to the safety issues.

---

01 스펀지가 물을 빠르게 흡수했다. 02 Peter는 오랫동안 자기 의견을 고수했다. 03 이 프로젝트에서는 동료와 협력하는 것이 중요하다. 04 나는 주말 내내 일할 수밖에 없었다. 05 오늘 논의를 안전 문제에 국한하기로 해요.

06 ☑ define
[difáin]

ⓝ definition 정의

ⓥ 정의하다   **define a word as** 단어의 뜻을 ~라고 정의하다

The school rules define what the students are not allowed to do.

07 ☑ treat
[tri:t]

ⓝ treatment 취급, 대우

ⓥ 다루다   **treat someone with respect** 정중히 대접하다

I wish my mother would stop treating me like a baby.

08 ☑ accompany
[əkʌ́mpəni]

ⓝ accompaniment 부속물

ⓥ 동반하다   **be accompanied with** ~을 동반하다

He accompanied me to the front gate.

09 ☑ attain
[ətéin]

ⓝ attainment 성취, 도달

ⓥ 성취하다, 얻다, 도달하다

attain one's goal 목표를 성취하다

It must feel wonderful to attain such success!

10 ☑ cease
[si:s]

ⓝ cessation 중단, 중지

ⓥ 중단하다   **Cease fire!** 사격 중지!

You have to cease talking when the teacher enters the classroom.

11 ☑ cling
[kliŋ]

ⓐ clingy 떨어지지 않는

ⓥ 달라붙다, 고수하다   **cling together** 서로 들러붙다

It was sad to see him clinging to such delusions.

06 교칙은 학생들이 해서는 안 되는 것을 정의한다. 07 어머니께서 나를 더 이상 아이처럼 대하지 않았으면 좋겠어. 08 그는 정문까지 나를 배웅해주었다. 09 그런 성공을 성취하면 기분이 정말 좋을 거야! 10 선생님이 교실에 들어오면 이야기를 멈춰야 한다. 11 그가 망상에 집착하는 모습을 보는 것은 슬펐다.

12 coexist
[kòuigzíst]

V 공존하다   **coexist with** ~와 공존하다

You must try to coexist with people who are different from you.

13 derive
[diráiv]

n derivation 유래, 유도

V 얻다, 끌어내다, 유래하다   **derive pleasure** 즐거움을 얻다

Many English words are derived from Latin, German, and French.

14 deserve
[dizə́:rv]

V ~할 가치가 있다

deserve punishment 처벌되어 마땅하다

I strongly believe we deserve better treatment than this.

15 distribute
[distríbju:t]

n distribution 분배

V 분배하다   **distribute among** ~에게 분배하다

I help distribute food to the poor every Sunday.

16 ease
[i:z]

V 진정하다, 완화하다   **ease the pain** 통증을 완화하다

She did a great job easing the tension between the two parties.

17 eliminate
[ilímənèit]

n elimination 제거, 삭제

V 제거하다   **eliminate a possibility** 가능성을 제거하다

The new president promised he would eliminate unemployment.

12 너와 다른 사람들과도 공존하려고 노력해야 한다. 13 많은 영어 단어는 라틴어, 독일어, 프랑스어에서 유래했다. 14 나는 우리가 이보다 나은 대우를 받아 마땅하다고 생각한다. 15 나는 일요일마다 가난한 사람들에게 음식을 나눠주는 일을 돕는다. 16 그녀는 두 단체 사이의 긴장을 완화하는 데 큰 몫을 했다. 17 새 대통령은 실업을 없애겠다고 약속했다.

18 dismiss
[dismís]

ⓝ dismissal 해고, 해산

ⓥ 추방하다, 해고하다   **dismiss A for B** B 때문에 A를 해고하다

William was dismissed from his previous job.

19 fade
[feid]

ⓥ (색깔이) 바래다, (소리가) 사라지다

fade away 희미해져 사라지다

The faded colors of the picture give it an antique touch.

20 faint
[feint]

ⓐⓓ faintly 희미하게, 어렴풋이

ⓐ 희미한, 어렴풋한   **a faint sound** 희미한 소리

I couldn't recognize the word on the door because it was faint.

21 forbid
[fərbíd]

ⓥ 금지하다   **the forbidden fruit** 금단의 열매

The law forbids people to harm another person.

22 situate
[sítʃuèit]

ⓐ situated 위치해 있는

ⓥ 위치시키다, 위치를 정하다   **be situated on** ~에 있다

The church is situated between villages in the countryside.

23 omit
[oumít]

ⓝ omission 생략

ⓥ 생략하다, ~을 빠뜨리다   **omit A from B** B에서 A를 생략하다

The details have been omitted from the report.

---

18 William은 전 직장에서 해고되었다. 19 사진의 빛이 바랜 것이 고풍스러운 느낌을 준다. 20 문에 쓰인 단어가 희미해서 알아볼 수 없었다. 21 법은 사람이 다른 사람을 해치는 것을 금한다. 22 그 교회는 시골 지역의 마을 사이에 있다. 23 세부사항은 보고서에서 생략되었다.

24 pause
[pɔːz]

V 잠시 중지하다 **n** (일시적) 중단

a short pause 잠깐 동안의 중단

❋ He paused for a short moment before he entered the room.

❋ After a pause he started to talk about what had happened that night.

25 persist
[pərsíst]

a persistent 계속적인
n persistence 지속성

V 지속하다 **persist stubbornly** 완고하게 우기다

The doctor was very worried as the symptoms persisted.

26 precede
[priːsíːd]

n precedence 앞섬, 선행

V ~에 앞서다, 선행하다 **the preceding year** 그 전해

The people all looked up to the preceding leader.

27 stretch
[stretʃ]

V 뻗치다, 미치다 **n** 뻗침, 확장, 스트레칭

stretch one's legs 다리를 뻗다

❋ The cornfields stretched out several miles away.

❋ Peter got out of bed with a yawn and a stretch.

28 thrive
[θraiv]

V 번성하다, 발전하다 **thrive on** ~을 잘하다

My father's store seems as if it can even thrive through a war.

24 방으로 들어가기 전에 그는 잠깐 멈추어 섰다. / 잠시 후에 그는 그날 밤 일에 대해 이야기하기 시작했다. 25 의사는 증상이 지속되자 매우 걱정했다. 26 사람들은 이전의 지도자를 존경했다. 27 옥수수 밭은 수 마일에 걸쳐 펼쳐져 있었다. / Peter는 하품을 하고 기지개를 켜며 자리에서 일어났다. 28 아버지의 가게는 전쟁 속에서도 번성할 수 있을 것처럼 보인다.

29 undergo
[Àndərgóu]

⑨ 겪다, 떠맡다　　**undergo a change** 변화를 겪다

My brother is scheduled to undergo surgery next week.

30 wound
[wu:nd]

ⓐ wounded 다친

⑨ 상처를 입히다 **ⓝ** 상처, 부상　**a severe wound** 심각한 부상

❧ My mother was badly wounded in a car accident.

❧ The policeman almost died from a fatal knife wound.

29 내 동생은 다음 주에 수술을 받기로 예약되어 있다.　30 어머니는 교통사고에서 심한 상처를 입었다. / 경찰관은 칼에 베인 치명적인 상처로 거의 죽을 뻔했다.

Multi-Meaning Word

form

⑨ 형성하다
form a circle 원을 형성하다

ⓝ 형태
a triangular **form** 삼각형

ⓝ 용지, 양식
fill in a **form** 양식을 채우다

EXERCISE

A 다음 영어는 우리말로, 우리말은 영어로 쓰시오.

01 distribute _____ 06 공존하다 _____

02 situate _____ 07 강제로 시키다 _____

03 omit _____ 08 흡수하다 _____

04 undergo _____ 09 성취하다, 얻다 _____

05 dismiss _____ 10 제거하다 _____

B 다음 영어는 우리말로, 우리말은 영어로 쓰시오.

01 fade away: _____

02 a short pause: _____

03 the preceding year: _____

04 통증을 완화하다: _____ the pain

05 다리를 뻗다: _____ one's legs

06 심각한 부상: a severe _____

C 다음 빈칸에 들어갈 말을 고르시오. (필요하면 형태를 바꾸시오.)

adhere	attain	thrive	derive	treat

01 We _____ a victory in the game.
우리는 경기에서 승리를 했다.

02 Culture in the present era is _____ from tradition.
오늘날의 문화는 전통에서 유래했다.

03 My mother still _____ me as a child.
어머니께서는 아직도 나를 어린아이처럼 대하신다.

04 These rare animals _____ only on that island.
이 희귀 동물들은 저 섬에서만 번성해 있다.

05 Jason _____ to his own ideas.
Jason은 자기 생각을 고수했다.

Word Search

앞에서 배운 어휘를 기억하며 단어를 모두 찾아보세요.

Unit 38 Expression of State

E	Y	C	O	M	P	E	L	J	T	S	N	T	C	Z
D	R	L	F	M	G	D	F	A	D	E	I	S	Y	W
E	K	E	K	O	E	N	P	B	C	E	A	I	U	C
T	S	F	H	F	R	E	I	E	Y	S	T	X	O	F
E	B	U	I	D	R	B	Q	L	S	O	T	E	F	K
Z	N	N	A	S	A	R	I	I	C	K	A	O	H	F
T	E	I	I	P	S	Q	M	D	B	V	H	C	W	O
X	I	S	F	M	D	S	T	A	E	R	T	P	E	P
G	T	M	M	N	I	T	T	S	B	M	K	C	S	J
S	Z	K	O	D	O	X	N	Z	C	R	E	T	A	G
D	B	O	T	Y	D	C	I	H	Z	A	O	A	E	P
W	O	U	N	D	D	G	A	G	S	E	W	S	W	D
E	V	I	R	E	D	S	F	E	B	C	L	B	B	G
B	I	F	O	C	L	P	Q	F	G	Y	P	V	A	A

attain	cease	coexist	compel
define	derive	dismiss	ease
fade	faint	forbid	omit
pause	persist	treat	wound

Unit 39 Expression of Shape

01 **broken**
[bróukən]

v break 깨뜨리다, 부러뜨리다

a 부러진   **a broken home** 결손 가정

He suffered from a broken heart.

---

02 **bright**
[brait]

a 빛나는, 선명한, 영리한   **a bright child** 영리한 아이

My room is not bright enough to read books or to study.

---

03 **grand**
[grænd]

n grandeur 웅장, 성대함

a 웅장한, 성대한   **the Grand Canal** 대운하

John and Kate had a grand wedding ceremony.

---

04 **hard**
[hɑːrd]

n hardness 견고함, 굳기

a 딱딱한, 단단한

Those cookies are too hard for me to chew.

---

05 **lengthy**
[léŋkθi]

a long 긴
n length 길이

a 긴

His lengthy speech made the audience bored.

---

01 그는 부서진(상처 입은) 마음 때문에 고통스러워했다.   02 내 방은 책을 읽거나 공부할 정도로 밝지 않다.   03 John과 Kate는 성대한 결혼식을 올렸다.   04 이 쿠키는 너무 딱딱해서 씹을 수 없다.   05 그의 긴 연설은 관객을 지루하게 했다.

06 **opposite**
[ápəzit]

ⓥ **oppose**
반대하다, 대항하다

ⓝ **opposition** 반대

ⓐⓝ **opponent** 반대하는,
적대하는; 적, 상대

ⓐ 마주 보고 있는, 정반대의

in the opposite direction 반대 방향으로

The post office is opposite from the bank.

---

07 **spectacular**
[spektǽkjələr]

ⓝ **spectacle** 광경

ⓝ **spectator**
구경꾼, 관찰자

ⓐ 볼만한, 놀라운　**spectacular scenery** 장관, 볼만한 경치

The musical was a spectacular performance.

---

08 **visible**
[vízəbəl]

ⓝ **vision**
시력, 상상력, 선견지명

ⓐ **invisible** 눈에 보이지 않는

ⓐ (눈에) 보이는, 명백한

visible to the naked eye 육안으로 보이는

Leave the keys in a visible place.

---

09 **defective**
[difǽktiv]

ⓝ **defect** 결점, 부족

ⓝ **defection** 망명, 탈퇴

ⓐ 결함이 있는　**recall defective goods** 불량품을 회수하다

This laptop computer I bought the other day is defective.

---

10 **loose**
[luːs]

ⓥ **loosen**
느슨하게 하다, 풀다

ⓐ 느슨한, 헐렁한, 풀린　　**a loose knot** 느슨한 매듭

come[become] loose 느슨해지다

His shoes were too loose for me to wear.

---

06 우체국은 은행 맞은편에 있다. 07 그 뮤지컬은 놀라운 공연이었다. 08 열쇠를 눈에 보이는 곳에 두세요. 09 내가 저번에 산 이 노트북 컴퓨터는 결함이 있다. 10 그의 신발은 내가 신기에 너무 헐렁했다.

11 dried
[draid]

ⓥ dry 마르다, 말리다

ⓐ 말린, 건조한   **dried fish** 건어물

Laundry gets dried quickly on a sunny day like this.

12 enormous
[inɔ́ːrməs]

ⓐ 거대한, 큰   **an enormous amount of money** 큰 돈

His phone bill for this month was enormous.

13 hardened
[hɑ́ːrdnd]

ⓥ harden 단단하게 하다

ⓐ 단단해진, 냉혹한   **hardened crust** 딱딱해진 껍질

He had no choice but to eat the hardened bread.

14 harsh
[hɑːrʃ]

ⓐ 거친   **a harsh critic** 혹독한 비평가

Everybody said that Tom was a father who was harsh with his children.

15 huge
[hjuːdʒ]

ⓐ 거대한, 엄청난   **a huge debt** 엄청난 빚

We had to go around the huge rock blocking the road.

16 immobile
[imóubəl]

ⓐ mobile 움직이기 쉬운
ⓝ immobility 부동성, 정지

ⓐ 움직일 수 없는

       an immobile roadblock 움직일 수 없는 장애물

The car ran out of fuel and became immobile.

---

11 이렇게 화창한 날에는 빨래가 빨리 마른다. 12 그의 이번 달 전화 요금은 어마어마했다. 13 그는 딱딱해진 빵을 먹는 수밖에 없었다. 14 모두 Tom이 자녀들에게 거친 아버지였다고 이야기했다. 15 우리는 길을 막은 거대한 바위를 돌아서 가야 했다. 16 자동차는 연료가 떨어져 움직일 수 없게 됐다.

17 transparent
[trænspέərənt]

ⓐ 투명한, 비치는　　**a transparent container** 투명 용기

This icicle is as transparent as glass.

18 intact
[intǽkt]

ⓐ 온전한, 손상되지 않은　**keep A intact** A를 손대지 않고 두다

The new building remained intact even in the earthquake.

19 marked
[mɑːrkt]

ⓐ 현저한, 뚜렷한　　**a marked target** 뚜렷한 목표물

There is a marked difference between the two products.

20 plastic
[plǽstik]

ⓐ 플라스틱의, 유연한 ⓝ 플라스틱

a plastic bag 비닐봉지

We should recycle plastic bottles to save the environment.

21 resemble
[rizémbəl]

ⓥ 닮다, 유사하다　　**resemble each other** 서로 닮다

His face resembles a famous movie actor.

22 tremendous
[triméndəs]

ⓐ 무시무시한, 엄청난　**a tremendous storm** 엄청난 폭풍

He had a tremendous fear of dogs after he got bit by one.

---

17 이 고드름은 유리처럼 투명하다.　18 그 새 건물은 심지어 지진에서도 온전히 남아있었다.　19 두 가지 제품 사이에는 뚜렷한 차이가 있다.　20 우리는 환경을 보호하기 위해 플라스틱 병을 재활용해야 한다.　21 그의 얼굴은 유명한 영화배우를 닮았다.　22 그는 개에게 물린 후로 개를 매우 무서워한다.

23 rough
[rʌf]

ad roughly 거칠게, 대충

ⓐ 거친, 대강의

a rough surface 거친 표면

You need to be more careful on a rough and bumpy road.

---

24 runny
[rʌ́ni]

ⓐ 흐르는, 콧물이 나오는

a runny nose 콧물이 흐르는 코

He's suffering from a runny nose.

---

25 seeming
[síːmiŋ]

ad seemingly 겉보기에는

ⓐ 겉보기의

a seeming likeness 겉만 닮음

I could tell their friendship was only a seeming one.

---

26 showy
[ʃóui]

ⓐ 화려한

showy costume 화려한 의상

He wore a very showy costume to the party last night.

---

27 skinny
[skíni]

ⓝ skin 가죽, 피부

ⓐ 깡마른

a skinny person 깡마른 사람

You won't believe that I used to be a skinny boy.

---

28 symbolize
[símbəlàiz]

ⓝ symbol 상징

ⓥ 상징하다

symbolize the truth 진실을 상징하다

The red rose I gave you symbolizes my love.

---

23 거칠고 울퉁불퉁한 길에서는 더욱 조심해야 한다. 24 그는 콧물 때문에 고생하고 있다. 25 그들의 우정이 외관상의 우정이라는 것을 알 수 있었다. 26 그는 어젯밤 파티에 매우 화려한 의상을 입었다. 27 내가 예전에 깡마른 소년이었다고 하면 안 믿을 거야. 28 내가 네게 준 빨간 장미는 나의 사랑을 상징한다.

---

29 **slight**
[slait]

ad slightly 약간, 가볍게

ⓐ 적은, 미세한, 가느다란   **a slight error** 미세한 오류

He shivered as he felt a slight draft in the room.

---

30 **thin**
[θin]

ⓐ 얇은, 희박한   **thin air** 희박한 공기

I started to get worried as she suddenly became too thin.

---

29 그는 방에 바람이 살짝 부는 걸 느끼고는 몸을 떨었다. 30 그녀가 갑자기 너무 야위자 나는 걱정이 되기 시작했다.

Multi-Meaning Word

hard

ⓐ 어려운, 힘든
a **hard** decision 어려운 결정 (n. hardship 고난, 곤란)

ⓐ 딱딱한
hard bread 딱딱한 빵 (n. hardness 단단함, 경도)

ad 열심히
Work **hard** to succeed. 성공하기 위해 열심히 노력하라.

ad 몹시, 심하게
It's raining **harder** than ever. 비가 어느 때보다 세게 내린다.

hardly

ad 거의 ~ 아니다
I was so tired that I could **hardly** work.
나는 너무 피곤해서 거의 일을 할 수 없었다.

EXERCISE

A 다음 영어는 우리말로, 우리말은 영어로 쓰시오.

01 defective _____   06 부러진 _____

02 immobile _____   07 딱딱한 _____

03 resemble _____   08 (눈에) 보이는 _____

04 showy _____   09 정반대의 _____

05 slight _____   10 웅장한 _____

B 다음 영어는 우리말로, 우리말은 영어로 쓰시오.

01 a transparent container: _____

02 a marked target: _____

03 an enormous amount of money: _____

04 느슨한 매듭: a(n) _____ knot

05 영리한 아이: a(n) _____ child

06 거친 표면: a(n) _____ surface

C 다음 빈칸에 들어갈 말을 고르시오. (필요하면 형태를 바꾸시오.)

dried	symbolize	tremendous	skinny	harsh

01 The eagle on our school logo _____ courage.
학교 로고에 있는 독수리는 용기를 상징한다.

02 I packed _____ fruit for the long journey.
난 긴 여정을 위해 말린 과일을 준비했다.

03 I try not to be too _____ on my children.
나는 아이들을 너무 거칠게 대하지 않으려고 한다.

04 On average, Koreans are _____ than Americans.
한국인은 평균적으로 미국인에 비해 더 말랐다.

05 His carelessness brought a _____ result.
그의 부주의가 엄청난 결과를 초래했다.

Word Search

앞에서 배운 어휘를 기억하며 단어를 모두 찾아보세요.

정답

```
C Z H H G T T X Z H E Y D O R
A I O G H C H B V D L N E F H
U U T G U Y I E S R B N I M U
J Y I S O O N Z E N I U R P W
B L W I A B R S H R S R D L H
S Y H O R L E I Z K I Y F F A
K D N O H M P E H A V B I M R
N K K N B S B L D E K R A M S
T E Z L I R A I H U G E H G H
N I E P I K A B Y H T G N E L
C W C G M C S O G R A N D E D
P D H A Y R Q M H E S O O L R
E T L M S G G M X V U G G C A
H S D U H W N I O R X G W E H
```

bright	broken	dried	grand
hard	harsh	huge	immobile
lengthy	loose	marked	resemble
runny	slight	thin	visible

Abstract Expression

---

01 ☑ **glory**
[glɔ́:ri]

ⓐ glorious 명예로운

ⓝ 영광   **win[gain] glory** 명예를 얻다

The soldiers went to war for the glory of our nation.

---

02 ☑ **harmony**
[hɑ́:rməni]

ⓥ harmonize 조화시키다
ⓐ harmonious 조화로운

ⓝ 조화   **a home in peace and harmony** 화목한 가정

The interior design was in perfect harmony.

---

03 ☑ **implication**
[ìmpləkéiʃən]

ⓥ imply 의미하다

ⓝ 내포, 함축, 암시   **by implication** 함축적으로

Her gesture was an implication of refusal.

---

04 ☑ **limitation**
[lìmətéiʃən]

ⓝⓥ limit 한계(선); 제한하다

ⓝ 제한   **without limitation** 제한 없이

There is a limitation on hunting in this area.

---

05 ☑ **maintenance**
[méintənəns]

ⓥ maintain 유지하다

ⓝ 유지, 정비   **routine maintenance** 일상적인 정비

I sent my car to the repair shop for maintenance.

---

01 병사들은 우리나라의 영광을 위해 전쟁에 나갔다. 02 인테리어 디자인이 완벽한 조화를 이루었다. 03 그녀의 몸짓은 거절을 암시했다. 04 이 지역은 사냥을 제한한다. 05 나는 정비를 하려고 자동차를 정비소로 보냈다.

06 object
[ábdʒikt]

a n objective
객관적인; 목적

n 목적   the object of the exercise 운동의 목적

My object in coming to the U.S. is to speak better English.

---

07 pursuit
[pərsúːt]

v pursue 추구하다, 뒤쫓다

n 추구   the pursuit of liberty 자유 추구

Every person has the right for the pursuit of happiness.

---

08 identity
[aidéntəti]

v identify (정체를) 확인하다

n 정체성, 신원

hide[reveal] one's identity 신분을 숨기다[드러내다]

Koreans tend to have a strong cultural identity.

---

09 interval
[íntərvəl]

n 간격   at irregular intervals 불규칙적인 간격으로

This meeting will go on with no intervals.

---

10 lack
[læk]

a lacking 부족하여

n 부족, 결핍   lack of responsibility 책임감 부족, 결여

I can't stand your lack of patience!

---

11 millennium
[miléniəm]

n 천 년   a new millennium 새 천년

People were worried about the millennium bug.

---

06 내가 미국에 온 목적은 영어를 유창하게 하는 거야. 07 모든 사람들은 행복을 추구할 권리가 있다. 08 한국인들은 강한 문화 정체성을 갖는 경향이 있다. 09 이 회의는 쉬는 시간 없이 진행될 것입니다. 10 나는 네 참을성 부족을 견딜 수 없어! 11 사람들은 밀레니엄버그에 대해 걱정했다.

12 objective
[əbdʒéktiv]

ⓝ 목적, 목표물   **main objective** 주된 목적

Our company's short-term objective is to increase income.

---

13 originality
[ərìdʒənǽləti:]

ⓐ original 최초의, 독창적인

ⓝ 독창성   **show originality** 독창성을 보이다

I want to be an artist of great originality.

---

14 possibility
[pàsəbíləti]

ⓐ possible 가능한

ⓝ 가능성   **raise the possibility** 가능성을 높이다

I start a project only when I think it has a high possibility of success.

---

15 precaution
[prikɔ́:ʃən]

ⓐ precautious 조심하는

ⓝ 조심, 예방   **precaution against** ~에 대한 예방책

Did you read all the safety precautions?

---

16 quarter
[kwɔ́:rtər]

ⓐ quarterly 4분의 1의

ⓝ 4분의 1, 15분, 1분기   **a quarter mile** 1/4마일

The first quarter of the year was good for business.

---

17 routine
[ru:tí:n]

ⓝ 일과, 판에 박힌 일   **daily routine** 일과

Happiness is often found in our daily routine.

---

12 우리 회사의 단기적 목적은 소득을 늘리는 것이다. 13 나는 독창성이 뛰어난 미술가가 되고 싶다. 14 나는 프로젝트를 성공 가능성이 높다고 판단될 때에만 시작한다. 15 안전 조치를 모두 읽었습니까? 16 올해 일사분기는 사업하기 좋았다. 17 행복은 우리의 일상에서 종종 발견된다.

18 simplicity
[simplísəti]

ⓐ simple 간단한

ⓝ 단순, 간소　　　**functional simplicity** 기능의 단순성

Our new product is focused on functional simplicity.

---

19 deed
[di:d]

ⓝ 행위　　　　　　　　　　**a good deed** 선행

The book is about the heroic deeds of a soldier on the battlefield.

---

20 enrichment
[enrítʃmənt]

ⓥ enrich 풍부하게 하다

ⓝ 충만, 풍부하게 함

　　unjust enrichment 부정 축재 (부당하게 부를 쌓음)

The new fertilizer helped the enrichment of the cornfield.

---

21 downfall
[dáunfɔ:l]

ⓝ (비, 눈 등이) 쏟아짐, 낙하, 몰락, 멸망

　　lead to one's downfall ~의 몰락을 초래하다

The King could only watch the downfall of his kingdom.

---

22 detail
[dí:teil]

ⓐ detailed 상세한

ⓝ 세부사항　　　　**go into detail** 상세히 말하다

I want to know every detail about last night.

---

23 closure
[klóuʒər]

ⓥ close 닫다

ⓝ 폐쇄　　　　**school closure** 휴교

The school closure was inevitable in the heavy snow.

---

18 우리 신제품은 기능적으로 단순성에 초점을 맞췄습니다. 19 이 책은 한 병사가 전장에서 펼치는 영웅적인 행동에 대한 내용이다. 20 새로운 비료가 옥수수 밭을 비옥하게 하는 데 도움을 주었다. 21 왕은 자신의 나라의 멸망을 지켜볼 수밖에 없었다. 22 어젯밤에 있었던 일을 자세히 알고 싶어. 23 폭설 속에서 휴교가 불가피했다.

24 contact
[kántækt]

ⓝ 접촉, 연락 **ⓥ** ~와 연락하다   **direct contact** 직접 접촉

If you have any questions about our products, please contact our customer service center.

25 courage
[kə́:ridʒ]

ⓐ courageous 용기 있는
ⓥ encourage 격려하다

ⓝ 용기   **have the courage to** ~할 용기가 있다

A hero is not made of strength, but of courage.

26 disappearance
[dìsəpíərəns]

ⓥ disappear 사라지다

ⓝ 사라짐   **the disappearance of glaciers** 빙하의 소실

The police are investigating the disappearance of the painting.

27 diversity
[daivə́:rsəti]

ⓐ diverse 다양한

ⓝ 다양성   **cultural diversity** 문화적 다양성

Our museum aims to have diversity in our collection.

28 existence
[igzístəns]

ⓥ exist 존재하다
ⓐ existent 존재하는

ⓝ 존재   **in existence** 존재하는

Philosophers attempt to discover the nature of existence.

---

24 저희 제품에 대해 궁금한 사항이 있으시면 고객 지원부로 연락주시기 바랍니다. 25 영웅은 힘이 아닌 용기로 만들어지는 것이다. 26 경찰은 미술품이 사라진 것을 조사하고 있다. 27 우리 미술관은 수집품의 다양성을 추구합니다. 28 철학자들은 존재의 본질을 발견하려고 노력한다.

29 exposure
[ikspóuʒər]

ⓥ expose 노출시키다

ⓝ 노출   **exposure to the sun's ray** 태양 광선에 노출

Exposure to microwaves may be harmful.

30 loyalty
[lɔ́iəlti]

ⓐ loyal 충성스러운

ⓝ 충성   **loyalty to one's owner** 주인에 대한 충성

The king was pleased as he saw the loyalty of his soldiers.

29 전자파에 노출되는 것은 해로울 수 있다. 30 왕은 병사들의 충성심을 본 후 만족스러웠다.

Multi-Meaning Word

object

ⓝ 물건, 물체
a small metal **object** 작은 금속 물질

ⓝ 목표, 목적
gain one's **object** 목적을 달성하다

ⓝ 목적어
direct[indirect] **object** 직접[간접] 목적어

ⓥ ~에 반대하다
object to his opinion 그의 의견에 반대하다

EXERCISE

A 다음 영어는 우리말로, 우리말은 영어로 쓰시오.

01 existence _____   06 노출 _____

02 downfall _____   07 독창성 _____

03 precaution _____   08 충성 _____

04 disappearance _____   09 정체성 _____

05 courage _____   10 폐쇄 _____

B 다음 영어는 우리말로, 우리말은 영어로 쓰시오.

01 direct contact: _____

02 a quarter mile: _____

03 raise the possibility: _____

04 일과: daily _____

05 선행: a good _____

06 제한 없이: without _____

C 다음 빈칸에 들어갈 말을 고르시오. (필요하면 형태를 바꾸시오.)

pursuit	lack	detail	diversity	interval

01 Keep the _____ between the shows short.
공연 사이의 간격을 짧게 유지해.

02 We are in _____ of a larger goal in life.
우리는 삶에 대해 더 큰 목표를 추구한다.

03 The reporter wrote down all the _____.
기자가 모든 세부사항들을 글로 적었다.

04 A _____ of calcium in a child's diet can lead to weak bones.
어린이 식사에서 칼슘이 부족하면 뼈를 약하게 한다.

05 More and more people demand cultural _____.
갈수록 많은 사람들이 문화적 다양성을 요구한다.

Word Search

앞에서 배운 어휘를 기억하며 단어를 모두 찾아보세요.

정답

E	T	R	O	T	I	U	S	R	U	P	R	V	L	D
R	X	C	E	B	E	Y	T	L	A	Y	O	L	D	E
T	A	I	D	T	J	R	K	S	G	K	Y	Y	T	T
C	C	E	S	E	R	E	U	M	W	C	R	T	C	A
U	E	A	V	T	T	A	C	S	K	A	O	I	E	I
D	E	A	T	L	E	R	U	T	O	L	L	S	Z	L
V	P	V	D	N	E	N	Y	Q	I	L	G	R	B	Z
Z	N	P	W	T	O	T	C	L	V	V	C	E	O	T
O	H	A	R	L	I	C	Y	E	Y	Q	E	V	W	C
Q	I	A	Y	T	C	O	U	R	A	G	E	I	R	T
V	U	G	N	D	O	W	N	F	A	L	L	D	O	X
Q	J	E	Y	V	A	E	E	X	P	O	S	U	R	E
B	D	C	H	A	R	M	O	N	Y	U	L	X	V	D
I	G	A	Z	L	A	V	R	E	T	N	I	I	A	C

courage	deed	detail	diversity
downfall	existence	exposure	glory
harmony	identity	interval	lack
loyalty	objective	pursuit	quarter

Word Mapping

앞에서 배운 어휘를 기억하며 빈칸을 채워 보세요.

정답

	가속하다
	내려오다
	버리다
	도약하다

	포옹하다
	감지하다
	깜빡거리다
	삼키다

Expression of Movement
동작의 표현

Expression of Sense
감각의 표현

Various Expressions
다양한 표현

Expression of State & Shape
상태와 형태의 표현

Abstract Expression
추상적 표현

	중단하다
	금지하다
	상징하다
	닮다, 유사하다

	배포, 함축
	정체성, 신원
	조심, 예방
	다양성

Appendices

Answers

Index

Answers

Chapter 1

UNIT 1   p. 20

A

1 태어나지 않은	6 maid
2 영양분을 주다	7 villager
3 어린이다운	8 outsider
4 낳다, 품종	9 parental
5 동료	10 feminine

B

1 여성적인 디자인	4 ancestor
2 고령 시민, 노령자	5 foster
3 타고난 재주	6 bridegroom

C

1 funeral	4 infants
2 junior	5 companions
3 ancestors	

UNIT 2   p. 28

A

1 거주자, 거주하는	6 sweep
2 하수 시설	7 alley
3 가정의, 국내의	8 chamber
4 벽장, 작은 방	9 drawer
5 천장	10 fireplace

B

1 유리 장식품	4 cleansing
2 사람이 사는 섬	5 hut
3 통로 쪽 좌석	6 drawer

C

1 pillow	4 rural
2 faucet	5 porch
3 settlement	

UNIT 3   p. 36

A

1 식욕	6 famine
2 영양, 자양분	7 ingredient
3 직물, 천	8 recipe
4 담요	9 laundry
5 음료	10 costume

B

1 맨발	4 dining
2 인공 조미료	5 kettle
3 바늘귀, 바늘구멍	6 pork

C

1 cosmetics	4 bitter
2 sour	5 tasteless
3 edible	

UNIT 4   p. 44

A

1 지나치게 뚱뚱한	6 nearsighted
2 죽음의, 치명적인	7 pregnant
3 불구가 된	8 lap
4 수족, 손발	9 facial
5 위생의	10 painkiller

B

1 척추 수술   4 addiction
2 상식   5 ankle
3 전통 의학   6 dental

C

1 tablets   4 jaw
2 injury   5 senses
3 clinic

UNIT 5 — p. 52

A

1 패배(시키다)   6 competition
2 아마추어   7 breathe
3 숙박시키다   8 professional
4 여관   9 expedition
5 풍경, 경치   10 spectator

B

1 해외 투자   4 tourist
2 세계 일주 항해 5 sightseeing
3 국내 여행   6 gym

C

1 recreation   4 athletes
2 break   5 souvenir
3 monument

Chapter 2

UNIT 6 — p. 62

A

1 단호한   6 analyze
2 비판하다   7 judgment
3 집중하다   8 assume, suppose
4 어림잡다, 추정하다 9 emphasize
5 의심하다   10 convince

B

1 재능을 알아보다
2 사람을 잘못 판단하다
3 관점
4 conscious
5 approve
6 deliberate

C

1 intended   4 concept
2 conclusion   5 expectation
3 concern

UNIT 7 — p.70

A

1 감탄할 만한   6 fondness
2 끌다, 매혹시키다 7 beloved
3 매우 기쁜, 유쾌한 8 favorable
4 축하하다   9 hearty
5 자랑, 자부심   10 fancy

B

1 매우 즐거운   4 friendly
2 감동적인 장면 5 relieve
3 완전히 만족한 6 content

C

1 hospitable   4 grateful
2 joyful   5 satisfactory
3 impressive

UNIT 8　　　p. 78

A

1 슬픔, 비애　　6 restless
2 놀라게 하다　　7 disgrace
3 무서운, 두려운　8 tension
4 후회하다, 뉘우치다 9 arrogant
5 부끄러움, 창피　10 embarrassed

B

1 부끄러운 행동　4 depression
2 욕심 많은 돼지　5 dread
3 지루해하는 얼굴　6 nervous

C

1 timid　　　　4 indifferent
2 hazardous　　5 negative
3 wicked

UNIT 9　　　p. 86

A

1 의존하는　　　6 acceptable
2 용기 있는　　　7 sensitive
3 불신　　　　　8 doubtful
4 불만　　　　　9 hesitate
5 부주의한　　　10 liberal

B

1 합리적인 설명　4 temper
2 미치다　　　　5 emotional
3 부정직한 거래　6 bold

C

1 keen　　　　4 confident
2 optimistic　　5 pity
3 outgoing

UNIT 10　　　p. 94

A

1 간절히 바라는　6 helpless
2 교활한　　　　7 attitude
3 부패한, 타락한　8 punctual
4 친숙한, 친근한　9 endure
5 열망하는　　　10 mean

B

1 교활한 술책　　4 deceiving
2 이기적인 동기　5 sociable
3 우스운 말　　　6 attitude

C

1 folly　　　　4 frank
2 generous　　5 insane
3 intimacy

UNIT 11　　　p. 102

A

1 단조로운, 지루한 6 terror
2 무서운, 두려운　7 thrilling
3 걱정하는　　　8 vigorous
4 외로운　　　　9 homesick
5 불쌍한, 비참한　10 funny

B

1 사회적 불안　　4 hopeless
2 서두른 출발　　5 dim
3 평화로운 생활　6 solitary

C

1 anxious　　　4 cynical
2 puzzled　　　5 melancholy
3 furious

Chapter 3

UNIT 12 p. 112

A

1 사회학	6 ignorant
2 교수	7 ethics
3 좌우명, 격언	8 instance
4 문맹의, 무식자	9 proverb
5 학문적인	10 procedure

B

1 장학금을 받다	4 poetry
2 학사 학위	5 remains
3 다윈의 진화론	6 award

C

1 logic	4 subjective
2 literal	5 nonverbal
3 apparent	

UNIT 13 p. 120

A

1 구술하다	6 presence
2 발음하다	7 graduate
3 교육	8 dormitory
4 여러 나라의 말을 하는	
5 학기	9 undergraduate
10 pupil	

B

1 제1학기	4 verbal
2 서평	5 entrance
3 강당, 큰 교실	6 coed

C

1 dormitory	4 method
2 mentor	5 terms
3 presence	

UNIT 14 p. 128

A

1 이민가다	6 vehicle
2 오두막, 선실	7 convenience
3 분수	8 structure
4 대도시	9 flight
5 건설하다, 세우다	10 site

B

1 철새	4 district
2 정박한 배	5 shipment
3 차선	6 traffic

C

1 license	4 basement
2 intersection	5 facility
3 row	

UNIT 15 p. 136

A

1 기도하다	6 contribute
2 성당	7 good
3 수도사	8 donate
4 성인	9 warmth
5 숭배하다	10 preach

B

1 신성한 장소	4 bless
2 헌혈하다	5 pilgrim
3 선교 활동	6 sin

C

1 miracle	4 mercy
2 homeless	5 charity
3 volunteer	

UNIT 16   p. 144

A

1 개선하다	6 custom
2 발전시키다	7 establish
3 골동의, 고대의	8 civilization
4 전설	9 heritage
5 군주, 왕	10 decline

B

1 고대의 무덤	4 treasure
2 재산을 상속 받다	5 out-of-date
3 역사적인 사건	6 everlasting

C

1 noble	4 ancient
2 myth(s)	5 ruins
3 era	

Chapter 4

UNIT 17   p. 154

A

1 정화하다	6 contamination
2 외부의	7 moisture
3 거리	8 environment
4 폭풍우	9 freezing
5 북극의	10 phenomenon

B

1 호흡 기관	4 iceberg
2 내해(內海)	5 external
3 생활 폐수	6 pest

C

1 mist	4 sunburn
2 shortage	5 earthquake
3 pollutants	

UNIT 18   p. 162

A

1 대륙, 육지	6 downstream
2 기원, 유래, 혈통	7 shore
3 언덕	8 path
4 비옥한	9 conservationist
5 생태학의	10 glacier

B

1 진흙탕길	4 volcano
2 산골짜기	5 decomposed
3 바다의 파도	6 extinct

C

1 waves	4 clay
2 current	5 fossils
3 gust	

UNIT 19

p. 170

A

1	번식하다	6	bunch
2	소	7	organism
3	대규모 농장	8	log
4	건초	9	moss
5	씨를 뿌리다	10	dinosaur

B

1	익은 사과	4	mosquito
2	장미 가시	5	lawn
3	사자의 포효	6	chain

C

1	marine	4	Mammals
2	weeds	5	traps
3	germs		

UNIT 20

p. 178

A

1	발명하다	6	sphere
2	순환하다, 돌다	7	atmosphere
3	달의	8	weightlessness
4	공간, 우주	9	orbit
5	(인공)위성	10	revolve

B

1	마찰 전기	4	vacuum
2	음력	5	shuttle
3	천체 망원경	6	astronaut

C

1	universe	4	machinery
2	planet	5	engineering
3	functions		

UNIT 21

p. 186

A

1	비율	6	physical
2	실험실	7	dispose
3	섬광, 번쩍이다	8	consist, comprise
4	영향(력)	9	biology
5	고체의, 견고한	10	emit

B

1	핵발전소	4	oxygen
2	질소 원자	5	thermometer
3	체액	6	mineral

C

1	dispose	4	melt
2	experiments	5	filter
3	combine		

UNIT 22

p. 194

A

1	고도	6	copper
2	반도	7	lead
3	범위	8	gravel
4	석유	9	geography
5	자석	10	geometrical

B

1	영국 해협	4	refined
2	타서 재가 되다	5	substance
3	전 세계에	6	steep

C

1	gravel	4	resources
2	Coal	5	remote
3	iron		

UNIT 23　　p. 202

A

1 나누다, 분할하다
2 도형, 도표, 그림
3 폭, 넓이
4 숫자, 모양
5 대부분, 과반수
6 graph
7 mathematics
8 calculation
9 rectangle
10 pattern

B

1 정사각형 타일
2 직언
3 나선식 계단
4 diameter
5 odd
6 maximum

C

1 formula
2 points
3 principles
4 equations
5 curve

UNIT 24　　p. 210

A

1 약국
2 내과의사
3 당뇨병
4 감염
5 수술
6 paralysis
7 kidney
8 pulse
9 prescribe
10 poisonous

B

1 심장 이식
2 식물성 단백질
3 신경성 질환
4 immune
5 chronic
6 epidemic

C

1 fatigue
2 pills
3 therapy
4 fitness
5 injection

Chapter 5

UNIT 25　　p. 220

A

1 죄, 유죄
2 사건, 사례
3 납치하다
4 단서
5 희생자, 피해자
6 violate
7 enforce
8 investigation
9 witness
10 disorder

B

1 체포되어
2 범죄자를 투옥하다
3 배심원의 의무
4 prisoners
5 detective
6 legal

C

1 jail
2 sue
3 justice
4 defense
5 fine

UNIT 26　　p. 228

A

1 선언하다
2 대사, 대표, 사절
3 준비, 예비
4 공포하다
5 지역적인
6 administer
7 policy
8 restriction
9 ban
10 duty

B

1 집단행동
2 공공기관
3 자유 민주주의
4 conference
5 Congress
6 public

C

1 welfare
2 civil
3 organization
4 cooperative
5 executives

UNIT 27 p. 236

A

1 식민지
2 후보자
3 장벽, 장애
4 투표, 여론 조사
5 관계
6 campaign
7 formal
8 immigrant
9 mutual
10 patriot

B

1 조약을 체결하다
2 시장을 지배하다
3 국제 무역
4 race
5 Republic
6 union

C

1 mass
2 politics
3 strategy
4 party
5 vote

UNIT 28 p. 244

A

1 공격(하다)
2 폭탄
3 압박하다
4 투쟁, 격투하다
5 (승리)하다
6 troop
7 military
8 surrender
9 veteran
10 conquer

B

1 사생활 침해
2 동맹을 맺다
3 반사회적인 행동
4 Navy
5 weapons
6 conflict

C

1 soldier
2 enemy
3 battle
4 target
5 weapons

UNIT 29 p. 252

A

1 사임하다
2 사무원
3 조수, 보조자
4 인사, 직원
5 진척, 추진, 승진
6 career
7 obtain
8 partnership
9 crew
10 rival

B

1 일자리에 지원하다
2 이력서를 제출하다
3 규율을 유지하다
4 staff
5 hire
6 vocation

C

1 profession
2 mechanic
3 retire
4 counselor
5 employ

UNIT 30 p. 260

A

1 빚
2 대출(금), 빌려주다
3 지불
4 몫, 주식
5 임금, 급료
6 frugal
7 sum
8 wage
9 consumption
10 currency

B

1 신용 거래하다
2 등록비
3 생명 보험
4 investment
5 broke
6 account

C

1 afford   4 cash
2 savings   5 fortune
3 rent

UNIT 31   p. 268

A

1 세금 없는, 면세인   6 worthless
2 파산한   7 import
3 도매업자   8 refund
4 산업의, 공업의   9 monitor
5 진보, 발전   10 non-profit

B

1 전국적인 파업   4 vending
2 개점 세일   5 commerce
3 온라인 시장   6 slump

C

1 efficient   4 product
2 trademark   5 costly
3 fruitful

Chapter 6

UNIT 32   p. 278

A

1 출판업자, 출판사   6 encyclopedia
2 문서, 서류   7 dictionary
3 기사, 논설   8 translation
4 소설   9 fiction, novel
5 주제, 테마   10 critic

B

1 현대 문학   4 editor
2 책을 개정하다   5 media
3 철자 수정   6 brochure

C

1 manual   4 interpret
2 headlines   5 theme
3 essay

UNIT 33   p. 286

A

1 참고하다   6 compare
2 표현, 표정   7 announce
3 논평(하다)   8 confess
4 대답하다   9 proposal
5 예언하다   10 describe

B

1 한가한 잡담   4 notion
2 남부 사투리   5 protest
3 결정적인 요인   6 depict

C

1 correspond   4 responded
2 praised   5 discussion
3 consult

UNIT 34   p. 294

A

1 박수갈채하다   6 compose
2 합창, 후렴   7 festival
3 기구, 악기   8 tempo
4 실행[공연]하다   9 reserve
5 새기다, 베다   10 exhibit

B

1 영화 대본　　4 vocal
2 악기　　　　5 sculpture
3 만화 등장인물　6 director

C

1 recital　　　4 concert
2 playwright　5 fashion
3 tragedy

UNIT 35　　p. 302

A

1 중세의　　　　　6 regular
2 주기적인　　　　7 infinite
3 일시적인, 임시의　8 instant
4 절박한　　　　　9 extensive
5 순간적인　　　　10 newborn

B

1 광대한 평원　　　4 never-ending
2 이전 장, 챕터　　5 finite
3 오래 지속되는 전쟁　6 recent

C

1 prior　　　4 latest
2 irregular　5 due
3 urgent

Chapter 7

UNIT 36　　p. 312

A

1 내려오다　　6 collapse
2 침몰하다　　7 leap
3 담그다　　　8 proceed

4 줄이다, 짧게 하다　9 kneel
5 툭툭 치다　　　　10 pour

B

1 신념을 버리다　　4 swing
2 아기를 입양하다　5 murder
3 폭탄을 터뜨리다　6 trace

C

1 directed　　4 erased
2 expand　　5 chased
3 scattered

UNIT 37　　p. 320

A

1 흘끗 보다, 흘끗 봄　6 blush
2 신호[서명]하다　　7 yawn
3 울다　　　　　　8 perceive
4 (눈에) 보이게 하다　9 worship
5 외치다　　　　　10 sniff

B

1 유혹을 이겨내다　4 stimulate
2 문질러 없애다　　5 stare
3 부드러운 포옹　　6 confront

C

1 sighed　　4 disgusted
2 restrain　5 reveal
3 grasped

UNIT 38　　p. 328

A
1 분배하다
2 위치시키다
3 생략하다
4 겪다, 떠맡다
5 추방[해고]하다
6 coexist
7 compel
8 absorb
9 attain
10 eliminate

B
1 희미해져 사라지다
2 잠깐 동안의 중단
3 그 전해
4 ease
5 stretch
6 wound

C
1 attained
2 derived
3 treats
4 thrive
5 adhered

UNIT 39　　p. 336

A
1 결함이 있는
2 움직일 수 없는
3 닮다, 유사하다
4 화려한
5 적은, 미세한
6 broken
7 hard
8 visible
9 opposite
10 grand

B
1 투명한 용기
2 뚜렷한 목표물
3 큰 돈
4 loose
5 bright
6 rough

C
1 symbolizes
2 dried
3 harsh
4 skinnier
5 tremendous

UNIT 40　　p. 344

A
1 존재
2 쏟아짐, 낙하, 열망
3 조심, 예방
4 사라짐
5 용기
6 exposure
7 originality
8 loyalty
9 identity
10 closure

B
1 직접 접촉
2 1/4마일
3 가능성을 높이다
4 routine
5 deed
6 limitation

C
1 intervals
2 pursuit
3 details
4 lack
5 diversity

Index

T

이것이 THIS IS 시리즈다!

THIS IS GRAMMAR 시리즈

▷ 중·고등 내신에 꼭 등장하는 어법 포인트 분석 및 총정리

강남인강
강의교재

THIS IS READING 시리즈

▷ 다양한 소재의 지문으로 내신 및 수능 완벽 대비

강남인강
강의교재

THIS IS VOCABULARY 시리즈

▷ 주제별로 분류한 교육부 권장 어휘

THIS IS 시리즈

무료 MP3 및 부가자료 다운로드
www.nexusbook.com
www.nexusEDU.kr

THIS IS GRAMMAR 시리즈
Starter 1~3   영어교육연구소 지음 | 205×265 | 144쪽 | 각 권 12,000원
초·중·고급 1·2   넥서스영어교육연구소 지음 | 205×265 | 250쪽 내외 | 각 권 12,000원

THIS IS READING 시리즈
Starter 1~3   김태연 지음 | 205×265 | 156쪽 | 각 권 12,000원
1·2·3 4   넥서스영어교육연구소 지음 | 205×265 | 192쪽 내외 | 각 권 10,000원

THIS IS VOCABULARY 시리즈
입문   넥서스영어교육연구소 지음 | 152×225 | 224쪽 | 10,000원
초·중·고급·어원편   권기하 지음 | 152×225 | 180×257 | 344쪽~444쪽 | 10,000원~12,000원
수능 완성   넥서스영어교육연구소 지음 | 152×225 | 280쪽 | 12,000원
뉴텝스   넥서스 TEPS연구소 지음 | 152×225 | 452쪽 | 13,800원

LEVEL CHART

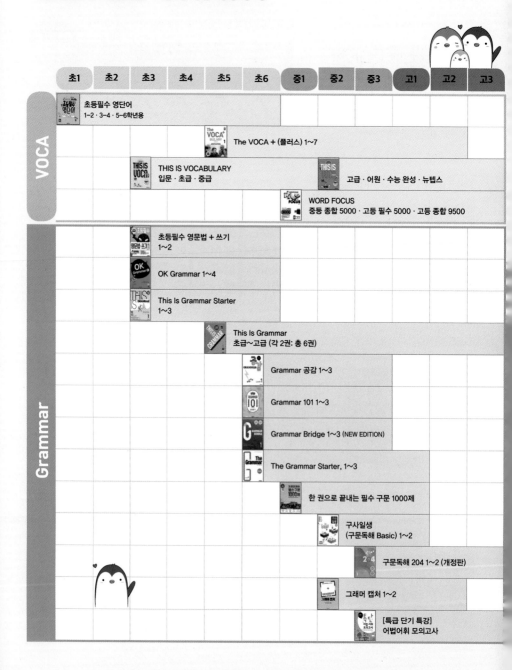

	초1	초2	초3	초4	초5	초6	중1	중2	중3	고1	고2	고3
VOCA	초등필수 영단어 1–2 · 3–4 · 5–6학년용											
				The VOCA + (플러스) 1~7								
			THIS IS VOCABULARY 입문 · 초급 · 중급					고급 · 어원 · 수능 완성 · 뉴텝스				
							WORD FOCUS 중등 종합 5000 · 고등 필수 5000 · 고등 종합 9500					
Grammar			초등필수 영문법 + 쓰기 1~2									
			OK Grammar 1~4									
			This Is Grammar Starter 1~3									
				This Is Grammar 초급~고급 (각 2권: 총 6권)							
					Grammar 공감 1~3							
					Grammar 101 1~3							
					Grammar Bridge 1~3 (NEW EDITION)							
					The Grammar Starter, 1~3							
						한 권으로 끝내는 필수 구문 1000제						
							구사일생 (구문독해 Basic) 1~2					
								구문독해 204 1~2 (개정판)				
							그래머 캡처 1~2					
								[특급 단기 특강] 어법어휘 모의고사				

초1	초2	초3	초4	초5	초6	중1	중2	중3	고1	고2	고3

Writing

공감 영문법+쓰기 1~2

도전만점 중등내신 서술형 1~4

영어일기 영작패턴 1-A, B · 2-A, B

Smart Writing 1~2

Reading

Reading 101 1~3

Reading 공감 1~3

This Is Reading Starter 1~3

This Is Reading 전면 개정판 1~4

원서 술술 읽는 Smart Reading Basic 1~2

원서 술술 읽는 Smart Reading 1~2

[특급 단기 특강] 구문독해 · 독해유형

[앱솔루트 수능대비 영어독해 기출분석] 2019~2021학년도

Listening

Listening 공감 1~3

The Listening 1~4

After School Listening 1~3

도전! 만점 중학 영어듣기 모의고사 1~3

만점 적중 수능 듣기 모의고사 20회 · 35회

TEPS

NEW TEPS 입문편 실전 250⁺ 청해 · 문법 · 독해

NEW TEPS 기본편 실전 300⁺ 청해 · 문법 · 독해

NEW TEPS 실력편 실전 400⁺ 청해 · 문법 · 독해

NEW TEPS 마스터편 실전 500⁺ 청해 · 문법 · 독해

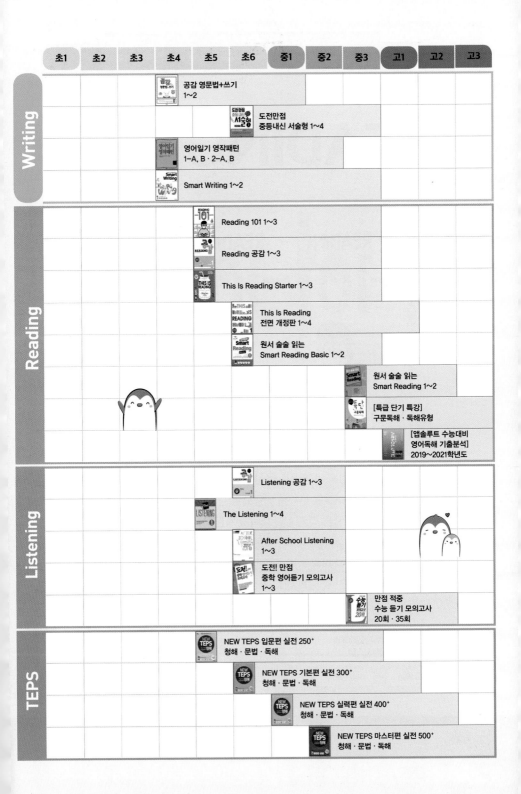